L'ODYSSÉE BLANCHE

DU MÊME AUTEUR

LE TRIATHLON HISTORIQUE, *récit,* éditions Albin Michel, 1988.

SOLITUDE NORD, *album,* éditions Nathan, 1990, épuisé.

TRANSSIBÉRIE, LE MYTHE SAUVAGE, *récit,* éditions Robert Laffont, 1992, réédition illustrée aux éditions de la Martinière, 1998, sous le titre TAÏGA, LE RÊVE SIBÉRIEN.

LA VIE EN NORD, *récit,* éditions Robert Laffont, 1993.

SOLITUDES BLANCHES, *roman,* éditions Acte Sud, 1994.

L'ENFANT DES NEIGES, *récit,* éditions Actes Sud, 1995, repris dans la coll. « J'ai lu », n° 4444.

OTCHUM : L'EXTRAORDINAIRE AVENTURE D'UN CHIEN DE TRAÎNEAU, *récit,* éditions de la Martinière, 1996.

NORD : GRANDS VOYAGES DANS LES PAYS D'EN HAUT, *album photos,* éditions de la Martinière, 1997.

ROBINSON DU FROID, écrit en collabor. avec Diane Vanier, *livre pour enfants,* éditions de la Martinière, 1997.

UN HIVER, SUR LES TRACES DE JACK LONDON, *récit,* éditions de la Martinière, 1997.

TERRITOIRE, *livre sur la chasse et aménagement d'un territoire,* éditions de la Martinière, 1998.

LE GRAND BRAME, *roman,* éditions J.-C. Lattès, 1998.

DESTIN NORD, entretiens avec Lionel Duroy, éditions Robert Laffont, 1998.

NICOLAS VANIER

L'ODYSSÉE BLANCHE

ROBERT LAFFONT

Photographies d'Alvaro Canovas,
de Nicolas Vanier et de Thierry Malty.

© Éditions Robert Laffont, S.A., Paris, 1999
ISBN 2-221-09082-9

À Christian Contzen
À Pierre Michaut

On ne fait pas toujours ce que l'on veut
mais on doit toujours vouloir ce qu'on fait.

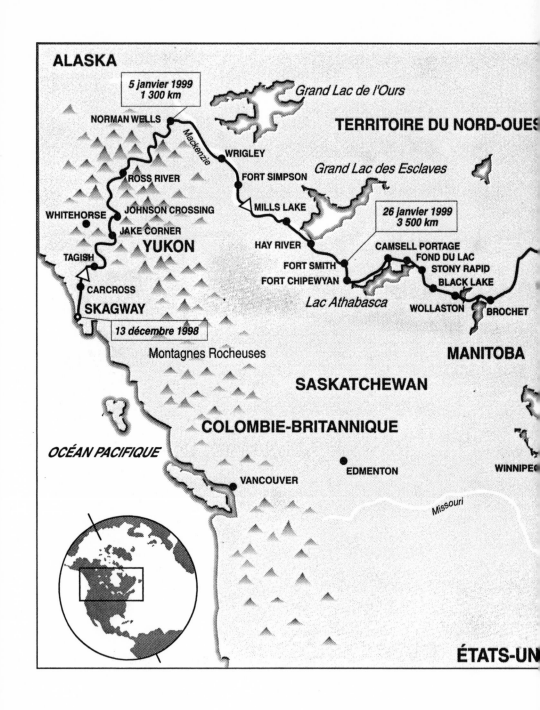

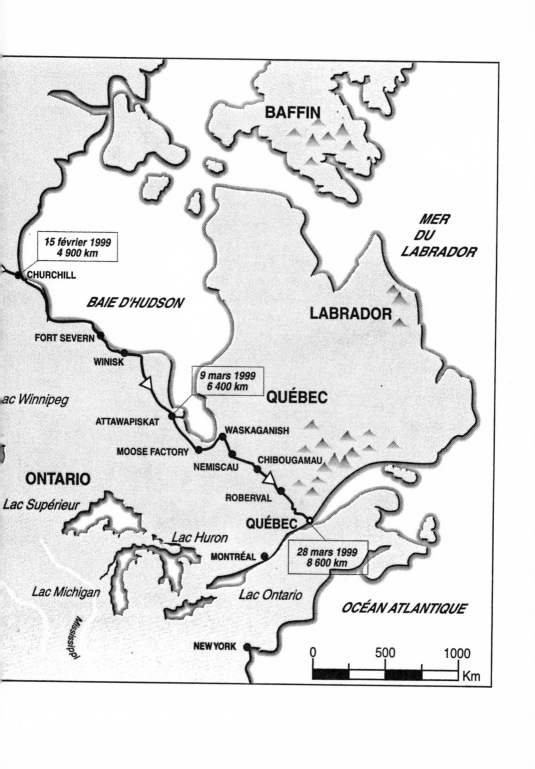

BAFFIN

MER DU LABRADOR

15 février 1999
4 900 km

CHURCHILL

BAIE D'HUDSON

LABRADOR

FORT SEVERN

WINISK

ac Winnipeg

9 mars 1999
6 400 km

QUÉBEC

ATTAWAPISKAT

WASKAGANISH

MOOSE FACTORY

NEMISCAU

CHIBOUGAMAU

ONTARIO

Lac Supérieur

ROBERVAL

QUÉBEC

28 mars 1999
8 600 km

Lac Huron

MONTRÉAL

Lac Michigan

Lac Ontario

OCÉAN ATLANTIQUE

Mississippi

NEW YORK

0   500   1000

Km

1.

Yukon, Whitehorse, − 15 °C

— Papa, regarde !

Comment pourrais-je la regarder plus ?

Bien calé, à l'envers sur les patins, le dos contre le guidon,
je dévore des yeux le spectacle. Les premiers pas de Montaine
en traîneau, seule, avec trois chiens. Il faut voir ses yeux agran-
dis de bonheur, sa fierté surtout, à l'échelle d'un empereur gravissant pour la première fois les marches vers son trône. Et le
papa gaga que je suis n'est pas peu fier non plus. J'en ai les
larmes aux yeux de voir tout ce bonheur qui enveloppe ma petite
fille des neiges et la rend encore plus belle. Elle n'en revient
pas de réussir. De tenir. Que les chiens obéissent. En fait, ils ne
font que suivre mon propre traîneau mais l'illusion est totale.
Elle exulte et ses yeux s'agrandissent encore.

— Laisse-moi, va plus loin, regarde, j'y arrive bien.

Elle veut que je m'éloigne. Être vraiment seule, sans filet,
que sa victoire soit éclatante, totale. Je me retourne en gardant
un œil sur elle et siffle. Les chiens prennent immédiatement le
galop et la distance qui nous sépare augmente.

— Papa !

Elle a un peu surestimé son courage.

À son air crispé, les sourcils froncés au-dessus de ses yeux
inquiets, j'ai compris quelle était la distance de sécurité à ne
pas dépasser.

Je l'attends et son sourire revient à mesure qu'elle me rattrape.

— T'as vu ?

— T'es une grande petite musheuse.

M'imitant, Montaine a pesé de tout son poids sur le frein en criant : « ooooooohh » pour qu'Oumiak, placée en tête de son petit attelage, s'arrête derrière moi.

Je vais embrasser ses joues rougies par le froid et la félicite comme il se doit, mais Montaine n'en a que faire. Elle veut repartir aussitôt et surtout aller rejoindre sa maman au milieu du lac gelé.

— Tu me laisses arriver toute seule ?

Montaine trépigne et n'écoute que d'une oreille mes mises en garde.

— Attention, quand je vais partir, tu dois tenir fermement le guidon de ton traîneau car les chiens vont s'élancer d'un coup. Plie bien tes bras pour amortir le choc. Tu es prête ?

— Oui !

— Voulk !

Mon chien de tête s'élance. Derrière, Oumiak, Amarok et Oukiok plongent aussitôt dans leur harnais. L'accélération est brusque, le choc trop violent pour les petits avant-bras de Montaine qui part à la renverse, cul dans la neige. J'arrête aussitôt mon attelage et rattrape in extremis Oumiak qui m'aurait bien doublé pour aller voler de ses propres ailes sur le lac. Oumiak est une fugueuse indépendante et intelligente qui n'a pas besoin d'un musher pour aller faire un tour !

Vexée, Montaine hésite entre les larmes et le rire. Elle adopte finalement le profil bas et m'écoute très attentivement pour ne pas réitérer la culbute.

Le second départ est parfait. La petite musheuse de six ans apprend vite.

— Voulk, yap... yap encore, encore.

Voulk effectue un grand virage et dessine une belle courbe sur le lac immaculé. Les chiens aperçoivent au loin Diane et Thomas qui nous attendent près de la motoneige avec laquelle ils nous ont suivis. Voulk accélère aussitôt et Oumiak prend le galop. Montaine tient bon malgré les secousses. Très concentrée, les pieds bien calés sur les patins, elle surveille son équilibre. Lorsque nous arrivons près de Diane, elle se redresse et arbore le sourire victorieux d'une championne olympique à qui l'on vient de remettre la médaille d'or.

— Donne-moi plus de chiens !

— Je ne peux pas, Montaine. Maman va monter avec moi pour rentrer et, à nous deux, on sera trop lourd si j'enlève des chiens.

Cette explication semble la convaincre sans la vexer.

— On y va ! On y va !

Nous repartons. Beau départ. Les chiens prennent le galop puis, après quelques centaines de mètres, je m'écarte de la piste déjà tracée pour longer la berge, tout contre la montagne. Dans la neige fraîche peu épaisse, les chiens ralentissent et adoptent le trot, long et régulier qu'ils peuvent tenir pendant des heures. Montaine, en confiance, lâche les mains.

— Ne fais pas ça, s'ils accélèrent, tu vas tomber !

Ça ne loupe pas. Quelques centaines de mètres plus loin, elle recommence au moment où deux gélinottes s'envolent d'un buisson de saules. Dans ces cas-là, les chiens démarrent comme un coup de canon et il m'arrive encore de me faire surprendre et de laisser échapper le traîneau, voire de m'étaler de tout mon long dans la neige. C'est ce qui arrive à notre musheuse en herbe. La chute est violente mais heureusement une bonne épaisseur de neige recouvre la glace sur laquelle le choc direct aurait été terrible.

De la neige dans les yeux, la bouche, les cheveux, partout, Montaine qui a eu plus de peur que de mal fond en larmes.

Première leçon : ne jamais lâcher le guidon, jamais.

Je le répète à Montaine qui, dans mes bras, sèche ses larmes se mêlant à celles laissées par la neige fondue sur son visage.

Les chiens qui en ont marre de ces arrêts répétés s'impatientent et le manifestent bruyamment, aboyant et sautant dans les harnais. Diane, debout sur le frein, a du mal à les retenir. Avec Montaine dans les bras, je retiens Oumiak. Derrière elle,

Amarok et Oukiok grognent et s'intimident, prémices à la bagarre que Diane redoute par-dessus tout. Dépassée par les événements, ma fille s'agrippe à mon cou qu'elle ne veut plus lâcher. Je monte sur les patins du traîneau alors que Diane récupère celui de Montaine et nous repartons enfin, pour une longue glisse sur le lac serti de hautes montagnes que le soleil caresse en biais, allongeant les ombres.

Quel bonheur que d'être ici avec Diane et Montaine, les chiens, dans ce décor exceptionnel, sans contrainte, libre de tout.

Dans deux semaines va commencer une course effrayante : plus de 8 000 kilomètres, durant lesquels il faudra compter les heures, grignoter des minutes, ne jamais se relâcher jusqu'à l'arrivée, si loin, de l'autre côté du Canada, tout là-bas à Québec !

Mais qui suis-je donc pour me lancer dans cette aventure qui ne me ressemble pas ou qui, du moins, ne ressemble pas à toutes celles qui depuis vingt ans m'ont fait homme ? Moi qui avais adopté cette devise, « On ne gagne vraiment que le temps perdu en chemin », je n'aurai pas une seule fois l'occasion de perdre ce temps si précieux grâce auquel j'ai réalisé tant de rêves, en Sibérie, dans les Rocheuses avec Diane et Montaine, en Laponie ou encore en Alaska.

« L'exploit ne m'intéresse pas », disais-je haut et fort, et voilà que je m'embarque dans une première mondiale. Relier l'océan Pacifique à l'océan Atlantique en moins de cent jours avec mes chiens.

— Les chiens, c'est leur faute !

C'est l'excuse que je me donne, en expliquant que je suis tel un marin qui aurait passé vingt ans de sa vie à sillonner les mers sur un petit bateau, pour son plaisir. Et voilà que le plus formidable des catamarans de course m'est tombé dessus ! Que faire alors sinon tester sa puissance en laissant le vent le propulser toutes voiles dehors à la vitesse pour laquelle il est conçu ?

Mon attelage est taillé pour cet exploit. Il est né d'un formidable coup de chance, un croisement jamais imaginé entre un laïka de Sibérie et une chienne groenlandaise. Le résultat est exceptionnel, unique au monde, des chiens à la fois rapides, terriblement puissants et endurants. Or, aujourd'hui, dans les principales grandes races : huskies, malamutes, alaskans, samoyèdes et « eskimos », on a soit la puissance, soit la vitesse mais chez les chiens, le 4×4 qui roule à grande vitesse n'existe pas. C'est mon attelage. Jouissant depuis leurs premiers mois d'un entraînement et de soins particulièrement « intensifs », ils sont aujourd'hui avec une moyenne d'âge de quatre à six ans au top de leur forme. Il fallait que j'imagine avec eux un projet qui leur ressemble : 8 000 kilomètres en 100 jours. « Impossible », dit-on ici et là dans les milieux « autorisés ». Certes, mais pas avec cet attelage et je vais tenter de le prouver.

Je les regarde : Torok, Nanook, Baïkal et les autres, et j'admire leur foulée ample et régulière. Leurs muscles roulent sous leur fourrure épaisse et brillante. Pas une once de graisse, de vrais athlètes, parfaitement, rigoureusement, sérieusement entraînés ici, au Canada par mon ami Patrick, alors qu'en France, d'un bureau à l'autre, jusqu'à l'épuisement, nous cherchions l'argent. Le nerf de la guerre.

Le départ étant fixé le 13 décembre à Skagway, au bord du Pacifique, il fallait que les chiens s'entraînent dès le début de l'été. C'est un savant travail où le dosage est primordial entre l'adoption d'un rythme rapide afin de couvrir la plus grande distance possible, et le plaisir de la course, que, dans le jargon des mushers canadiens, on appelle le « will to go » (l'envie d'aller). Voilà le grand pari de ce voyage : conserver ce will to go du 1er au 8 000e kilomètre, que la même joie habite les chiens de la première à la centième étape. Et ce pari se gagne ou se perd dès le début de l'entraînement, découlant lui-même du « capital » accumulé depuis la « naissance » de l'attelage, soit des milliers de kilomètres d'expéditions, de courses longue distance, d'entraînement encore et toujours.

2.

Alaska, Skagway, 1 °C

Jamais je n'ai vu de flocons aussi gros, aussi larges, plus de dix centimètres pour certains ! Ils descendent, lentement, serrés les uns contre les autres, s'accrochent, se mariant entre eux jusqu'à former de larges parachutes cotonneux qui se posent avec délicatesse sur le sol mouillé. Le spectacle est étonnant et nous restons de longues minutes, le visage renversé vers le ciel, pour admirer, en recherchant les plus gros flocons.

— Regarde celui-là ! hurle Montaine qui en a repéré un énorme, en forme de losange.

Elle court pour l'attraper, s'arrête en dessous de lui. L'énorme flocon termine sa chute dans ses deux mains tendues pour le recevoir. Elle éclate de rire, s'ébroue et recommence.

— Tu en as de la chance, constate Diane. Tu te rends compte, à la veille du départ !

C'est vrai, nous attendions cette neige depuis trois semaines, mais au bord de l'océan Pacifique, la température reste trop douce, environ + 1 °C, pour former une couche suffisante à la glisse en traîneau. Si le spectacle est féerique dans le ciel, au sol se forme un mélange de boue et de neige fondue peu encourageant.

Plus haut, dans les montagnes, c'est le blizzard et j'imagine que la piste tracée par Bob et Didier, deux des pisteurs de notre équipe, est en train de s'effacer. Deux jours et deux nuits leur ont été nécessaires pour atteindre Carcross, soit environ 100 kilomètres dans la neige vierge recouvrant une ligne de chemin de fer. Cette piste est régulièrement empruntée l'hiver par les trappeurs-motoneigistes et nous espérions qu'elle serait ouverte mais le manque de neige a découragé toute tentative. Bob et Didier ont d'ailleurs rencontré l'un de ces trappeurs, venu se rendre compte de l'épaisseur de la neige, prévoyant d'ouvrir la « trail », peut-être la semaine suivante. Il avait été ravi d'apprendre que le sale boulot était fait, car ouvrir une piste sur cette voie de chemin de fer slalomant entre les montagnes, accrochée sur les parois verticales, le long d'à-pic vertigineux, est loin d'être une partie de plaisir. Pour un baptême, Didier avait été gâté ! Quant à Bob, habitué à l'exercice depuis sa plus tendre enfance, il espérait que l'avenir serait plus souriant — 100 kilomètres dans ces conditions usent tellement les hommes et surtout le matériel qu'il nous imagine mal réitérer l'exercice trop souvent.

— Il y avait des congères si hautes que la motoneige disparaissait complètement dedans, se bloquait, racontait Didier, éreinté mais heureux d'avoir remporté sa première victoire. Dans l'une d'elles, j'ai carrément été éjecté de la machine, un vol plané de 10 mètres après être passé à travers le pare-brise explosé !

— On a dégagé des passages à la pelle, et il a fallu consolider des ponts défoncés pour éviter ceux du chemin de fer fabriqués avec des poutres trop espacées pour les chiens…

— Je me suis coincé dans un aiguillage, le patin de la motoneige s'est pris dedans, bloqué net. Encore un vol plané, j'ai eu de la chance, à gauche c'était le lac imparfaitement gelé, j'ai failli tomber dedans !

Les autres membres de l'équipe écoutent Bob et Didier avec un curieux mélange d'inquiétude et d'amusement. Sur les visages se lit l'envie d'en découdre. Marc, comme Didier, est un bleu du Grand Nord et son impatience dissimule une certaine appréhension découlant d'une volonté énorme de ne pas décevoir.

Alain, avec qui j'ai effectué un grand nombre d'expéditions un peu partout dans le monde où souffle le blizzard et où brillent les aurores boréales, reste silencieux mais je lis en lui comme à livre ouvert. Il ne sait pas encore vraiment pourquoi il est là, à l'aube d'une odyssée de plus de 8 000 kilomètres en motoneige, cet engin bruyant et incommode qu'il n'aime pas.

— Ce que je sais, c'est que je n'aurais pas supporté de ne pas en être, ça c'est sûr, impossible !

Cette expédition, c'est avec Alain, au-dessus d'une carte, que je l'ai imaginée. Moi non plus, à y réfléchir je ne me suis même pas posé la question de savoir s'il en ferait partie ou non.

— Quand est-ce qu'on part, m'avait-il seulement demandé en soupirant pour dissimuler plaisir et appréhension quelques minutes après que je lui eus exposé le projet.

— L'année prochaine.

— Bon !

Et nous y sommes. Alain en tête de cette équipe de six motoneiges sur lesquelles prendront place Marc, Didier, Bob ainsi que le tandem Thomas et Emmanuel, cameraman et preneur de son, l'un et l'autre coéquipiers à part entière et ayant déjà participé à bon nombre de mes traversées.

Dans toutes nos expéditions, nous n'avons jamais établi de positions hiérarchiques. Les décisions se prennent à la majorité, au terme de discussions libres. D'un commun accord, au vu du nombre de personnes (neuf au total) et de la particularité de cette course, nous avons cette fois-ci distribué des rôles et même écrit un petit document, pour clarifier les choses :

« *L'odyssée blanche est composée de quatre équipes :*

Les pisteurs avec pour responsable Alain et avec lui Didier, Marc et Bob.

L'équipe cinéma avec pour responsable Thomas, et avec lui Emmanuel, et Alvaro, photographe.

L'équipe logistique avec pour responsable Pierre et avec lui Raphaël.

L'équipe chiens avec... Nicolas.

L'ensemble des équipes est dirigé par Pierre Michaut qui a la responsabilité de prendre toutes les décisions parce qu'il sera le seul à avoir en main l'ensemble des données financières, techniques, médiatiques qui pourront l'amener à privilégier à un moment ou à un autre telle ou telle chose au détriment d'une autre. Raphaël l'assistera dans ce rôle.

Alain a la responsabilité de la piste. C'est lui qui décide de l'itinéraire en fonction des indications qui lui ont été fournies et de celles que recueilleront devant lui Pierre, Raphaël. Quant à Didier, il pourra, en fonction des circonstances, revenir en arrière à la rencontre de Nicolas avec l'équipe cinéma ou tracer la piste.

Pour gérer au mieux les problèmes humains qui ne manqueront pas de naître ici et là, le mieux est que chacun parle au maximum avec Pierre qui jouera le rôle de conciliateur.

Tout le monde doit bien avoir conscience que derrière, Nicolas n'aura sans doute pas, compte tenu du rythme imposé par le défi, ni sur la piste, ni au repos, les capacités physiques et morales pour gérer beaucoup d'autres problèmes que les siens. »

La tâche de Pierre, le chef d'orchestre, sera souvent ingrate, parfois douloureuse. Il se retrouvera en perpétuel décalage avec le reste de l'équipe, car il devra se rendre en avant, dans les villages, pour collecter des informations et organiser les étapes à venir. Mais son importance apparaît dès aujourd'hui, alors que, ayant réuni tout le monde, il tente de distribuer matériel et motoneiges, d'organiser, d'établir un semblant de programme pour les prochaines 48 heures.

Il y a Bob et Didier qui doivent repasser sur leur piste en partie effacée par le blizzard (ou complètement ?) alors qu'une de leurs motoneiges doit partir en réparation, le ski ayant été endommagé par les rails. Qui les emmène en camion ? Qui ramène la motoneige ? Si untel reste à Carcross, qui ramène le camion ? À quelle heure doit-il déposer l'essence en revenant car Bob et Didier n'en ont plus assez pour l'aller-retour ? Pendant ce temps-là, qui repart à Whitehorse chercher du matériel qui vient d'arriver en retard par avion ? Et Diane et Montaine, qui les ramène à l'avion, avec quel véhicule, et les autres motoneiges, et les journalistes ? Et Raphaël qui vient d'effectuer trois aller-retour en camion aimerait qu'un autre s'en charge, et la carte bleue pour payer ceci, cela, alors qu'un autre en a aussi besoin et les factures égarées à enregistrer et Marc qui doit terminer les réparations sur le traîneau pendant qu'Alain s'occupe d'autre chose et du coup n'a plus le temps d'aller avec Pierre remplacer Bob qui devait s'occuper de l'essence !...

À n'en plus finir. Tout le monde parle en même temps, argumente, démonte le plan initialement prévu, s'énerve, se lève pour proposer une idée lumineuse mais qui au terme de dix minutes d'étude se révèle pire que la précédente proposée par un autre qui revient à la charge...

Pierre note, enregistre les demandes et états d'âme des uns et des autres mais ne dispose pas encore de toutes les informations nécessaires pour être vraiment efficace. Retenu en France jusqu'au 3 décembre, il n'a même pas eu le temps de décompresser un peu après les semaines épuisantes de la fin du montage financier, logistique et administratif de l'odyssée blanche. En aura-t-il le temps un jour ? J'en doute et d'assister à cette première réunion purement logistique me conforte dans mon opinion et mon choix. La tâche sera rude et délicate, et qui, sinon lui, aurait assez d'obstination et de dévouement pour la mener à son terme ?

Je regarde cette équipe et j'ai confiance, même si je me rends compte aujourd'hui avec un peu d'appréhension que j'ai sous-estimé les difficultés. Pierre en a-t-il conscience ? Nous en avons parlé mille fois mais, d'un naturel optimiste, il pense que les choses vont rentrer dans l'ordre, prendre leur place, que le puzzle désarticulé se construira peu à peu.

Mais hier et aujourd'hui encore, je suis obligé d'organiser, de décider, d'assumer un rôle que j'espérais ne plus avoir à tenir à vingt-quatre heures du départ pour m'occuper essentiellement de ma course.

C'est ainsi, en tout cas, que nous avions imaginé le projet et construit cette équipe censée se gérer elle-même et qui doit dérouler au moins vingt-quatre heures à l'avance une piste sur laquelle, avec les chiens, nous essaierons d'établir un record démentiel. Pour tenir le pari, respecter le programme de plus de

80 kilomètres par jour quels que soient le terrain, la météo, les conditions de neige, il faudra créer notre propre piste puisque, à de rares exceptions près, elle n'existe pas. Or les chiens ne peuvent pas courir dans une neige molle, où ils s'enfoncent et s'épuisent. Les mushers utilisent donc des trails (pistes). Il en existe des milliers, soit au sud ou alors très haut dans le nord, dans l'Arctique où la neige est tassée par le vent. Là-bas, les chiens portent et encore pas tous les jours, ni durant tout l'hiver. Entre ces deux zones, un vaste no man's land de plusieurs milliers de kilomètres carrés de toundra et de taïga où l'on s'enfonce jusqu'au cou dans l'épaisse couche de neige.

Mais alors, pourquoi traverser à cette hauteur ? Parce que pour effectuer la traversée Pacifique-Atlantique en un seul hiver, c'est la seule solution. Au sud, l'hiver est trop court, la température en mars et décembre trop chaude pour effectuer des étapes de 100 kilomètres par jour avec des chiens. Au nord, il faudrait remonter trop haut, concéder trop de détours pour éviter les zones de banquise disloquée et ouverte, en un mot s'infliger trop de kilomètres, d'autant que les vents et les blizzards fréquents freineraient considérablement la marche.

Nous passerons donc en territoire indien, sur le 55e parallèle, parfois un peu plus haut ou plus bas, au pays de la neige épaisse, en suivant d'une manière générale la tree-line, cette ligne imaginaire que l'on aperçoit dans les livres de géographie symbolisant le passage entre la taïga et ses forêts et la toundra, la terre sans arbres. Je connais bien cette zone, la plus sauvage, où la vie est concentrée en hiver, où vivent les rares trappeurs encore en activité car les animaux à fourrure y sont nombreux ; perdrix et lièvres pullulent, lynx et renards leur font la chasse, les caribous s'y rassemblent et derrière eux, les loups.

Depuis vingt ans, en Sibérie, en Laponie, en Alaska et ailleurs, j'ai conduit les chiens au travers de ces espaces sauvages en tassant devant eux la neige avec de larges raquettes en cuir et en bois, à raison de 10 ou 20 kilomètres par jour durant des mois. Des traversées silencieuses et lentes que j'aimais. Sans motoneige, sans équipe devant nous pour tracer une piste, la traversée du Canada d'un océan à l'autre resterait sans doute possible en... cinq ans. Mais on n'engage pas une Ferrari dans un Paris-Dakar. C'est un grand prix de Formule 1 que je propose aujourd'hui à mes chiens et à un public qui ne comprend pas bien cet appétit de record.

Dans les grandes courses de chiens de traîneau comme la Yukon Quest ou l'Iditarod, les mushers s'élancent avec leur attelage sur une belle piste dure et large de 1 600 kilomètres préparée pour eux. Le parcours reste particulièrement éprouvant et a été jugé par un groupe de journalistes sportifs américains comme « l'épreuve sportive la plus difficile du monde ».

Notre aventure, je l'ai imaginée sur le principe de ces courses où tout est organisé, préparé afin que le musher n'ait rien d'autre à penser ni faire (le pourrait-il ?) que d'avancer le plus vite possible d'un point jusqu'à l'autre avec son attelage.

L'équipe construira la route et je piloterai dessus. Deux aventures complémentaires et indissociables, la réussite de l'une conditionnant celle de l'autre.

Y arriverons-nous ?

3.

Skagway, −1 °C

— Ça tiendra jamais !

Alain est sceptique et il a raison.

Nous devions utiliser depuis Skagway jusqu'au col du « White Pass » la ligne de chemin de fer, projet que nous avons finalement abandonné en raison du manque de neige. J'emprunterai donc la route pendant les vingt premiers kilomètres avec le traîneau équipé de roues. À partir du col, la neige tombée depuis dix jours à laquelle s'ajoute celle apportée par la tempête suffira amplement pour glisser sur les patins.

Le problème de la route n'est pas de rouler, ni d'avancer, car les roues fixées sous le traîneau, mises au point par les ingénieurs de Renault Sport, fonctionnent parfaitement. Ce qui nous préoccupe, alors que nous nous trouvons justement en plein essai à moins de vingt-quatre heures du départ, c'est d'adapter un système de freins qui freine ! En les testant sur la route verglacée, sachant qu'après seulement une ou deux heures de course les dix chiens seront au comble de l'excitation, nous nous rendons compte que nous avons sous-estimé le problème. Pourtant, Marco a fait souder un frein diabolique, une plaque hérissée de dents en tungstène de quinze centimètres de long, mais qui n'accroche pas ou insuffisamment sur le béton gelé. Dès lors, comment freiner l'attelage dans les quelques descentes, même rares, sur ces vingt kilomètres qui n'amusent personne ?

— On verra bien !

C'est par cette phrase hautement chargée de sens que je conclus notre séance d'entraînement car aucune solution satisfaisante n'est envisageable, surtout en quelques heures. Nous procédons alors aux ultimes vérifications du traîneau baptisé « la Formule 1 des neiges » par une équipe de journalistes auxquels nous l'avions présenté en France lors des essais réalisés à Tignes.

Pour une expédition comme celle-ci, avec des contraintes de terrain, de température et de charges aussi variées, il aurait fallu disposer de dix traîneaux et être en mesure d'acheminer l'un ou l'autre en fonction des conditions rencontrées. Un traîneau « toboggan » pour la neige épaisse, un autre « basket » pour la neige dure, encore un autre pour la montagne, le numéro 6 pour la banquise, le 8 pour la forêt... En effet, le traîneau agit comme un frein directement relié aux chiens qui subissent son poids, les chocs, les dérapages, les vibrations et les écarts. Le rôle du musher en ce qui concerne la conduite proprement dite est de limiter au maximum la gêne qu'il engendre, en essayant de suivre au mieux la course de l'attelage, sans écart et sans à-coups, qui, aussi minimes soient-ils, peuvent à terme engendrer des tendinites ou des blessures musculaires, notamment aux deux chiens placés immédiatement devant le traîneau.

Le cahier des charges remis à Christian Contzen, puis aux ingénieurs de Renault Sport, surpris au départ mais séduits ensuite par le défi, consistait à trouver des solutions aux différents problèmes que le traîneau pose à l'attelage tout en sachant qu'il lui faudrait tenir le « choc » 100 kilomètres par jour pendant 100 jours, dans les montagnes ou sur la banquise, sur les lacs et les rivières, à travers forêts et enchevêtrement de blocs de glace...

C'est donc, après de multiples hésitations et réflexions, un traîneau totalement innovant qui a été élaboré en utilisant les techniques les plus modernes, dont la CAO (Conception assistée par ordinateur).

Les variations de température extrêmement importantes, de −60 °C à +10 °C, ont très vite orienté le choix des ingénieurs vers les matériaux composites : carbone, kevlar, fibre de verre, dont les propriétés restent constantes et qui résistent beaucoup mieux que le bois aux chocs et à l'usure.

Les ingénieurs de Renault Sport et de leur partenaire Moc Composite ont mis à profit le pouvoir d'élasticité des fibres composites pour imaginer une structure de traîneau déformable et donc réglable en fonction du terrain rencontré. C'est aussi le premier traîneau à disposer d'un système de suspension et de réglage de la garde au sol qui favorise une meilleure absorption des chocs et diminue considérablement les risques de blessure des chiens. Une autre innovation est la déformation latérale du châssis en carbone qui permet au traîneau de virer sur les carres des skis, évitant ainsi les dérapages par une parfaite prise de trajectoire. Enfin, tous ces avantages demeurent quel que soit le poids, le traîneau ayant le même comportement avec 50 kilos emportés ou 150.

Rien n'a été laissé au hasard pour lui donner le moins de prise possible. Les imprévus ont déjà la part assez belle dans une aventure comme celle-ci surtout lorsqu'une telle contrainte de temps n'autorise pas d'erreurs.

Pour construire l'expédition intelligemment, nous nous sommes rendus, Pierre et moi, sur le terrain au mois de mars l'année dernière, allant de village en village expliquer le projet, rencontrer des gens, récolter des données, étudier des itinéraires, organiser des relais, recruter des guides. Un mois qui n'a pas été une partie de plaisir, d'un avion à l'autre, d'un rendez-vous à l'autre : on ne profite de rien, ni de personne, on enchaîne d'exténuantes journées de travail, parfois intéressantes mais le plus souvent rébarbatives et fastidieuses.

Seul, je ne serais jamais arrivé au bout de ce marathon d'autant plus épuisant qu'à quelques mois du départ, nous n'avions toujours pas un sou, et commencions à désespérer. Avec Pierre et Joël (qui, en France, gère avec lui une pharmacie), je me sentais plus fort et au découragement passager de l'un s'opposait l'optimisme de l'autre. Le bateau a été plusieurs fois à deux doigts de sombrer mais une bouée d'espoir lancée par l'un ou l'autre nous a toujours maintenus hors de l'eau jusqu'au jour où, au terme d'une longue traversée solitaire, nous avons été rejoints par d'autres et avons enfin touché terre.

— Quelle chance tu as !

Voilà une phrase, la phrase que j'entends souvent et qui me fait bondir, sortir de mes gonds. Le public ne voit que la partie émergée de l'iceberg, les photos de rêve sur papier glacé ou une belle carte animée présentant l'itinéraire à la télévision, sans imaginer ce que cela coûte d'efforts, de persévérance, de concessions… au point que je ne me crois pas capable de remonter un jour un tel projet. Je suis las de ces recherches de financement, de ces tractations avec les télévisions et sponsors, de ce montage nécessaire qui m'écartent de l'entraînement des chiens, de chez moi, de ce que j'aime.

Mais c'est le prix à payer et pendant vingt ans j'ai payé et je ne l'ai jamais regretté. Aujourd'hui, je suis usé et lorsque à la mort de Tabarly, j'écoutais l'une de ses confessions retransmises à la radio où il avouait s'être parfois écarté des courses en mer par ras-le-bol de la préparation, j'ai compris.

Une ligne de départ est une arrivée, une victoire, et nous avons remporté celle-ci puisque nous y sommes enfin et que rien ne manque.

Ce soir, à la veille du départ, je ressens une grande joie car le rêve devient réalité et c'est un moment d'émotion que je partage avec tous ceux qui se sont battus.

Dans le seul bar ouvert de la petite ville de Skagway, la fête bat son plein et nous dansons, trinquons et blaguons.

Marco lève son verre.

— Je n'ai que deux mots à dire : Qué — bec !

Alain chante à tue-tête. Thomas et Emmanuel reprennent le refrain. Didier offre sa tournée alors que Pierre et Joël tentent d'arracher Bob, un peu saoul, qui raconte pour la cinquième fois l'accident de Didier en motoneige à Raphaël !

J'imagine qu'à l'époque de la ruée vers l'or du Klondike, Jack London a levé son verre dans ce bar avec la même fierté, le même bonheur et la même appréhension que nous ce soir. Son aventure consistait à rejoindre Dawson, en Alaska, avec quelques autres milliers de chercheurs d'or. La nôtre, cent ans plus tard, ressemble à son époque. Ce déchirement entre la tradition et le modernisme, la lenteur des chiens et la course contre le temps, la solitude et la foule de ceux qui nous suivent... Mais je suis heureux. Demain commence l'aventure et la sensation de vivre est immense.

4.

Skagway, 13 décembre, − 2 °C

— Allez les chiens !

Une clameur accompagne le mouvement des dix chiens plongeant dans leur harnais. La secousse me cambre les reins et un frisson de bonheur court le long de mon dos, mes jambes, jusqu'aux pieds solidement calés sur les deux patins du traîneau.

Je lève une main, une moufle plutôt, mais je ne me retourne pas car je sens les regards plantés dans mon dos, celui de Diane et de Montaine et tous ceux, une centaine, des Français qui ont spécialement franchi l'océan pour assister au grand départ, et des Canadiens qui m'ont fait l'amitié d'être là.

La rue principale, trottoirs et maisons en bois ayant conservé le look d'autrefois, a été fermée à la circulation par la municipalité de Skagway. Le traîneau roule sur le macadam, emmené par mes dix molosses qui galopent pour évacuer leur trop-plein d'énergie.

Ils savent qu'il ne s'agit pas d'un entraînement. Ils l'ont compris au ton de ma voix, aux préparatifs auxquels ils ont assisté, impatients et ravis, à cette haie d'honneur qu'ils ont traversée au départ, aux embrassades solennelles. Je leur suis reconnaissant de me faire un si beau départ, tous bien en ligne, le galop souple et allongé.

J'avais hâte de partir enfin, d'entrer dans l'aventure, de refermer derrière moi cette porte où tant de choses me retiennent. Je me souviendrai toujours des grands yeux de Montaine, tristes et résignés.

— Au revoir papa !

Nous sommes loin déjà. Les chiens ont viré à angle droit, derrière Voulk très concentré, et nous sortons de la ville. Les bruits s'éteignent pour laisser place à ce silence énorme qui m'accompagnera jusqu'au bout et deviendra mon meilleur ami ou mon pire ennemi. Nous attaquons aussitôt la montée car les montagnes, immenses et abruptes, tombent ici directement dans la mer. Les chercheurs d'or du siècle dernier avaient commencé par emprunter la même voie pour sortir de cet étau et franchir le « White Pass », jusqu'à ce que des éboulis et des avalanches les bloquent, ensevelissant des centaines d'hommes et de chevaux. Ils abandonnèrent alors cette route et utilisèrent, plus au nord, le fameux « Chilkoot Pass », une pente à 45 degrés qu'ils devaient franchir avec une tonne de nourriture et de matériel, sans quoi la police montée leur refusait le passage. Ils effectuaient des dizaines de fois la montée, gravissant une à une les marches taillées dans la glace et redescendant en glissade. Nuit et jour, une longue file indienne d'hommes pliés en deux sous la charge s'attaquait à l'impitoyable col. Il y avait bien quelques porteurs indiens mais avec l'affluence des arrivants, ils demandaient de plus en plus cher et surtout, ils n'étaient pas assez nombreux. Alors souvent, la réalité fut plus forte que le rêve et, sur la piste qui menait à « l'eldorado », les espoirs mouraient avec les hommes, et beaucoup n'atteignirent jamais Dawson, cette ville qui n'existait pas encore sur les cartes. C'est là que Jack London commença à accumuler anecdotes, atmosphères et émotions. Sa fièvre de mots étant plus forte que celle de l'or, Jack London écrivit bientôt ses chefs-d'œuvre, assurément la plus grosse pépite que nous ait laissée cette ruée vers l'or.

Ses livres ont nourri mon enfance et joué un rôle important dans ce que je suis aujourd'hui. Que les premiers pas de notre expédition suivent ceux des héros de ma jeunesse n'est pas un hasard mais un symbole.

C'est à ces hommes aux longues barbes et vêtements élimés qui se sont inventé une existence en se prenant au piège du mirage doré que je pense en montant vers le col. J'essaie d'imaginer leur souffrance, leurs espoirs, leur héroïsme.

La montée est terrible, plus de 1 000 mètres en quelques kilomètres ; pour soulager les chiens, je cours derrière le traîneau qu'ils emmènent à un rythme effréné, sans ralentir.

Devant moi, Alain conduit un pick-up et prévient les véhicules roulant en sens inverse, précaution imposée par la police qui nous a autorisés à emprunter la route. Derrière, quelques véhicules suivent. Chaque fois que je me retourne, leurs occupants me font de grands gestes pour m'encourager et prennent des photos.

L'impatience grandit d'arriver en haut, de quitter les roues et la route, de retrouver la neige et de m'enfoncer, enfin seul, pour glisser silencieusement dans la forêt blanche. Là seulement je m'arrêterai et irai embrasser les chiens un à un et je leur expliquerai le voyage.

Le service d'entretien de la route passe régulièrement étaler du gravier, censé empêcher les voitures de glisser et de finir dans le ravin qui borde la route. Je m'arrête pour mettre des bottines aux chiens ayant des coussinets sensibles. Il s'agit de petites chaussettes en laine polaire que l'on fixe avec un velcro et qui protègent très efficacement. On les utilise comme ici de façon préventive ou alors pour permettre à une petite blessure de cicatriser.

Chip, la petite chienne alaskan que j'ai récupérée l'année dernière, dépareille dans l'attelage dont elle est la seule « pièce rapportée ». Fine, élancée, la tête longue et les oreilles cassées, elle ne ressemble pas à un chien de traîneau classique. Elle est alaskan, c'est-à-dire le fruit d'une sélection rigoureuse effectuée après des croisements réfléchis entre lévriers et huskies. Une bête de course, qui imprime aujourd'hui un rythme démentiel aux compétitions.

C'est avec elle que je veux essayer de « marier » Voulk dans l'espoir d'obtenir un nouvel attelage. Il faut déjà penser à l'avenir, les chiens malheureusement ne sont pas éternels.

Pour l'instant, Chip a décroché le rôle de « swing dog ». Placée immédiatement derrière les deux chiens de tête, Voulk et Nanook qui opèrent en tandem, elle fait tourner l'attelage dans les virages. Elle les épaule en quelque sorte dans leurs changements de direction. C'est une place où l'on apprend le métier de chien de tête. Dans quelques semaines, d'instinct, comme la plupart de mes chiens (sept peuvent aller en tête), elle réagira aux commandements de direction : djee pour virer à droite et yap pour tourner à gauche. D'autres commandements, plus subtils, plus difficiles à intégrer, viennent compléter ces deux ordres basiques : « doucement », « reviens » (à droite ou à gauche pour le demi-tour), « encore », « attends » et « hooo » pour s'arrêter.

De la bonne exécution de ces ordres dépend la sécurité de tout l'attelage. Voulk est le chien qui remplit ce rôle avec le plus de brio et de finesse. Le chien de tête ne doit pas seulement exécuter mais aussi prendre des initiatives, anticiper, savoir réagir devant une situation inattendue, faire preuve de libre arbitre, en un mot ce doit être un chien… intelligent. Voulk a énormément progressé depuis la disparition d'Otchum, ce chien exceptionnel avec lequel j'avais établi une complicité proche de ce que l'on peut appeler la perfection. Voulk a pris de l'assurance, de la hauteur. Il est devenu plus responsable, plus appliqué. Il a mûri. C'est l'un des chiens indispensables sans lesquels je n'arriverais pas au bout.

Ses trois frères de lait, Baïkal, Nanook et le formidable Torok, font aussi partie des chiens classés dans la catégorie « indispensables et irremplaçables ». Tous quatre issus de la première portée, ils sont franchement extraordinaires, d'une endurance et d'une puissance phénoménales. Torok est le plus puissant. C'est un tracteur, capable à lui tout seul d'arracher le traîneau coincé dans un trou. Il n'est pas bagarreur, il n'a pas besoin de ça pour imposer sa force, et il n'aime pas ça, si bien qu'il a laissé Baïkal devenir le chef de meute à la mort d'Otchum. Baïkal, lui, est bagarreur et il en a les moyens. Vif, d'une puissance incroyable, taillé dans le roc, il impose sa position hiérarchique à coups de crocs. C'est un excellent trotteur mais qui, pour des raisons que j'ignore, est capable de se relâcher d'un coup. Il ne s'agit pas d'un problème de moral ou de volonté mais de constitution, comme si, à une certaine température (généralement haute), et durant un effort prolongé (plus de cent kilomètres d'une seule traite), la pompe lâchait, engorgeait le cœur. Il est tombé plusieurs fois dans son harnais, me causant de terribles paniques. Mais au bout de quelques minutes, il reprend vie, se remet debout et jappe pour repartir de plus belle. On en oublierait ces petites faiblesses très passagères.

Nanook est un chien dont le seul défaut est de ne pas en avoir. Il est parfait dans sa tête comme dans son harnais, sur la piste comme à l'arrêt. C'est un chien sympa, infatigable. Un montagnard hors pair, il décroche le maillot à pois à chaque expédition ! Avec dix chiens comme lui, je serais capable de vaincre dix fois l'Everest sans oxygène ! Je le regarde et c'est incroyable. Il aime grimper, l'un de ces ancêtres devait être un chamois. Sachant que nous attaquions une grosse pente, je l'ai placé en tête, à côté de Voulk, et tous deux impriment un rythme drôlement soutenu, presque trop rapide pour les autres que je surveille attentivement, leur accordant des petites pauses qui m'aident aussi à reprendre mon souffle.

Le musher est comme un entraîneur dans une équipe de foot. À lui de choisir, en fonction des matchs qu'il a à jouer, la position de ses joueurs, tel chien à l'avant, tel autre à l'arrière. Tel chien aime jouer avec celui-là, tel autre non. Il faut faire des tentatives, persévérer, changer, régler des conflits, en laisser d'autres se régler seuls. Imposer une discipline et s'imposer en conservant toujours une bonne ambiance sans laquelle une équipe ne jouera jamais à son meilleur niveau. Aller en traîneau est un plaisir que le musher doit partager avec ses chiens.

« Existe-t-il un plaisir plus grand ? » demandait Scott, explorateur célèbre qui disait aussi :

« Donnez-moi l'hiver, donnez-moi les chiens et gardez tout le reste ! »

5.

White Pass, − 8 °C, 20 km parcourus

Je n'avais pas encore eu l'idée de me retourner alors que, courant derrière le traîneau, je me concentrais sur les chiens, cherchant à deviner les signes de fatigue, étudiant leur trot dont la moindre irrégularité aurait trahi une blessure aux pieds.

J'ai eu tort. Le panorama est majestueux, à couper le souffle. En prenant de la hauteur, nous dominons maintenant le paysage constitué de pics se dressant droits vers le ciel en une ligne de crêtes enneigées qui s'ouvrent en un seul endroit sur la mer parsemée d'îles. Leurs contours adoucis, seulement soulignés d'un anneau de couleur plus sombre, semblent flotter dans une brume violette. Des champs de neige apparaissent ici et là entre les montagnes et forment des amphithéâtres traversés de vallées boisées où les pins douglas et sapins du Canada colorent la neige.

La matinée a été grise mais les brumes se dissipent maintenant vers l'ouest, à l'exception d'un grand nuage aux rebords cotonneux et déchiquetés, étiré par le vent et qui coiffe le sommet des montagnes. Alors les couleurs, densifiées par le soleil qui apparaît graduellement, participent à la magie du lieu. Les fjords et promontoires, des roches rouges et brunes se fondent dans la vibration lumineuse de ce tableau radieux. Je suis étonné d'être déjà si loin, bientôt en haut du col, alors que nous ne sommes partis de Skagway que depuis deux heures. Ne devrais-je pas arrêter un peu les chiens ? Leur laisser le temps de souffler, d'autant plus qu'il fait chaud en plein soleil malgré la fraîcheur que nous retrouvons avec l'altitude. Je tente une pause, mais ils manifestent aussitôt une telle envie de repartir qu'un repos serait totalement inefficace. Trépignant d'impatience, gesticulant, sautant, ils dépenseraient autant d'énergie qu'en continuant de courir ! Je n'ai donc pas le choix. Nous montons d'une seule traite jusqu'en haut du col : 25 kilomètres et surtout 1 000 mètres de dénivelé en un peu plus de deux heures ! J'ai les jambes en coton, le souffle coupé et ma chemise est à tordre.

— Impressionnant, répète Alain qui pourtant connaît bien l'attelage.

De l'autre côté du col, le paysage change brusquement. Des montagnes ciselées, déchiquetées par la mer, on passe tout à coup à de vastes champs de neige balayés par les vents et parsemés de lacs. Ici, le regard porte loin. Les montagnes s'écartent et les vallées forment des plateaux arides, sans arbre, uniformément blancs. « White Pass » porte bien son nom.

L'expédition aurait bien pu se terminer dans la première descente et nous tuer tous, chiens et musher. Je savais que le frein ne me permettrait pas de contrôler la descente mais de là à imaginer ça ! Spontanément, dès le début de la pente, les chiens prennent le galop et les deux ordres censés les ralentir ou même les arrêter sont totalement inefficaces, car si les chiens en tête font mine d'obéir, les autres les bousculent, poussés par ceux placés immédiatement devant moi, qui n'ont aucune envie d'être percutés par le traîneau ! Emporté par son élan et par son poids auquel s'ajoute le mien, nous accélérons progressivement, les chiens allongeant leur galop pour ne pas être rattrapés par le traîneau qui danse dangereusement sur ses roues. C'est le cercle vicieux, sans échappatoire. Pourtant, m'arc-boutant sous le guidon, je pèse de tout mon poids sur le frein. Mais les dents glissent sans mordre sur la route gelée et lancent derrière moi une gerbe d'étincelles effrayante. La vitesse devient vertigineuse et mes efforts pour me maintenir au milieu de la route et éviter de percuter la roche, à gauche, ou les petites congères de neige qui nous séparent du vide à droite, sont dérisoires. Je ne contrôle plus rien et j'ai envie de me réveiller, je n'ai pas besoin de ce genre de cauchemar.

Derrière moi, quelqu'un hurle :

— Mais il faut qu'il s'arrête, il va se tuer !

Si la situation n'était pas aussi désespérée, je crois que j'éclaterais de rire. S'arrêter ! Je donnerais cher pour être en mesure de le faire, car nous n'avons pas mérité ça, un accident à trois heures du départ c'est ridicule.

Insensiblement la pente s'incurve. Nous arrivons en bas, et je ne sais pas comment je négocie le virage sans me retourner ! Cela tient plus du miracle que de l'adresse.

Enfin, la meute sent que le traîneau retrouve un peu d'autorité et ralentit. J'accompagne en freinant. Mis en confiance Voulk ralentit encore, puis s'arrête. Le traîneau glisse quelques mètres, sans repartir pour autant. C'est fini. Je crois que les chiens ont autant envie que moi de souffler un bon coup.

Alain et Marc qui ont tout vécu en direct depuis le pick-up arrivent aussitôt.

— C'est de la folie !

Marc en tremble encore. Alain est blanc.

On se regarde, et on se comprend. On l'a échappé belle.

Vivement la neige, j'en ai marre de la route et des roues !

Diane et Montaine, qui étaient dans un véhicule à l'arrière, nous rejoignent. Montaine va aussitôt caresser les chiens un à un, ce qu'ils apprécient, à la façon dont ils recherchent sa main, allant jusqu'à la bousculer pour qu'elle continue.

Montaine rit aux éclats puis, brusquement sérieuse, joue à la patronne.

— Allez maintenant, ça suffit.

— Qu'est ce qu'elle va me manquer, ma petite princesse des neiges !

Diane, à son habitude, ne dit rien et m'observe. Elle ne laisse rien paraître de ses sentiments ni de ses émotions. Tout reste dissimulé derrière l'épaisse carapace qui la protège et que peu de gens parviennent à ôter, jamais complètement. Cela fait partie de son charme, mais son jardin secret est trop vaste pour moi qui parfois y erre pendant de longues périodes sans la trouver.

— Ça va ?

— Oui.

Elle ne dit pas qu'elle a peur ni qu'elle est triste de me quitter.

Elle ne dira rien et même sa voix ne trahira pas son émotion.

Elle restera digne et presque ailleurs, comme si ces événements ne la concernaient pas. Alors que ses sens, d'une acuité insoupçonnée, voient, enregistrent et analysent tout. C'est son côté louve et sauvage qui explique peut-être l'amour qu'elle porte à Oumiak, la louve de l'attelage.

Cette chienne, la seule fille d'Otchum, est un cas. On jurerait à la regarder qu'elle ne fait pas partie de la meute. Petite, fine, élancée, elle a des allures de renard, un regard de loup. Sauvage depuis la naissance, refusant le contact avec l'homme, elle n'aime que la meute, et surtout courir avec elle dans les solitudes blanches. Aucun événement particulier dans son enfance n'explique ce comportement étrange. Elle a toujours refusé de se laisser apprivoiser. Après de multiples tentatives, essayant toutes sortes de méthodes, j'ai fini par respecter sa différence et par l'apprécier.

Son intelligence est grande et, placée en tête, elle rivaliserait avec Voulk si elle était aussi rapide que lui. Oumiak est capable de se détacher seule de la ligne de trait, ou encore d'ouvrir une cage dont le système breveté est prétendu infaillible. Lorsque nous étions partis un an dans les montagnes Rocheuses et que nous vivions en famille, loin de tout, dans une cabane construite de nos mains au bord d'un grand lac, Oumiak se libérait souvent et partait pour de longues balades solitaires.

Elle revenait toujours, au bout de quelques heures ou de quelques jours, et réintégrait la meute, attachée à elle comme peut l'être un chien de compagnie à son maître. Lorsque je m'arrête et remonte l'attelage, caressant un à un les chiens, je ne sais jamais que faire en arrivant près d'elle. L'ignorer, ou agir avec elle comme avec les autres ? En tout cas, feindre l'indifférence ne marche pas. Son regard vous transperce, vous sonde. On jurerait alors qu'elle sourit, mi-moqueuse, mi-joueuse, devant notre gaucherie humaine. Avec elle, on reste toujours un peu sur sa faim, désemparé, comme devant une jolie fille qui intimide, le sait et s'en sert.

Je l'ai placée aujourd'hui à côté d'Amarok, son frère, un ressuscité donné pour mort à l'âge de six mois alors qu'il avait attrapé une sale maladie. Il en a gardé quelques séquelles, sa croissance en a souffert, mais il compense sa légère faiblesse par un formidable courage qui l'emmène au bout d'étapes de 160 kilomètres par jour sans ralentir. Il est un peu bagarreur, grognon et soupe au lait, apanage assez classique des faibles, mais c'est un brave chien qui donne beaucoup. De toute façon, je peux placer Oumiak n'importe où, à côté de n'importe quel chien, excepté Chip, sa pire ennemie sur terre, qu'elle a juré d'égorger à la première occasion. Oumiak régnait en maître sur cette meute de beaux mâles qui se pavanaient devant elle, usaient de toutes les supercheries pour obtenir ses faveurs, se dandinaient comme des chiots à son passage, princesse des neiges, femelle de haut rang. Et voilà qu'un beau jour, que ne voit-elle pas arriver, une concurrente !

Il fallait voir Oumiak, le regard lançant des flammes, tous crocs dehors, le poil dressé comme une brosse métallique sur le dos rond porté le plus haut possible ; Chip, tremblante, la queue basse, s'était écrasée, enfoncée dans la neige sous elle, en signe de soumission. Oumiak n'est pas partageuse. Même contre une tonne de viande fraîche, elle ne prêterait pas le plus ringard de ses douze mâles, ne serait-ce que cinq minutes ! Dans une meute de loups, il n'y a qu'une femelle dominante. Sa suprématie est totale. Lorsque ses chaleurs arrivent, un phénomène biologique rarissime bloque celles des autres femelles de la meute. La femelle dominante est donc la seule à copuler. Oumiak n'acceptera jamais Chip et je gère au mieux cette rivalité insoluble, en les tenant toujours éloignées l'une de l'autre.

Chip, d'un naturel enjoué, facile à vivre, admet cette situation avec philosophie. Si elle avait la parole, elle dirait en haussant les épaules :

— Ça va, ça va, je te les laisse tes mâles !

Les chiens déroulent un beau trot, régulier, allongé, rapide, jusqu'à la frontière entre l'Alaska et le Canada, où je manque de percuter un énorme camion dans un virage négocié trop à l'intérieur, c'est-à-dire sur la voie de gauche...

Voulk redresse in extremis. Le traîneau frôle le camion qui, incapable de ralentir sur la glace, hurle de tous ses klaxons à plus de 100 kilomètres/heure.

Enfin je vais quitter la route, les camions, le macadam et les accidents potentiels aussi nombreux qu'effroyables, pour retrouver la piste tracée par Bob et Didier.

Le vrai départ ! Ici, j'abandonne tout, Diane et Montaine, les quelques amis nous ayant fait l'amitié de nous suivre, pour m'enfoncer seul dans le grand blanc, le grand silence.

6.

Yukon, lac Laberge, − 30 °C, 80 km

La nuit est là, le froid aussi. Pas de lune, seulement quelques étoiles et le froid, − 30 °C. Je me suis allongé tout habillé au milieu des chiens, entre Torok et Voulk qui s'est lové contre moi, la tête posée sur mon sac de couchage. Les yeux ouverts, je regarde le ciel, en écoutant discrètement les bruits familiers, un chien qui s'ébroue et le cliquetis de la chaîne, une gueule happant un peu de neige poudreuse, un soupir, Torok qui se lève, observe les alentours, se recouche en boule, après avoir cherché un peu sa position et gratté la neige pour mieux creuser son trou, Amarok, près de lui, qui grogne sans vraiment y croire, presque dérangé dans son sommeil.

Je crois qu'un marin longtemps éloigné de la mer ressent la même émotion en retrouvant le frôlement de l'étrave, le friselis de l'eau contre la coque, la chanson du vent dans les voiles, le craquement du bateau…

Impossible de fermer l'œil, mon cœur bat trop fort, l'émotion est trop neuve, l'instant trop espéré pour être sacrifié, même contre de précieuses heures de sommeil. Je suis heureux, gonflé de bonheur, envahi d'un sentiment profond de plénitude, exalté par ce qui m'attend. Oubliés la course, la fatigue, les kilomètres. Cette nuit, mon optimisme est sans limites, ma motivation à l'égal de mon bonheur. Je ne vois qu'une seule raison d'être heureux qui occulte tout, cette piste blanche sur laquelle je vais bientôt m'élancer avec ma meute pour le plus grand et le plus merveilleux des voyages : les Rocheuses, les grands lacs, la taïga et la banquise, toutes ces provinces au nom qui chante : Yukon, Saskatchewan, Ontario, Manitoba, ces peuples indiens et inuits vers lesquels nous glisserons, toutes ces nuits et ces jours à conduire l'attelage dans le froid et les tempêtes comme une aventure sans fin, car elle est si loin, si inaccessible qu'elle en devient intemporelle, irréelle... Comme un rêve.

Mon rêve devenu celui d'une équipe avec laquelle je me sens bien et que je sais très forte. Je les imagine devant, en train de préparer la suite, recherchant de Carcross à Tagish la meilleure route. Ce lac, ces montagnes ? J'imagine qu'en ce premier jour, nous vibrons tous, séparément, mais intensément, à l'unisson, pour cette aventure un peu insensée. On nous l'a redit encore toute la semaine :

— Vous ne passerez pas les montagnes !

Ce n'est pas une mise en garde mais bien plus que cela, c'est presque une menace. Ce sont des gens qui ont essayé, plusieurs fois, des gens qui connaissent bien les montagnes, et qui y passent leur vie à trapper et à chasser, des Indiens dont c'est le territoire... et toujours ce leitmotiv :

— Vous ne passerez pas !

J'y pense ce soir et ce n'est pas de la peur ni même de l'appréhension, seulement l'envie d'y être déjà, d'en découdre.

Un gros morceau va se jouer dans les montagnes, qu'aucun être humain n'a réussi à traverser en hiver depuis vingt et un ans. Le récit de ceux qui sont passés en 1977, décousu, imprécis, est toutefois assez clair pour être effroyable. Des semaines de cauchemar, des avalanches, des froids à fendre les pierres, des à-pic vertigineux, des canyons infranchissables, des glaces instables et une suite ininterrompue d'adjectifs propres à décrire l'enfer de l'enfer.

Le type que nous interrogions, un ancien mineur dont le père avait côtoyé Jack London sur les pentes du Chilkoot Pass, s'était arrêté le souffle court, perdu dans ses souvenirs.

— Je ne souhaite pas, même pas à mon pire ennemi, de revivre ce que nous avons vécu.

— Mais si vous êtes passé, pourquoi on ne passerait pas ?
Le mineur s'était emporté.

— Mais parce que la vieille route qu'on a tenté de suivre,
la Canal Road, a été construite il y a quarante-cinq ans et que
s'il en restait des bouts en 77, il n'en restera rien aujourd'hui.
La forêt a poussé dedans, les avalanches l'ont démolie, les
rivières l'ont mangée, la glace l'a dévorée... Tiens, les glaciers,
il y en a un, on a mis trois jours à tailler des marches pour le
traverser, la paroi à droite, le vide à gauche. Il a fallu installer
des cordes, des poulies, des relais pour tracter les motoneiges,
un miracle si on est passé. Plus loin, c'était l'overflow puis des
cols barrés par des roches grandes comme des maisons qu'il a
fallu escalader.

Il était intarissable. Il en rajoutait forcément, pour nous
décourager. Je l'avais deviné à la façon dont il s'était énervé en
constatant notre obstination.

— Allez vous faire foutre ! Je ne sais même pas pourquoi
je vous dis ça. Vous n'y connaissez rien à ces montagnes et ce
n'est pas moi ni personne qui ira vous chercher là-dedans quand
vous serez coincé.

Et il était parti en claquant la porte, comme les autres...
jusqu'à Bruce, un métis qui m'a plu dès le premier regard

Faisant la sourde oreille à tous ceux qui le traitent de fou,
Bruce veut essayer.

Il a envie de tenter quelque chose de grand. Et si un jour
quelqu'un doit passer, ce sera avec lui, car la Canal Road, cette
route effacée par les années, c'est le mythe et la légende de
son village, Ross River, le dernier jusqu'à l'autre côté des
Rocheuses, où, au bord du fleuve Mackenzie, Norman Wells
abrite un bon millier d'habitants.

Nous avons rencontré Bruce en mars dernier avec Pierre et
sommes restés en contact pendant toute l'année pour préparer
l'expédition, matériel, dépôts d'essence et itinéraire. Dans quelques jours, nous allons le retrouver dans son village, au pied des
montagnes infranchissables, à sept cents kilomètres d'ici, et je
compte bien y arriver en avance sur mon programme pour
disposer de quelques jours de rab dans les montagnes.

— On y va les chiens !

Tout comme un seul chien ils se lèvent et manifestent par un long et beau hurlement leur envie de repartir.

Je les attelle presque trop précipitamment, tel un gamin maladroit ouvrant tous ses cadeaux de Noël en même temps. Je suis un impatient. Je déshabille trop vite la femme que j'aime en ne jouissant pas de l'instant le plus érotique où le corps se découvre peu à peu. Il faudrait prendre son temps, reculer l'instant, mais non, en quelques minutes je suis prêt à partir.

— Allez les chiens ! comme on sabre une bouteille de champagne.

Nous descendons aussitôt sur un lac assez vaste dont je devine la forme allongée dans l'ombre de la nuit.

Hier soir, j'ai retrouvé Bob à la frontière, où il était revenu seul élargir la trace pendant que Didier finissait d'aménager des ponts avant Carcross. Je voulais qu'il m'explique bien la piste, lui poser les multiples questions qui m'étaient venues en consultant la carte. Mais il a filé, le feu aux fesses. Tout juste m'a-t-il prévenu qu'il n'avait pas toujours suivi la ligne de chemin de fer, trop peu enneigée, pour emprunter, quand c'était possible, lacs et champs de neige.

Et voilà que les problèmes commencent :

Deux pistes, aucune marque. Laquelle prendre ? Droite, gauche ?

Je choisis la gauche, celle qui longe la berge du lac.

Les chiens s'enfoncent car le gel n'a pas eu le temps de la durcir.

Mais pourquoi Bob n'est-il pas repassé sur la piste initiale, forcément dure, et où est-elle ?

J'enrage. Deux cents mètres plus loin, plouf, on tombe tous, chiens, traîneau, musher, dans 40 centimètres de slutch. La slutch est l'une des plus belles saloperies que le Grand Nord ait jamais inventées. Elle se forme sur les lacs et rivières lorsque la couche de glace s'épaissit, l'eau libre comprimée dessous remontant par des fissures pour se mélanger à la neige qui la protège en l'empêchant de geler.

Lorsque l'on crève la croûte de neige, on tombe dans la boue grisâtre dont l'épaisseur peut atteindre un mètre ou plus et se transforme à −40 °C en un terrible piège refermant ses mâchoires de glace sur quiconque n'en sort pas immédiatement. En Sibérie, j'étais seul en raquettes dans un tel piège à −60 °C et ne m'en étais sorti vivant que grâce à l'intervention rapide et imprévue de mon coéquipier russe Volodia qui n'était pas censé se trouver à ce moment-là juste derrière moi en traîneau. Je m'étais déshabillé à toute vitesse, avant que le gel ne fige irrémédiablement mes vêtements et ne me transforme en statue de pierre qu'il aurait fallu casser à la hache !

Les chiens pataugent autant que moi, arc-boutés contre le traîneau que je pousse de toutes mes forces. Surtout ne pas s'arrêter. Ne pas s'embourber.

— Voulk, djee, djee, encore !

Malgré la fâcheuse posture dans laquelle il se trouve, de l'eau jusqu'au cou, engoncé dans la slutch, Voulk me fait confiance et obéit. Nous sortons de la piste tracée par la moto-neige et coupons dans la neige fraîche pour aller rejoindre la piste laissée à droite, ça doit être la bonne.

— Voulk, la piste à yap !

Il la suit mais c'est le même topo. J'insiste, on va sûrement retrouver le dur. Je ne peux pas croire que Bob, professionnel de la motoneige et donc de la slutch, m'ait tracé une piste ici pour le plaisir. Il y a forcément une raison.

— Bordel !

La piste de droite rejoint celle de gauche.

— Un rond !

Rien d'autre.

Je suis trempé jusqu'à mi-cuisse. Le traîneau pèse une demi-tonne. Les chiens sont pitoyables, le poil imbibé d'eau, et me lancent des regards noirs l'air de dire :

— Qu'est-ce que c'est ce bordel ?

C'est bien ce que je me demande en ne mâchant pas mes mots.

— Ah, elle est belle notre expédition, notre organisation si bien couchée sur le papier ! Neuf personnes, six motoneiges, je ne sais combien d'aller-retour, d'essence grillée, de kilomètres de ruban censés m'indiquer les pistes, un rouge pour la bonne, un jaune pour les mauvaises, et dès le premier kilomètre, je me retrouve à tourner en rond, dans la slutch, de nuit, sans aucune idée de là où se trouve la piste finalement suivie par Bob !

Le traîneau est bloqué à deux cents mètres du bord du lac, embourbé jusqu'à mi-corps dans la slutch. Même Torok, arc-bouté malgré l'eau qui l'entoure, ne parvient pas à le bouger d'un quart de millimètre. Il passe sa colère sur le pauvre Oukiok, qui s'y attendait. Je fonce sur eux et corrige Torok.

— Il n'y est pour rien, arrête !

Je suis dans une colère incroyable, incontrôlable. J'en veux à la terre entière tout en remerciant le ciel de m'avoir épargné l'outrage d'être observé. Je sais qu'il faudrait me calmer mais rien à faire, je n'y parviens pas.

Les chiens commencent à gémir, prisonniers dans la slutch dont ils ne peuvent s'échapper, retenus par les traits. Baïkal engueule Nanook, Buck grogne sur Charlie, tout le monde s'énerve et cherche des responsables.

— On se calme !

Ça me va bien de dire ça !

Je décharge presque entièrement le traîneau et le dégage en cassant la glace qui l'emprisonne déjà.

— Allez !

Les chiens qui ont autant envie que moi d'en sortir plongent dans le harnais et l'arrachent.

— Voulk yap, yap encore.

Je rejoins la berge et m'arrête. Je tends à nouveau entre deux sapins le câble auquel j'attache les chiens individuellement chaque fois que nous prenons une pause de plusieurs heures. Ils se roulent dans la neige, se secouent, évacuant ainsi la glace qui s'est formée, mordillant les morceaux récalcitrants fourrés dans les poils autour des pattes.

Quatre aller-retour en grognant pour aller rechercher les affaires laissées sur le lac, un feu en allant chercher du bois sec au diable, une bonne demi-heure pour tout sécher et me voilà revenu au point de départ... avec déjà deux heures de retard.

Où est la piste ? Je n'en sais foutre rien !

Il y a une multitude de traces entre le lac et la route, l'une d'entre elles conduit forcément à la bonne piste et j'ai intérêt à me dépêcher car le ciel se couvre, le vent se lève et la neige se met à tomber qui va bientôt effacer toutes les traces !

J'erre une bonne demi-heure avant de trouver la trace qui débouche, un peu plus loin, sur la voie ferrée. Puis j'aperçois un ruban rouge noué dans une branche de sapin bordant la piste. Un semblant de calme me revient.

— Allez Nicolas, ce n'est pas si grave trois heures de retard !

Je suis d'accord avec ce Nicolas-là, mais quand même trois heures, c'est beaucoup.

L'autre me calme :

— Tu vas pas recommencer.

— OK, j'y vais.

Les chiens, ravis d'être enfin sur quelque chose qui ne ressemble ni à une route ni à un marécage, se donnent à fond, s'éclatent et, dans le rayon lumineux qu'ouvre ma lampe frontale dans la nuit, les flocons filent à l'horizontale.

Fausse alerte. La chute de neige n'aura duré qu'une petite heure, recouvrant la piste d'une pellicule d'à peine deux centimètres d'épaisseur qui ne nous freine pas. Le ciel s'ouvre et les étoiles apparaissent brillantes dans la noirceur presque totale car sans lune. Nous glissons sans un bruit, cette petite neige fraîche amortit le bruissement des pattes effleurant la piste, atténue le chuintement des skis. Je perçois seulement le souffle régulier de mes champions réglés comme une belle machine. Nous avalons les kilomètres, trente déjà en moins de deux heures. Derrière, j'en bave, car la piste est tracée sur l'étroit remblai aménagé pour la voie ferrée. À la moindre erreur de conduite ou faute d'inattention, le traîneau verse sur le côté. À cela s'ajoute le manque de neige découvrant par endroits les rails que je dois éviter.

Impossible d'aller droit, la piste, bombée, semble avoir été faite exprès pour battre le record de sortie de piste en traîneau.

Pour conserver l'équilibre, il faut anticiper le mouvement, lancer tout son poids d'un côté puis de l'autre en ramenant vers soi le traîneau grâce au guidon dont on se sert comme d'un wishbone sur une planche à voile. L'exercice est épuisant et m'épuise. Pourtant, il faut tenir car les chiens sont en forme et je suis en course. Dans 99 jours, je dois être à Québec et pas question de céder une seule fois (surtout dès le premier jour) à la tentation qui, je le sais deviendra énorme, de relâcher l'effort.

Les deux Nicolas s'opposent mais c'est toujours le même qui gagne.

— Allez, arrête-toi une petite demi-heure, ça ne changera rien.

— Non, regarde tes chiens, ils sont dans un rythme, tu vas le casser en t'arrêtant ici, c'est pas ce que tu avais prévu. Mais tu te crois où, en vacances au bord de la plage ?

— Mais merde, j'en peux plus moi et j'ai mal au poignet.

Sceptique, soupçonnant la ruse, l'autre fronce les sourcils :

— Vraiment mal ?

Je masse l'articulation.

— Ça m'a l'air assez sérieux.

Mais l'autre, un instant dérouté, s'est ressaisi et me botte le cul. Je ne m'arrêterai que dans deux heures, comme prévu, un point c'est tout !

Enfin la piste s'écarte de la voie ferrée et traverse un lac. Le «ouf» que je pousse ressemble à un cri de grâce. Il a l'air long ce lac, tant mieux ! Tous mes muscles m'insultent et je redoutais une grève. Les chiens apprécient aussi et accélèrent, accélèrent encore, galopent.

— Un lynx !

Je devine son ombre de grand chat au loin sur le lac qu'il traverse en bondissant souplement comme s'il effleurait la neige.

Autrefois, en coupant ses pistes, Voulk aurait entraîné tout l'attelage à sa poursuite, mais plus aujourd'hui malgré Oumiak, Baïkal et Carmack qui réclament à cor et à cri une chasse à courre !

Carmack, c'est un cas lui aussi. Il est le dernier-né d'un accouplement non programmé qui a eu lieu dans les Rocheuses et m'a obligé à écarter sa mère, Ska, de l'expédition nous ayant conduits, Diane, Montaine et moi, jusqu'en Alaska. C'est Clarence, le pilote qui nous ravitaillait une fois par mois, qui s'est occupé d'elle et a vu naître Carmack et ses frères. Je lui ai laissé Ska, trop vieille alors pour suivre le rythme de ses fils, et les trois autres chiots, ne conservant que Carmack parce qu'il était le portrait craché de son père Otchum. La ressemblance me frappe encore aujourd'hui, me procurant un mélange de joie et d'amertume ; je ne me suis jamais vraiment remis de sa mort. On dit que le temps atténue ce genre de souffrance mais Carmack est là, qui me rappelle sans cesse Otchum.

Carmack est un chien magnifiquement bâti, superbement proportionné. À n'en pas douter, c'est le plus beau de la meute. Sur la piste, il trotte bien, longtemps, sans effort, mais un rien le distrait : un écureuil, une feuille, un nuage ! Curieux de tout, il est toujours le museau levé pour ne rien rater, humer toutes les odeurs. Il se retourne souvent pour voir si je fais quelque chose susceptible de l'intéresser. Quand je fouille dans le sac, par exemple, pour préparer les snacks, il y en a un qui surveille : Carmack. Résultat, pour un rien, une saute de vent, une odeur, il relâche. Carmack se balade, la vie est belle. Il se marre tout le temps, est toujours content, heureux de s'arrêter comme de repartir. Toujours d'accord. Pas vraiment tire-au-flanc mais profiteur, si sympathique qu'on a du mal à lui en vouloir. C'est dommage car en tête comme au milieu de l'attelage, il aurait les moyens de devenir un très grand chien.

Pour l'instant, il ne comprend pas qu'on ne poursuive pas ce lynx. Ce serait tellement drôle et qu'est-ce que ça peut bien faire si on fait un kilomètre de plus ou de moins si on s'amuse ! C'est peut-être parce qu'il me ressemble que j'aime tant Carmack.

Ouktu ressemble tellement à Carmack que les non-initiés à leurs imperceptibles différences les confondent immanquablement. Mais il me rappelle moins Otchum avec sa gueule d'enfant, son apparence un peu pataude. C'est un excellent chien, à condition de ne pas le mettre en tête. Ouktu n'est pas un avant-centre, c'est un Zidane qui en milieu de terrain maintient le rythme à un très haut niveau. Un chien sans histoires qui ne ramasse jamais de carton jaune et qui toujours, l'air de rien, gagne les matchs. Avec Kurvik, ils formaient une paire imbattable, seulement Kurvik n'est pas là et j'en ai gros sur la patate. Il est condamné, le cancer. Il a fallu le laisser au chalet que nous avons loué, à Whitehorse, durant la préparation de l'expédition, où il sera soigné tant qu'il pourra continuer à vivre sans souffrir.

Kurvik va me manquer. Avec lui, c'est l'une des grosses branches de l'arbre qui a cassé. La blessure saigne encore. On n'oublie pas facilement un chien comme Kurvik. C'est le problème des chiens. Il y a toujours une fin et quand on a une meute, ça fait beaucoup trop de fins. Certains mushers résolvent le problème avec des chenils de plus de cent chiens, on n'a plus le temps de s'attacher, les morts et les naissances font partie du quotidien. On s'habitue.

Nous devons ressortir du lac par une pente abrupte permettant de rejoindre la voie ferrée. Des rubans jaunes signalent un mauvais passage.

— Hooo, les chiens !

Je balaie la zone avec ma lampe frontale et aperçoit les rochers sur lesquels il ne serait pas agréable de dégringoler.

— OK, les chiens !

Avec Torok et Nanook devant, la côte ne pose pas de problème. On se hisse en haut comme tracté par un tank !

— Voulk, devant, yap.

Voulk connaît ce type d'exercice et n'hésite pas. Il coupe franchement la piste et plonge dans la profonde, entraînant l'attelage dans son sillage.

— Hooo !

Il s'arrête.

Je suis en haut et ne risque plus de verser.

— Djee, la piste !

Impeccable. J'aime ce genre de manœuvre difficile où

Voulk peut s'exprimer et exceller. Et je jurerais qu'il aime ça lui aussi.

Nous repartons d'un côté, de l'autre. Il ne se passe pas cinq minutes sans que je consulte ma montre. J'ai décidé de m'arrêter à deux heures, pas une minute de moins. Heureusement, au bout de quelques kilomètres, la piste se creuse et s'améliore considérablement. De loin en loin, comme des impacts d'obus dans la neige, de vastes trous témoignent des nombreuses sorties de piste que Didier et Bob ont faites en motoneige lors du premier passage. Je vais boucler cette étape en sept ou huit heures, là où ils ont dû se battre pendant vingt heures sans compter les aller-retour nécessaires pour l'élargir. C'est un peu inquiétant mais la dernière fois que nous en avons parlé, Bob et Didier restaient optimistes.

— Ça ne sera pas toujours comme ça. On va pouvoir prendre beaucoup plus d'avance par la suite pour aller jusqu'aux zones posant problème.

Je nous le souhaite.

À deux heures piles, je m'arrête sous les sapins, au bord du grand lac Laberge que la voie de chemin de fer longe maintenant jusqu'à Carcross. Je décroche les mousquetons reliant les harnais à la ligne afin que les chiens puissent se rouler en boule. La température est tout de même de −30 °C. J'allume un feu et fabrique de l'eau tout en me réchauffant un plat congelé de pâtes et viande préparé à l'avance. Puis j'inspecte les pattes de tous les chiens, un à un, tout en leur parlant et les caressant. Ils apprécient ce moment d'intimité et attendent leur tour. Je note mentalement quelques petits problèmes. Une douleur à la patte avant gauche de Charlie, une petite coupure au coussinet d'une patte arrière de Nanook, quelques autres ici et là sans gravité mais qui doivent être surveillées et protégées pendant quarante-huit heures avec des bottines. Je masse Charlie avec de l'Algyval, un baume antalgique et anti-inflammatoire très efficace, puis je distribue les « snacks », des sortes de gâteaux de dix centimètres de large pour un centimètre d'épaisseur, mis au point par les ingénieurs de Pedigree. Ce sont de formidables barres énergétiques directement assimilables par l'organisme et immédiatement transformées en énergie. Les chiens adorent ces gâteries que je distribue toutes les deux heures.

Je consulte la carte, mange, répare un harnais et vérifie mes lisses puis me prépare à repartir. La pause a duré une heure. Il me reste environ cinquante kilomètres pour Carcross que j'espère atteindre vers six heures du matin. Je suis à peine en route que j'aperçois sur le bas-côté l'une de nos motoneiges, abandonnée, sans conducteur, puis un peu plus tard, au loin, la lueur dansante d'une motoneige qui vient à ma rencontre.

Bob et Patrick sont vite sur moi ; les chiens, excités, ont pris le galop.

Bob exulte.

— C'est incroyable que tu sois déjà ici ! On ne t'attendait que demain dans l'après-midi, t'as déjà une avance de vingt-quatre heures !

— Ce n'est que le premier jour ! On fera les comptes dans une semaine.

Lorsque Patrick arrive près de moi, je le félicite chaudement.

— T'as fait un super boulot, Patrick, ils ont une forme olympique !

— Ce sont de super chiens !

Il a beau jouer le modeste, il est fier de ce premier résultat encourageant, d'autant plus qu'avec ce dénivelé jusqu'à White pass et ensuite cette piste difficile, il ne s'agissait pas d'une étape de tout repos.

Patrick est notre « handler » (maître de chiens). Depuis cinq ans, quand j'étais retenu en France par l'organisation des expéditions, c'était un autre de mes amis, Jérôme Allouc, qui s'occupait des chiens, et il le faisait si bien que je le croyais irremplaçable. Mais il a décliné mon offre pour l'Odyssée blanche, et Patrick s'est proposé. Je le connaissais : il entraînait les chiens de Frank Turner, un as avec qui je me suis moi-même entraîné pour la Yukon Quest. Frank est un de ces mushers professionnels avec qui des « handlers » travaillent à l'année. Les résultats des chiens sont rentrés dans un ordinateur et des programmes perfectionnés calculent leurs performances et analysent leurs défauts. Au début de l'hiver, quarante à cinquante chiens adultes sont sélectionnés en prévision des courses. Chaque semaine, les moins bons sont écartés, jusqu'à aboutir à quatorze, le nombre maximum autorisé au départ de la course.

Auprès de Frank Turner, avec lui, j'ai beaucoup appris de ce monde dont j'ignorais tout. Les courses telles que la Yukon Quest ou l'Iditarod sont devenues de véritables grands prix de Formule 1 où les professionnels s'affrontent pour des centaines de milliers de dollars. Le niveau est dément. Il n'y a plus aucune place pour les rêveurs et le hasard. D'y participer en 1996 m'a surtout montré quelles étaient les limites de mes chiens, bien au-delà de tout ce que je pouvais imaginer.

Patrick, conscient de l'importance de sa mission et de la confiance que nous lui accordions, a démarré l'entraînement dès le mois de juillet. Avec une vieille voiture désarticulée, six jours par semaine, au petit matin pour profiter de la fraîcheur, il a progressivement amené l'attelage à réaliser des boucles de cinquante kilomètres en moins de trois heures. Tout cela dans la bonne humeur et la discipline.

Avec cet entraînement, c'est au départ de l'expédition une partie de la victoire qui est déjà remportée, et celle-ci revient à Patrick.

— Tu sais Nicolas, il y a peu de gens qui se rendent compte, même dans ton équipe, de ce que représentent les distances que tu dois courir chaque jour pendant trois mois et demi. Si tu arrives à Québec...

Patrick regarde les chiens, un moment songeur.

— Vous aurez réussi un truc énorme.

Notre équipe, je le sais, manque d'hommes ayant l'expérience des chiens et j'aurais aimé que Patrick reste avec nous jusqu'au bout. Malheureusement il est retenu dans notre chalet des Rocheuses, où nous accueillons depuis deux ans quelques groupes qui viennent s'initier au traîneau à chiens. Je le sens tiraillé mais il n'a pas vraiment le choix entre une place bénévole en expédition et celle de guide rémunéré.

Pour l'instant, il est avec nous et il n'arrive pas à couper le cordon ombilical…

Nous repartons. Les chiens galopent un moment, entraînés par les deux motoneiges qui disparaissent au loin.

Un choc énorme !

Le guidon me rentre dans le ventre et je passe par-dessus le traîneau, exécutant un vol plané pour retomber tête la première au beau milieu des chiens, stoppés net dans leur élan. Baïkal et Oumiak me regardent, ahuris.

Je reste un moment sonné, sans oser bouger. J'ai le ventre en compote et n'arrive plus à respirer. Mes côtes ont tout encaissé et sont forcément brisées !

Mais qu'est-ce qui s'est passé ?

Je titube un peu mais parviens à me relever. Enlever ma veste est une torture, se déshabiller à −30 °C tout aussi désagréable. Deux gros hématomes apparaissent dans le faisceau de ma lampe. Les couches de vêtements ont semble-t-il bien amorti le choc et évité la casse. C'est costaud une côte !

Les rails ! À tous les coups, je me suis coincé dans un aiguillage. Effectivement, les deux skis sont complètement bloqués, soudés aux rails. Je me trouvais entre deux voies, glissant confortablement dans l'espace juste assez large jusqu'à l'entonnoir formé par l'aiguillage.

Les chiens n'ont pas l'air d'avoir souffert du choc. C'est la première fois, mais ce ne sera pas la dernière, que je peux me féliciter du système d'amortissement individuel qu'un inventeur m'a fabriqué spécialement pour l'expédition. Chaque «neck line», cette ligne de 20 centimètres qui retient les chiens depuis leur collier jusqu'au trait central, comprend une partie élastique agissant comme un véritable pare-chocs dans un cas comme celui-ci.

Dégager le traîneau n'est pas une mince affaire car aussi bizarre que cela puisse paraître, la marche arrière n'existe pas avec dix chiens. Je parviens à regagner un peu de mou en tirant le trait mais les chiens, même assis, le retendent aussitôt. Question d'habitude.

Je scie donc un pin dont je me sers comme levier pour dégager les skis. Au moment où je l'extrais enfin de son étau, le traîneau effectue un léger bond en avant que les chiens interprètent comme le signe du départ. Impatients, ils démarrent en trombe, avant même que j'aie pu sauter sur les patins !

Lorsque je hurle l'ordre d'arrêter, ils sont déjà à bonne distance.

— Hoooo ! Voulk hooooo !

Mais ce n'est pas si simple car l'ordre d'arrêt s'accompagne généralement d'un bon coup de frein, afin d'éviter au traîneau emporté par son élan de percuter le cul des chiens qui repartent alors aussitôt et dare-dare !

Et c'est ce qui arrive !

Voulk s'arrête et les chiens se télescopent les uns les autres alors que le traîneau sur sa lancée continue. Tout le monde repart malgré mes hurlements de colère, de découragement, de tout...

Heureusement, Nanook et Torok se sont emmêlés dans le trait pendant le télescopage si bien qu'ils ralentissent toute la bande et, en sprintant, j'arrive à les rattraper.

— Hoooo !

Cette fois-ci, arrêt impeccable.

Je souffle et souffre. Les hématomes se plaignent et discutent avec le poignet.

Les hématomes :

— Ça commence à bien faire !

Le poignet :

— Vous êtes nouveaux, vous ! Moi, ça fait déjà des heures que ça dure le cirque !

— Ça peut pas continuer.

Je suis d'accord avec eux. À ce rythme-là, on n'ira pas bien loin. D'autant plus qu'en couchant le traîneau (une technique comme une autre pour éviter que les chiens repartent), je m'aperçois que les lisses interchangeables sont complètement érodées, sciées, déchirées par les rails plusieurs fois percutés.

« Qui veut aller loin ménage sa monture. »

Elle est belle, ma monture. Quand je me vois et que je regarde le traîneau, je me dis que c'est assez mal parti, cette histoire de fous.

Le Radeau de la Méduse façon traîneau, ça existe. Il arrive à six heures du matin en vue de Carcross. Avant d'entrer dans le village, un pont de planches disjointes. Sans neige. Juste un étroit passage sur le côté, large comme une motoneige et tellement bosselé qu'il existe à peine une chance sur cent que je réussisse à y maintenir le traîneau. Quand je m'engage dessus, en donnant un violent coup de rein qui place la flèche du traîneau dans le bon axe, j'arrache le fil d'alimentation de ma lampe frontale dont je viens de changer la pile pour y voir bien clair. C'est réussi !

Les chiens, engagés dans le passage, refusent de s'arrêter car ils veulent sortir au plus vite de ce piège, de ces espaces qui se dérobent sous leurs pattes et dans lesquels ils tombent malgré eux, retenus par les traits qui bloquent leur élan au-dessus du trou ou les empêchent d'en prendre assez pour sauter de l'autre côté.

Le cauchemar. J'ai l'impression d'entendre des pattes se briser. Je suis dans le noir total et, en plus, je ne peux pas prendre appui au sol car je risque de passer au travers et d'aller plonger dans le rapide que l'on entend gronder trente mètres en dessous de nous.

Que faire ? Rien. Continuer et prier s'il existe un dieu assez fou pour m'entendre dans un cas pareil. J'en doute. Les dieux sont tous raisonnables.

Comme prévu, le traîneau s'écarte de la bande de neige et s'en va cabrioler sur les traverses avec un boum-boum grotesque. Le cauchemar semble interminable. Si un chien tombe dans un trou, que va-t-il se passer ? Il va entraîner les autres ? Il va s'étrangler ?

Ce genre de questions défile dans ma tête pour anticiper l'accident, le retarder, l'exorciser.

J'arrive de l'autre côté, je ne sais pas trop comment, et stoppe aussitôt l'attelage. Je ne suis pas pressé d'aller voir les chiens. J'ai peur et un peu honte. J'aurais dû m'arrêter avant, les détacher, les passer un à un, n'importe quoi mais pas cette connerie. Je suis furieux.

Chip et Ouktu vont bien.

Nanook et Oumiak impeccables.

Torok et Baïkal, aussi.

Ouf, on continue : Amarok, Oukiok se portent à ravir. Il reste Voulk et Carmack qui, à la façon dont ils se chamaillent pour obtenir le premier une caresse, m'autorisent l'optimisme.

Mais pas d'euphorie, j'ai un carton jaune. Dès la première étape, un tel avertissement, ça refroidit.

Dans le village, pas un mouvement. Quelqu'un, Bob, Didier ou Patrick était censé m'attendre au pont pour m'aider à le franchir !... et me conduire à la tente qu'ils ont montée quelque part.

« Quelque part », c'est la seule indication dont je dispose et c'est peu. Surtout avec dix chiens qui n'ont qu'une seule idée en tête, aussitôt qu'ils arrivent dans un lieu civilisé, aller mettre une branlée au premier chien qui pointe le bout de son nez, une façon comme une autre d'asseoir leur autorité en un lieu qu'ils estiment être le leur à partir du moment où ils s'y trouvent. Si bien que les entrées de village sont mon cauchemar car même si Voulk est disposé à m'obéir, il ne peut rien contre une meute hurlante et déchaînée qui envers et contre tout a décidé de visiter les lieux au grand galop. Derrière, il n'y a plus qu'à essayer d'éviter voitures en stationnement, poteaux indicateurs, murets et congères avec un traîneau totalement incontrôlable sur une chaussée sans adhérence et verglacée.

En Alaska, au terme d'un périple de quatre mois à travers les montagnes Rocheuses par des températures de $-40\ °C$, sur des rivières imparfaitement gelées, dans des canyons et des cols balayés par les vents, nous avions réussi à protéger de tout notre petite fille de deux ans, sans relâcher une seule seconde notre attention. Une glace incertaine ? j'allais devant la tester. Un passage difficile ? Montaine le franchissait dans les bras de sa mère.

Pour le froid, nous avions conçu un petit système fonctionnant au charbon. La nuit, elle dormait dans mes bras, ses mains dans les miennes, ses pieds entre mes cuisses. Et c'est en arrivant à Dawson, terme de notre périple d'un an, que le drame est arrivé. Les chiens ont pété les plombs et le traîneau s'est envolé sur une congère pour aller s'écraser avec Montaine contre un cube de béton. Ce cauchemar me hante encore aujourd'hui. Par miracle, elle était indemne. Mais quelle leçon ! Ne pas se relâcher, jamais, même à la dernière seconde !

Je patiente depuis déjà dix bonnes minutes et toujours personne. Je suis mort de fatigue. Je décide de tendre le câble ici, d'attacher les chiens et d'aller à pied chercher l'emplacement du camp.

Bien entendu, j'ai juste terminé d'installer le câble lorsque Bob arrive.

— Déjà, on avait calculé ton arrivée à sept heures !

— Sur les derniers kilomètres, les chiens avaient les lumières du village en ligne de mire, ils ont pratiquement tout fait au galop.

— Incroyable !

— Sauf Oukiok que j'ai été obligé de charger à l'arrière du traîneau. Au 75e kilomètre, il a commencé à relâcher et c'est mauvais signe.

Oukiok est un chien sympathique aux yeux d'or, qui n'est jamais vraiment sorti de l'enfance. C'est un joueur qui s'entend bien avec tous les autres mais dont la constitution physique est un peu en dessous de la moyenne. Il compense par son courage, son envie de bien faire. C'est vraiment un brave chien.

La tente a été montée près de l'unique station-service, le long de la route. Stratégiquement, c'est idéal car l'eau est à portée de main et le camion censé nous rejoindre demain avec le reste de l'équipe pourra se garer devant la tente. Pour les chiens, c'est un peu animé. Ils se reposent mal. À la moindre voiture, ils lèvent le nez, au moindre bruit ils répondent en aboyant.

Je soigne les chiens et, vers huit heures du matin, m'allonge enfin. Mais le sommeil est long à venir, je pense au traîneau qu'il faut réparer, à Nanook blessé à un coussinet. Bob et Didier, qui n'ont pas dormi plus de quatre heures, se préparent à repartir pour faire la piste jusqu'à Johnson Crossing. Une seconde équipe de motoneiges était censée le faire hier mais ils n'étaient pas prêts, loin de là. Trois des engins étaient encore au garage, en réparation, et tout le monde courait dans tous les sens : une batterie à charger sur le camion, le chalet à ranger, du matériel bloqué en douane, et beaucoup de temps et d'énergie dépensés par faute de coordination et d'organisation.

Didier et Bob en subissent les conséquences :

— On tiendra jamais à ce rythme-là ! Il faut se relayer, faire tourner les équipes.

Leurs deux motoneiges sont déjà en piteux état. Les « sliders » (sorte de spatules de protection en plastique s'adaptant sur les skis métalliques) sont morts alors qu'ils ne devaient pas être changés avant 3 ou 4 000 kilomètres. Un des skis est faussé et la « bravo » refuse de démarrer.

Nous avons deux types de machines : deux « bravos », des petites motoneiges légères, maniables, très utilisées par les trappeurs, et quatre « VK », de grosses machines de 350 kilos, très puissantes, pouvant tracter de lourdes charges et disposant d'assez de chevaux pour ouvrir dans la profonde sans couler !

Chacune de ces six machines tracte une luge d'environ trois mètres dans laquelle se rangent essence, tente, duvet, nourriture, pièces de rechange, raquettes, hache, scie et affaires personnelles. Normalement, avec ces deux sortes de machines, nous devrions pouvoir faire face à toutes les situations.

Je n'aime pas les motoneiges. Le bruit, la vitesse, la mécanique qui lâche toujours au mauvais moment... et surtout cette dépendance vis-à-vis de l'essence, l'huile, des courroies de rechange. Je n'échangerais pas un chien contre dix machines mais je comprends qu'elles les aient détrônés. On ne roule plus en calèche à cheval sur les routes de France. Les motoneiges sont un progrès. Elles permettent sur une bonne piste de couvrir des distances considérables avec de lourdes charges. L'été, pas besoin de les nourrir, elles attendent leur heure dans un garage... Même les trappeurs vivant encore à l'ancienne sur leur ligne de trappe les utilisent. Depuis dix ans, le prix des fourrures a considérablement diminué et pour vivre, les trappeurs sont obligés d'étendre leur territoire. Avec une motoneige, ils peuvent relever une centaine de pièges sur une ligne de 250 kilomètres en une seule journée, c'est encore rentable. Pas avec des chiens.

Alors, il ne reste plus que les rêveurs et surtout les adeptes des courses pour parcourir encore les vastes étendues blanches au rythme ancien, celui où l'on prenait le temps d'écouter, de voir, de respirer une nature dont l'homme moderne s'est irrémédiablement coupé. Cependant, ici et là, dans les villages indiens et inuits, les attelages de chiens refont leur apparition, timides prémices d'un mouvement que le développement du tourisme nature pourrait confirmer. La nature revient à la mode.

Vers midi, le camion arrive enfin avec deux motoneiges et surtout le matériel nécessaire à la réparation de mon traîneau martyrisé par les rails et les aiguillages. Une réunion improvisée s'organise aussitôt autour de Pierre afin de coordonner la suite. Je n'y participe pas mais subodore ce qui se dit. Pour l'instant, l'équipe tente de gérer l'instant alors qu'il faudrait anticiper de 24 heures ou 48 heures. Une seconde équipe constituée de deux ou trois personnes devrait déjà être en reconnaissance au-delà de Johnson Crossing et on ne sait même pas aller jusquelà ! Bob et Didier en reviennent juste :

— Le lac vient de geler, explique Bob, on va essayer d'aller dessus car le long de la route c'est vraiment mauvais, il y a des saules en pagaille et c'est tout en dévers, on a fait demitour.

Bob et Didier décident de repartir dès qu'ils auront mangé un peu. Bob reviendra vers moi et Didier continuera vers Johnson Crossing.

Thomas, Emmanuel et Marc me précèdent afin de réaliser quelques images de progression de nuit. Autant emmagasiner le maximum de bobines pendant que la météo reste clémente.

Je laisserai Oukiok, Chip et Oumiak que le camion transportera jusqu'à Johnson Crossing.

Avec treize chiens, je dispose d'une « marge » de trois

chiens que je peux mettre au repos sur une ou plusieurs étapes. Ce système est indispensable. Les petits accidents : foulures, tendinites, coussinets coupés par un caillou ou blessures musculaires sont inévitables lorsqu'on réalise des étapes de 100 kilomètres par jour. Dans les courses de longue distance, le règlement autorise le « drop » des chiens à chacun des « check points » généralement installés dans les villages que traverse la course. Environ la moitié des chiens franchissent la ligne d'arrivée car le musher n'a pas le droit de récupérer les chiens dropés. En extrapolant sur une course de 8 000 kilomètres, on n'aurait donc plus aucun chien en course au bout de 3 000 kilomètres ! C'est mathématique. Avec ce « volant » de trois chiens, je pense être en mesure d'emmener l'attelage jusqu'au bout. C'est en tout cas une expérience intéressante dont les résultats pourraient servir de base à une réglementation adaptée à des courses de très longue distance.

Pour la Yukon Quest, le règlement autorise 14 chiens au départ et un minimum de six à l'arrivée. Pour une course de plus de 3 000 kilomètres, le règlement que j'imagine serait des attelages de 14 chiens avec un minimum de 10 chiens attelés, ce qui autorise la mise au repos de 4 chiens d'une étape à une autre.

Le transport de ces chiens nous pose quelques problèmes. Le camion ne me suivra que jusqu'à Ross River. Il me faudra alors choisir ceux qui, par avion, franchiront les Rocheuses jusqu'à Norman Wells, à quinze jours de marche. Or, des chiens restés au repos aussi longtemps réintégreront difficilement l'attelage. Nous avions donc imaginé qu'un « handler » s'occupe d'eux tout au long du périple, seulement le Jean-Philippe en question, arrivé au dernier moment, est complètement à côté de la plaque, s'en rend compte et retourne chez lui. Que va-t-on faire des chiens ? « On verra bien » devient le leitmotiv.

Pour l'instant, il s'agit de mettre en place l'équipe, de l'organiser, de prendre ses marques, de distribuer les rôles et de s'équiper car, sur le terrain, on s'aperçoit vite que les listes élaborées dans le chalet sont incomplètes. Il manque des tonnes de choses et le budget explose. Comme chacun veut être équipé au moins aussi bien que le voisin, toutes les décisions se prennent en commun. On n'achète pas une paire de gants « trucmuche » parce qu'ils sont parfaits pour bricoler les motoneiges, on en achète neuf. Certains achats sont excessifs ou injustifiés et c'est à Pierre qu'incombe la tâche ingrate d'effectuer le tri.

— OK pour les gants, non pour les mousquetons.

Ce rôle crée entre lui et le reste de l'équipe une distance que la différence d'âge creuse. Dans le cadre de sa mission, c'est un avantage. Pour le plaisir de l'aventure où les relations avec les autres deviennent primordiales, c'est plutôt un handicap dont il souffre.

La nuit tombe vers 16 heures et, occupés comme nous l'étions, nous ne l'avons pas vue venir. Le campement s'est étendu. C'est un bordel indescriptible dans lequel chacun tente de retrouver un tournevis, une pelle, une lampe frontale ou un bidon d'huile.

À l'écart, impeccablement rangé, mon traîneau réparé et ficelé est, lui, prêt à partir.

J'observe Marc et Thomas préparant leur luge. Rien n'a été pensé. Ni cordes pour ficeler la charge, ni bâche pour la protéger, des sacs inadaptés, des caisses trop encombrantes… Cette inorganisation dont on souffre me pèse mais j'en suis, en partie, responsable. L'équipe et le matériel sont arrivés trop tard pour que les mises au point puissent être correctement effectuées. Pourvu que les 500 kilomètres qui nous séparent de Ross River soient suffisants pour le rodage. Ensuite, nous nous enfoncerons dans les montagnes, livrés à nous-mêmes, sans aucune assistance possible jusqu'à l'autre côté.

Et aujourd'hui, l'équipe est une bande d'amateurs incapables de relever un tel défi.

7.

Carcross, 14 décembre, −25 °C, 170 km

Ce n'est pas un attelage de chiens de traîneau qui repart de Carcross mais un boulet de canon. À croire que l'étape de 120 kilomètres réalisée la nuit dernière compte pour du beurre. Il est 19 heures et la nuit est d'encre.

Bob est revenu avec la satisfaction d'une mission bien accomplie.

— Tu vas voir : une piste impeccable : 35 kilomètres de lac et 20 kilomètres sur des chemins de débardage, idéal jusqu'à Tagish.

— Après ?

— Je ne suis pas allé plus loin, Didier est allé voir.

— Le lac est comment ?

— C'est juste, 7-8 centimètres de glace.

— Pas plus ?

— Non, mais c'est uniforme. Il y a un peu de slutch mais les zones devraient avoir gelé. Quand je suis revenu, c'était presque dur.

Sur le lac, les chiens, visiblement en très grande forme, gardent le galop. Ça file à 20 km/heure et le traîneau se conduit tout seul. C'est plat, sans obstacle, droit, idéal. Tant mieux, car mon poignet a doublé de volume et je me sens incapable de renouveler les acrobaties de la veille. L'articulation est presque entièrement immobilisée sous un bandage serré imbibé de pommade. Pourvu que le mal ne s'aggrave pas. Conduire le traîneau deviendrait tout simplement impossible. Ce genre d'incident me fait prendre conscience de l'énormité de l'entreprise. Comment protéger les chiens et me préserver moi-même sur plus de 8 000 kilomètres ? Le traîneau à chiens quand on le pratique dans des zones accidentées, hors de pistes balisées, est un sport à hauts risques. L'année dernière, un de mes amis a heurté un arbre dans un virage. Aujourd'hui, il est allongé sur un lit, la colonne vertébrale brisée en trois endroits, paralysé à vie. Un autre a eu toutes les côtes défoncées par le guidon qui lui est rentré dans le ventre en heurtant une souche ; l'hémorragie interne s'étendait lorsqu'un motoneigiste l'a retrouvé et sauvé in extremis. Un troisième est mort sur le coup sans s'en rendre compte. Le coup du lapin : sa tête a heurté une branche dans la nuit alors qu'il rentrait chez lui au grand galop.

La plupart de ces accidents sont dus aux chiens, parfois imprévisibles et qui souvent, avec la soudaineté de l'éclair, effectuent un mouvement auquel on n'a pas eu le temps de se préparer. La chute est alors inévitable et il arrive que la réception, contre la glace, un arbre ou un rocher, casse le bonhomme. D'où une vigilance extrême, mais la nuit ou même le jour, lorsque la fatigue pèse et que les kilomètres s'accumulent, le relâchement s'excuse, ou tout du moins se comprend.

Avec un chien comme Voulk en tête et ma bonne étoile, je touche le bois de mon traîneau mais nous passons plutôt bien dans les endroits les plus inattendus et les plus dangereux.

C'est toujours très impressionnant, les craquements de la glace qui se brise. Ce bruit sourd, plein de menaces, dont on perçoit les vibrations à travers les skis du traîneau, qui remonte le long des jambes et s'en va mourir en vous chatouillant la colonne vertébrale. Les chiens ont horreur de ça et enclenchent instantanément le turbo. Même si les motoneiges n'ont pas eu de problèmes, je ne suis pas rassuré. La couche est neuve, fine, et le traîneau ou les chiens pourraient très bien passer à travers alors que les motoneiges surfent sur ces zones à grande vitesse.

D'ailleurs, pas un habitant de Carcross n'a encore traversé le lac. Ils attendent. Nous, nous ne pouvons pas.

La température est idéale : −25 °C et les chiens s'en donnent à cœur joie. Ils déroulent leur plus long trot après une heure de galop et cette piste facile les stimule. Les chiens aiment voyager de nuit. C'est dans leur nature et l'explication est à chercher quelque part chez leurs ancêtres les loups qui n'effectuent leurs longs déplacements que de nuit.

J'arrive à Tagish vers 23 heures pour entendre la mauvaise nouvelle. Il n'existe aucune piste praticable pour se rendre jusqu'à Johnson Crossing. La seule possibilité, c'est la route. Je hais la route. Didier qui n'y est pour rien s'excuse presque.

— Il y a une piste de trappeur qui emprunte des bouts de rivière mais elle est encore imparfaitement gelée. Pour passer dans le bois, il faudrait une semaine de travail.

— Et les côtés de la route ?

— Oublie, c'est l'enfer végétal…

Il faut donc remonter l'engin de torture, les roues, et profiter de la nuit et de la quasi-absence de circulation pour rejoindre Johnson Crossing, à 90 kilomètres d'ici. Une étape qui manque cruellement de poésie mais tant pis. Ensuite, une belle piste de 300 kilomètres m'attend, jusqu'à Ross River.

Les chiens trottent à bonne allure sur la route dont je devine le ruban noir qui s'enfuit à travers les montagnes. Le traîneau est totalement incontrôlable, sans prise de carre possible et bien entendu sans autre possibilité de tourner, les quatre roues sont solidaires. L'engin n'est qu'un vulgaire poids mort suivant les chiens. Tant que nous allons droit sur une zone plate, pas de problème majeur, mais dès lors que nous entamons un virage ou que la route présente ne serait-ce qu'un léger dévers, ça devient l'horreur. Le traîneau pique dans la congère bordant la route et s'y plante lamentablement, entraînant les deux chiens placés juste devant lui malgré les efforts qu'ils fournissent pour redresser la trajectoire. Sur une piste enneigée, les virages, même assez serrés, se négocient bien. Le musher, en tirant vers lui le traîneau pour l'amener presque en équilibre sur le ski extérieur au virage, évite de frôler l'intérieur de la courbe vers lequel le trait l'entraîne, d'autant plus que les chiens expérimentés s'en écartent instinctivement. Dans un virage à droite, le chien arrière droit ira même jusqu'à passer sous le trait principal pour entraîner le traîneau à l'extérieur avec le chien de gauche. Torok est un spécialiste de ce genre d'exercice mais aujourd'hui, il est impuissant et ne comprend pas. Il se retourne et me fixe comme pour obtenir une explication. Ses yeux disent :

— Mais qu'est-ce que tu fous ?

Je fais mon possible, c'est-à-dire pas grand-chose sinon râler un peu plus fort à chaque sortie de route.

Au bout de 20 kilomètres, j'en suis arrivé à hurler, prêt à étrangler un pauvre conducteur de chasse-neige qui n'y est pour rien. Il a failli me rentrer dedans et en plus, il balance derrière lui des gravillons qui risquent de blesser les pattes de mes chiens.

Sale étape.

Heureusement, même à raison de 20 à 30 sorties de route par heure, nous avançons vite. Les bottines se déchirent les unes après les autres mais j'avais prévu très large.

Certaines sorties de route sont pires que d'autres car le traîneau s'enfonce assez profondément dans les congères pour qu'il soit difficile de l'extraire d'une simple poussée. Il faut dégager la neige qui le bloque, tirer, pousser, tout en retenant les chiens. Ces efforts inutiles, injustifiés et répétés, me pompent toute mon énergie. Le manque de sommeil (à peine trois heures la nuit dernière) s'ajoute à l'épuisement et c'est en piteux état que j'arrive enfin à Jake Corner vers minuit. Il ne reste plus que 45 kilomètres de route jusqu'à Johnson Crossing, mais ça suffit pour cette nuit. Repos. Une bonne heure de soins aux chiens dont je vérifie une à une toutes les pattes, les articulations, les coussinets que je trempe dans une solution tannante (Tanopatte) et encore une heure pour préparer à manger et réparer le pare-chocs du traîneau. Je me couche vers 3 heures dans l'une des deux tentes que nous avons montées près d'un garage situé à l'angle de deux routes.

En principe, à partir de demain soir, l'équipe chargée d'ouvrir la piste devrait prendre de l'avance, environ 48 heures et plus encore après Ross River. J'ai hâte que notre système se mette en place, qu'on arrête d'être constamment en train de gérer la suite dans la précipitation. J'ai hâte qu'Alain, retenu quelques jours au chalet pour organiser l'accueil des clients en mon absence, nous rejoigne. J'ai hâte d'être seul sur une belle piste. J'ai hâte de rentrer enfin dans l'aventure, celle que nous avons imaginée et pas ce brouillon que nous effacerons vite.

8.

Johnson Crossing, −35 °C, 270 km

Arrivé vers minuit à Johnson Crossing et accueilli par toute l'équipe, je m'éloigne du camp où règne une activité intense, fébrile et enthousiaste, pour faire quelques pas sur cette piste si engageante. Si les chiens n'avaient pas besoin d'un peu de repos, je repartirais aussitôt pour effacer de ma mémoire ces premières 48 heures de course.

Didier a effectué un aller-retour de 180 kilomètres et m'a prévenu :

— Tu vas prendre ton pied, une piste large, dure, parfaite.

Nous avions convenu que Didier et un ou deux autres membres de l'équipe partiraient devant pour prendre l'avance qui nous manque mais des contraintes techniques et logistiques exigeaient que toute l'équipe soit réunie ce soir, entre autres pour des distributions de rôles et de matériel.

Ce nouveau contretemps m'affecte moralement beaucoup plus que je ne le laisse paraître. Nous avons été avertis que la piste n'était pas utilisée jusqu'au bout, plusieurs motoneiges devront alors passer au moins 24 heures avant les chiens pour que le gel ait le temps de durcir la trace.

— T'inquiète pas, la piste est idéale sur 80 kilomètres, la distance que tu couvriras demain, cela nous laisse le temps d'ouvrir 100 kilomètres et plus dans la même journée.

— Je vais partir vers 5 heures demain. En comptant quatre

heures de pause, je serai vers 15 heures à Quiet Lake à environ 100 kilomètres d'ici pour en repartir dans la nuit. La piste n'aura alors que quelques heures…

— Il y a toutes les chances que la piste soit damée jusqu'à 150 kilomètres d'ici, ça devrait aller.

Je me lève vers 4 heures en bonne forme malgré le manque de sommeil. Aujourd'hui, je quitte routes, stations-service et poteaux télégraphiques pour m'enfoncer en territoire sauvage et retrouver toutes ces sensations oubliées.

Pierre et Alain se sont levés en même temps que moi. Une certaine émotion se dégage de ce départ symbolique d'autant plus fort qu'aussitôt parti, la nuit m'absorbe. Je laisse derrière moi comme une trace invisible que Pierre et Alain fixent long-temps, en silence, émus.

Ce matin, la vie est belle, la température à −35 °C est idéale, la piste parfaite, les chiens survoltés semblent ignorer la fatigue. Ma concentration est totale, sans faille. Dans le faisceau large ou précis car réglable de ma lampe frontale, j'étudie tout. Le trot des chiens, leur rythme. Je traque le moindre signe de fai-blesse. Je réfléchis aux améliorations possibles. Nanook, Baïkal, n'est-ce pas du gâchis que de les faire travailler ensemble, d'au-tant plus que Chip travaillant mieux à droite, elle pourrait prendre la place de Baïkal que je pourrais alors placer à côté de Buck qui a bien besoin d'être un peu poussé dans son effort ? Et Voulk, ne devrais-je pas profiter de cette piste sans histoires pour le placer derrière et échanger sa place avec Torok ? Oui, mais si je distribue ainsi les rôles devant, où vais-je placer Ouktu et Charlie ? Au fait, comment va-t-il Charlie ce matin ? Je dirige le faisceau de ma lampe sur lui et suis sa course pendant quelques minutes. Le trot est régulier mais le trait un peu souple.

— Si tu continues, Charlie, je vais te mettre derrière.

Même si, bien entendu, il ne comprend pas la phrase, il en comprend très bien le sens, à savoir que je ne suis pas dupe car le ton, lui, est explicite. Charlie tend aussitôt son trait et à côté de lui, par émulation, Amarok allonge le trot.

— C'est bien les chiens !

On ne parle pas beaucoup aux chiens. Le moins possible car un encouragement a pour résultat de déclencher une subite accélération qui casse le rythme. C'est à l'arrêt que les « grandes » conversations ont lieu, en même temps que la distribution des snacks. Un moment sympa, apprécié par les chiens et qui ponctue un « run » de façon intelligente. J'appelle « run » une course d'un point donné jusqu'à destination, c'est une distance variant de 80 à 150 kilomètres qui se décompose généralement en deux périodes avec un arrêt prolongé de 90 minutes à 4 heures entre le milieu et les deux tiers. C'est l'arrêt repos où les chiens s'alimentent, boivent, et dorment. Quant au musher... Généralement, même en quatre heures, il y a tellement à faire, la nourriture, les soins, l'eau, les réparations, que les occasions de voler une heure de sommeil sont rares. Les chiens dorment de deux à trois fois plus que moi et ils ne s'en rendent pas compte ! Au petit matin, fringants, reposés, prêts à en découdre sur la piste, je m'attends presque à les voir hausser les épaules de dédain lorsqu'un bâillement intempestif m'échappe.

La piste, une route qu'utilisent les Indiens pour chasser en été, sillonne entre les montagnes de faible altitude s'ouvrant sur de larges vallées boisées constellées de petits lacs formant comme des chapelets blancs. Ce sont de grandes montées auxquelles succèdent de longues descentes en dénivelé raisonnable mais suffisamment fréquentes et sinueuses pour éviter toute lassitude. La piste est bonne, régulièrement entretenue par le passage de trappeurs en motoneige qui ont installé tout au long de la route des pièges destinés aux martres et quelques-uns, beaucoup plus rares, pour les lynx.

L'heure qui précède le lever du jour est la plus froide, la plus noire, comme si la nuit hésitait à laisser sa place et, d'un dernier sursaut, montrait au jour ce dont elle est capable. C'est l'heure que je préfère, celle où je me sens le plus seul au monde, en accord avec le paysage que je devine, et surtout en harmonie avec la meute qui accélère, ou peut-être est-ce une vue de l'esprit, pour aller plus vite à la rencontre du jour.

Et le rideau se lève, imperceptiblement. Des ombres qui se

dessinent, la masse touffue des arbres qui apparaît, noire et dense, des sillons argentés dans la piste dont on aperçoit maintenant les contours, la crête ciselée des montagnes qui déchirent le ciel comme un miroir brisé. Et cette lueur dans le ciel qui, d'un bleu profond, vire au violet puis au rouge et s'enflamme lorsque le soleil, bien plus tard, se hisse au-dessus d'une cime.

C'est grandiose et un peu magique. Je me dis que la nature, généreuse, se donne bien du mal pour offrir un tel spectacle en un endroit si isolé avec pour seuls spectateurs un petit musher et ses chiens. Elle mériterait un public de grands, de présidents et de sénateurs au moins. Mais non, la nature n'est pas une star de scène. Il y a quelque chose de biblique, d'une parabole et sans doute un enseignement à tirer de cette réflexion. Seul pendant des heures, on devient philosophe, à l'excès. On délire un peu aussi. On pense trop. La vie entière repasse comme un film. On joue des heures avec des souvenirs sans importance. Le temps n'est plus une durée. Ce matin, le thème c'est l'école et je m'attache à remettre des noms et des souvenirs sur des visages d'une classe de troisième. La mémoire, lorsqu'on lui laisse un peu de temps pour dépoussiérer les livres qu'elle a classés et rangés dans de vieux tiroirs coincés faute d'exercice, est étonnante. Au cours d'une expédition en canot dans la péninsule du Québec Labrador, je suis tombé amoureux d'une fille que je connaissais un peu. Ça avait commencé comme ça, en pensant à elle parce qu'elle était liée à un souvenir avec lequel je passais une heure ou deux. Puis le souvenir d'une autre rencontre au cours de laquelle je ne lui avais pas vraiment prêté attention. J'avais repensé à elle souvent jusqu'à ce que la vérité m'apparaisse et me bouleverse. Elle me manquait. Je l'aimais. À mon retour, elle avait accepté de me voir mais elle était avec un autre. En voyage, loin de tout, on se construit ses histoires et j'avais imaginé la mienne. Cruelle désillusion. Je ne lui ai jamais avoué le nombre d'heures qu'elle avait passées avec moi sur ce canot...

La rêverie fatigue et mes yeux se ferment alors que le jour se lève. Depuis trois jours, je n'ai dormi que huit heures et je ressens pour la première fois mais profondément les conséquences du manque de sommeil. Le sommeil ressemble à un huissier qui vient sonner à votre porte. On arrive à le refouler une première fois mais la trêve n'est que de courte durée. Il revient, encore et encore. Un jour, il faut payer, avec des indemnités de retard. Sur un voyage comme celui-ci, on peut obtenir quelques facilités de paiement, notamment le versement échelonné, des petites sommes, une heure ici et là et même quelques diminutions de peine à condition de ne jamais dépasser certaines limites. Je connais les miennes, deux fois deux heures par 24 heures, avec un repos obligatoire de 6 à 8 heures tous les cinq jours.

Je sais que le sommeil sera l'un des plus rudes adversaires de cette traversée et je ne le sous-estime pas.

Quiet Lake. Il porte bien son nom. Niché entre quinze montagnes au beau milieu du no man's land situé entre Ross River et Johnson Crossing, le lac dort tranquille sous sa carapace de glace et sa couverture de neige, et je l'envie.

Depuis une vingtaine de kilomètres, ce que je redoutais est arrivé. Les trappeurs n'ont pas ouvert la piste jusqu'à Ross River et les chiens brassent dans une neige fraîchement tassée que le gel n'a pas eu le temps de durcir. Alors, pour les aider, je cours derrière le traîneau sur trois ou quatre cents mètres, remonte sur les patins pour reprendre mon souffle et recommence.

Avec l'altitude, l'épaisseur de neige a considérablement augmenté pour atteindre ici plus d'un mètre trente et les ouvreurs, Bob, Didier, Marc et Alain, ont dû souffrir pour tracer la piste. De loin en loin, de grands trous plus ou moins larges mais toujours aussi profonds témoignent de leurs sorties de route, et de multiples empreintes de pas attestent de leurs efforts pour extraire les motoneiges enlisées.

Cette journée, la première où l'équipe est enfin tout entière en ordre de marche, prouvera, si besoin est, la nécessité pour elle de disposer constamment d'au moins 48 heures d'avance sur moi.

Au loin, de l'autre côté du lac, je devine le camp dressé par une partie de l'équipe. Je suppose que deux ou trois motoneiges ont continué vers Ross River afin de damer une piste qui gèlera d'ici cette nuit. Les chiens ont, eux aussi, aperçu la lueur que diffuse, bien au-dessus des arbres, le feu de camp. Ils accélèrent brusquement et c'est au grand galop que nous déboulons entre les tentes. Pas besoin d'être fin psychologue pour ressentir le malaise qui règne dans l'équipe. À ma stupéfaction, tout le monde est là. Au-delà des tentes, la neige vierge comble le chemin. La piste s'arrête ici ! Or, j'ai prévu de repartir dans six heures.

En dételant les chiens, je pose une ou deux questions à Bob puis Didier qui viennent prendre des nouvelles. Alain, muré dans un silence inquiétant, n'a pas bougé de sa place, au bord du feu, où il termine sa vaisselle.

— Pourquoi personne n'est reparti ?

— Faut voir avec Alain.

— Mais je t'avais dit de continuer.

— C'est pas moi le patron !

Je refuse de rentrer dans la spirale malsaine où l'on veut m'entraîner. Moi aussi, j'en ai « gros sur la patate ». Les chiens brassent pour rien depuis vingt kilomètres et au lieu de réagir énergiquement face à ce manque de piste auquel on s'attendait un peu, les pisteurs se sont contentés de monter le camp, puis de casser la croûte et ils s'apprêtent maintenant à aller se coucher.

À ce rythme-là et dans ces conditions, autant rentrer tout de suite !

La température est douce, la piste à ouvrir sur un chemin qui ressemble à une autoroute ne présente aucune difficulté, les hommes sont neufs. Qu'en sera-t-il lorsqu'au terme d'un mois de voyage, les pisteurs éreintés se retrouveront à −50 °C dans des passages inextricables ?

Je ne laisse rien paraître de mon exaspération pour ne pas envenimer la situation mais Alain qui me connaît par cœur a deviné. Nous nous retrouvons, à part.

— Qu'est-ce qui se passe ?

Alain bougonne un peu et lâche le morceau. Il ne se sent pas à sa place dans cette équipe de pisteurs : Bob, Didier et Marc, qu'il était censé diriger. Manquant de données, arrivé en retard, il sent que la situation lui échappe. Bob, volubile, encouragé par l'expérience indéniable qu'il possède et par les 200 kilomètres de piste qu'il a déjà ouverts seul avec Didier, entend diriger les opérations ou tout du moins les surveiller. Il agit ainsi avec la volonté de bien faire mais sans grande finesse.

Pris entre deux feux, Didier et Marc qui s'appuient sur Bob pour faire leur apprentissage en motoneige, tout en respectant l'expérience d'Alain ayant effectué de nombreuses expéditions, ne savent plus à quel saint se vouer.

— Il faut que tu recentres les choses, Nico ; c'est le bordel ! Ça part dans tous les sens, sans coordination, sans réflexion, m'explique Marc calmement mais fermement.

Didier approuve.

Je veux bien jouer ce rôle aujourd'hui mais je voudrais que l'équipe, autonome, règle elle-même ses problèmes et moi les miens. En l'absence de Pierre (parti en camion pour Ross River), je dois pourtant assurer l'intérim.

Les tensions à l'intérieur de l'équipe composée de personnages au caractère bien trempé qui seront confrontés à des difficultés extrêmes pendant quatre mois de vie en vase clos sont assurément aussi redoutables que les plus furieux blizzards. La façon dont les tempéraments évoluent, dont se règlent les conflits, naissent ou disparaissent les tensions, est aussi l'une des composantes les plus passionnantes d'une expédition.

Je parle avec Bob un bon moment. Ayant conscience du malaise qui sévit et surtout de ses conséquences, il est prêt à tout pour que les choses rentrent dans l'ordre.

De leur côté, Didier et Marc rassurent Alain et lui demandent de prendre immédiatement des décisions. Qui part faire la piste, et à quelle heure ? Jusqu'où ?

S'ensuit une discussion animée car ils n'ont plus assez d'essence pour aller jusqu'au bout : les motoneiges ont consommé trois fois plus que prévu dans la profonde. Leurs prévisions basées sur une piste damée d'un bout à l'autre étaient bien trop optimistes.

Finalement, Bob et Marc partiront vers 2 heures du matin avec le maximum d'essence et ouvriront la piste jusqu'à Ross

River. Là ils se ravitailleront et reviendront sur leurs pas pour dépanner les autres qui seront allés le plus loin possible.

— À mon avis, on devrait vite rejoindre une piste damée par les gens de Ross River.

— C'est à espérer sinon on va mettre vingt heures.

— Ça sera forcément damé sur une centaine de kilomètres.

L'optimisme de Bob dope Marc qui prépare sa motoneige avec une satisfaction qu'il a du mal à dissimuler. Il est venu pour ouvrir la piste et le voilà enfin chargé d'une mission. Il a hâte d'en découdre et de prouver qu'il a sa place ici.

Son calme, son optimisme, la façon dont il mesure ses propos ne me trompent pas. Derrière cette façade apaisante se cache un personnage excité, passionné et inquiet. J'ai envie de lui dire :

— Ne triche pas avec moi, Marc, je saurai qui tu es.

Pour l'instant, Marc, qui a confié la garde de son hôtel à son fils de vingt-cinq ans, n'a pas encore regretté sa décision. C'est un vrai bonheur de le sentir si heureux, de voir l'enthousiasme avec lequel il découvre et apprend ce milieu dont il ignorait tout mais où il se sent bien. Ancien rugbyman de haut niveau, il forme avec Alain, Didier et Bob, des vraies forces de la nature, une équipe physiquement solide. Espérons que le moral sera à la hauteur, alors nous irons au bout du monde, c'est-à-dire à Québec.

Nous nous couchons tous vers minuit après d'infructueux essais pour joindre Pierre à partir du téléphone satellite Immarsat. Bien que mon corps réclame du repos, ma tête travaille et m'empêche de dormir. Je me repasse le film de la journée dont le scénario ressemble trop à celui des jours précédents.

Comment se fait-il qu'avec tout ce monde, cette énergie, cette bonne volonté, nous n'arrivions pas à fonctionner selon nos plans ?

Le manque d'anticipation me semble être notre grande lacune. Or, Alain, qui doit diriger cette équipe, en a toujours cruellement manqué. Alain est un Indien. Il raisonne au jour le jour, à l'instinct, sans se soucier du lendemain. C'est le principe de sa vie, sa force et sa faiblesse.

Vers 1 heure du matin, un vent terrible se lève et secoue les toiles de tente dont un pan mal fixé claque contre un sapin. Je me lève pour le remettre en place et vais voir les chiens. Voulk et Oumiak lèvent la tête sans bouger le reste du corps lové en boule dans le lit de neige qu'ils se sont creusé.

— Ça va Voulk ?

Il me fixe intensément comme pour essayer de comprendre le sens des mots. Je m'approche de lui et le caresse en parlant.

— Il y a du vent, pourvu que ça se calme sinon ça va être dur demain en haut.

Voulk, la tête contre moi, cligne des yeux de plaisir et se laisse aller. Je caresse Torok et Baïkal qui se sont levés à mon passage et réintègre la tente.

Je commence à fermer l'œil lorsqu'une pétarade de moteurs me fait sursauter. Marc et Bob vont partir. Le vent gagne en intensité et je suis inquiet. La piste qu'ils vont creuser et damer risque de se combler rapidement. Je souris en écoutant Marc se préparer, exagérément sérieux.

— Tu as la hache, Bob ? Mon sac de couchage, je le mets sur ta luge ? Les cartes, tu as les cartes ?

Vers 3 heures, ils s'éloignent dans la tempête qui absorbe rapidement le bruit de leurs moteurs. Je m'endors enfin, exténué.

J'aime le froid mais pas le vent. Je hais la tempête et ses griffes qu'elle inflige comme autant d'aiguilles qui m'arrachent des grimaces de douleur. Pourtant, les chiens, mes seigneurs du froid, la fourrure cardée par le vent, continuent d'avancer à un bon rythme. Nous avons déjà gravi trois cols et basculé plusieurs fois dans de longues vallées qui s'étirent toutes vers le nord lorsque la nuit vacille, bousculée par le jour qui colore les crêtes à l'est. Nous attaquons alors une montée franche et longue. Les chiens conservent le trot tant que je persiste à courir ou à patiner pour les aider. Avec le vent, la neige s'engouffre partout, jusque sous mon bonnet de fourrure. Comme je transpire sous l'effort, la sueur fabrique une minerve de glace qui m'interdit bientôt de tourner le cou. Plus nous montons, moins la piste est bonne, comblée par la neige que le vent transporte, façonnant ici et là des congères qu'il nous faut franchir. Par endroits, la piste a totalement disparu mais Voulk n'hésite pas. Sûr de lui, il plonge dans l'épaisseur de la neige, devinant sous elle la piste gelée qu'il faut suivre sous peine de couler.

Je ne comprends pas ce que font les autres restés derrière moi, censés me dépasser pour redamer la piste. À quoi servent ces motoneiges si elles suivent plutôt que de me précéder ?

Le jour, maintenant complètement levé, révèle un paysage sublime constitué de vallées immenses constellées de lacs. Les îlots de forêts chétives qui le bordent s'espacent de plus en plus avec l'altitude si bien que le regard porte loin. La route évite les marécages et se taille un chemin à flanc de montagne. Avec 145 kilomètres depuis Quiet Lake où nous avons couché jusqu'à Ross River, j'ai programmé deux « runs », un premier d'environ 80 kilomètres et un second après 5 ou 6 heures de repos de 65 kilomètres. À ce rythme, je devrais atteindre le village vers 5 ou 6 heures demain matin, avec 48 heures d'avance sur notre programme initial.

Par cette température de −35 °C, malgré le vent et les dénivelés, les chiens avancent à un rythme infernal sans montrer le moindre signe de lassitude. Je les admire et les envie car au terme de quatre jours de course, la fatigue m'a rattrapé. Il faut absolument que je m'organise pour m'accorder plus de sommeil. Avec 3-4 heures de sommeil par 24 heures, je ne tiendrai pas cent jours.

Nous montons plus que je ne l'avais imaginé et lorsque nous atteignons le col, un paysage sublime apparaît, fait de combes, de vallées, de rivières dont les méandres traversent les bas plateaux boisés. Je m'attarde, en dépit du vent qui me fouette le visage, pour mieux admirer. Des ondulations de lumière que diffuse un soleil timidement hissé au-dessus des crêtes viennent lécher les parois et les illuminent de couleur d'argent. Nous basculons de l'autre côté et le vent nous frappe en pleine gueule, nous lançant des uppercuts qui nous font perdre l'équilibre. Les chiens s'arrêtent. Ils refusent cette correction. Je distribue un snack et leur explique qu'en redescendant, nous retrouverons à l'abri de la montagne puis de la forêt un climat moins agressif. Ils semblent comprendre. Surtout Voulk qui cherche ma main et qui de ses yeux confiants m'interroge en attendant un ordre et Torok aussi, qui aboie de rage et invective les autres, ces tire-au-flanc. À force de piétiner sur place, il forme des cales sur lesquelles il prend appui pour forcer. Le trait se tend, mais le traîneau retenu par l'ancre ne bouge pas. Les chiens comme Buck ou Charlie qui avaient commencé à s'installer, le dos rond contre le vent, se relèvent contre leur gré, presque en râlant.

— Allez les chiens !

Au lieu de ralentir sous les rafales du vent, les chiens accélèrent comme s'ils avaient maintenant conscience que nous en finirons plus vite ainsi. J'ai la curieuse sensation de flotter sur cette surface mouvante, irréelle comme une scène de théâtre sur laquelle on répand une couche de fumée. Je ne vois plus mes pieds ni ceux des chiens, dissimulés dans un brouillard de neige volant au-dessus du sol et s'accumulant sur le moindre relief, façonnant des sortes de flèches derrière lui, aux arêtes joliment effilées.

Pendant une heure, nous descendons par le chemin qui dessine de grandes courbes plutôt que de descendre franchement vers le fond de la vallée. La piste creusée par Bob et Marc est totalement effacée sauf dans les endroits un peu protégés du vent. Nous nous arrêtons dans l'une de ces ravines que le chemin traverse par des ponts de bois solidement bâtis. Je construis un feu à l'abri d'une épaulement de terrain, fabrique un peu d'eau et décongèle une énorme portion de spaghetti bolognaise car j'ai une faim colossale.

Deux heures plus tard, je me prépare à repartir lorsque plusieurs motoneiges font tout à coup irruption sans même que je les ai entendues arriver, le bruit de la tempête ayant couvert celui des moteurs.

— Bruce !

Nous tombons dans les bras l'un de l'autre.

Bob et Marc sont arrivés à Ross River à 7 heures ce matin. Deux véritables Frankenstein des neiges, éreintés, congelés, les pas lourds et raides, la barbe et les chapkas prisonnières dans un écheveau de glace, ont fait une entrée remarquée dans l'unique restaurant de la ville. Le temps qu'ils dégèlent, Bruce avait été averti de leur arrivée. Aussitôt, avec deux de ses copains, il a organisé une opération de secours pour ramener de l'essence. Bob et Marc, changés, douchés et après un solide déjeuner, sont repartis avec eux à ma rencontre sans dormir. À leur visage creusé, tiré par le manque de sommeil et la fatigue, je devine que la nuit n'a pas été une partie de plaisir.

— C'était dingue, raconte Marc, on a passé le col dans un blizzard terrible, on y voyait pas à deux mètres. Par moments, je ne voyais même plus le devant de la motoneige, on savait plus où était la route. On s'est enlisé vingt fois, la neige rentrait partout...

Marc revit la scène, un enchaînement de clichés sans suite.

Je m'amuse à l'écouter.

— Bienvenue dans le Grand Nord, Marc.

Il me regarde avec des yeux ronds et éclate de rire.

— Bon sang, je te jure, sur le col, c'est la réflexion que je me suis faite : j'y suis !

Avec plus de satisfaction que de peur.

Bruce et ses copains, des Indiens de Ross River, tournent autour des chiens, admiratifs et un peu incrédules.

— Tu es parti de Skagway dimanche ?

— Oui, vers 11 heures.

Et l'Indien silencieux, circonspect, de hocher la tête.

— Tu as dormi où ?

— J'ai quitté Quiet Lake ce matin à 6 heures.

— Tu es parti de Quiet Lake ce matin ?

À moi de hocher la tête.

— Et tu... vas aller jusqu'où ?

— Ross River est à combien de kilomètres d'ici ?

— 60 kilomètres.

— Ça devrait se faire.

Je l'assomme. Quiet Lake-Ross River en une journée, de mémoire d'Indien, on n'a jamais vu ça !

Nous ne nous éternisons pas dans cette ravine. Le vent a tourné et des rafales viennent maintenant tourbillonner dans la combe.

Les motoneiges s'enfuient à toute allure à la rencontre du reste de l'équipe.

Nous allons à notre rythme quatre heures durant, jusqu'à la forêt dans laquelle nous pénétrons heureux, tels des marins retrouvant leur port. Il est 16 heures et la nuit est là. J'allume un grand feu et m'y chauffe en rêvant pendant que la neige fond et que les chiens se reposent.

Toute la caravane des motoneiges arrive bientôt. Alain m'explique : une panne d'allumage qui leur a fait perdre deux heures ce matin, le rangement du camp, un peu lent, une seconde panne, d'essence cette fois, ont accentué le retard.

— On a cru qu'on ne te rattraperait jamais !

— C'est à moi de ne jamais vous rattraper !

La phrase jette un froid mais j'ai pesé mes mots. Depuis le départ, il y a toujours une raison ou plusieurs pour justifier des échecs successifs. Ça ne suffit pas. Un départ le matin ne se calcule pas au plus juste, le démarrage des machines s'organise, tout comme le rangement d'un campement. Si les pannes doivent faire partie du voyage, il faut en tenir compte pour ne pas se retrouver pris au piège. Nous sommes engagés dans une course mais j'ai l'impression d'être le seul, pour l'instant, à en avoir réellement conscience.

Ils ne restent que quelques minutes et repartent aussitôt. Dans une demi-heure, ils seront à Ross River. Il nous en faudra trois… Je m'allonge dans la neige, bien décidé à m'octroyer une bonne demi-heure de sommeil et commence à sombrer lorsqu'un concert d'aboiements féroces me propulse sur mes jambes. Tous les chiens sont debout, un peu effrayés, tournés vers le bois qu'ils fixent intensément, le poil hérissé sur le dos, babines retroussées sur des crocs brillants comme des lucioles dans le faisceau de ma lampe. Ce n'est pas un élan. Ils n'auraient pas le poil dressé de la sorte sur le dos. Ce ne sont pas des loups non plus, ils se contenteraient de gronder sans aboyer. Un lynx, ils n'en auraient pas peur.

— Un grizzly !

Bruce m'en a parlé tout à l'heure. Il a vu des traces en mon-

Carmack,
un des quatorze chiens
de l'attelage exceptionnel
grâce auquel
j'ai pu tenir ce pari fou :
8 600 kilomètres en 99 jours.

Pendant l'été et l'automne qui précèdent le départ, les chiens sont entraînés à raison de 40 à 60 kilomètres par jour, tirant une voiture désossée de 400 kilos.

(*Ci-dessous à gauche*) Torok et Voulk à l'âge de deux mois. Tous mes chiens sont issus du même croisement, entre Otchum (laïka de Sibérie) et Ska (groenlandaise).

(*Ci-dessous à droite*) C'est dans les bureaux où se dessinent les Formule 1 que le traîneau a été conçu par les ingénieurs de Renault Sport.

Page suivante : Dans le Yukon, près de Whitehorse,
le féerique paysage des montagnes Rocheuses,
où nous nous sommes réunis pour les derniers préparatifs.

Essai de la Formule 1
des neiges sur les glaciers
de Tignes.

De gauche à droite : Thierry, Thomas, Emmanuel, Marc et Norman. Avec Bruce et Alain, ils ont tracé la piste devant moi, en motoneige.

On discerne sur cette photo la Canal Road, une piste effacée par les ans et qui a été notre fil rouge pour le franchissement des montagnes Rocheuses.

Skagway hier et aujourd'hui,
la ville du départ, un petit
port mythique depuis que
Jack London y a débarqué
avec les milliers d'autres
chercheurs d'or qui se sont
rués vers l'Alaska en 1897.

La vieille tente qu'utilisait l'équipe en motoneige.

(*Ci-dessous à gauche*) Un moment privilégié : à chaque arrêt, inspection et soins des pattes, à raison de cinq minutes par chien.

(*Ci-dessous à droite*) Le rangement des traits «élastiques», un par chien, qui permettent d'amortir individuellement les tensions provoquées par les mouvements du traîneau.

Quelques instants de sommeil
volés ici et là, notamment
aux heures les plus chaudes
de la journée.

Alvaro Canovas,
photographe de l'expédition,
en train de se frayer
un chemin dans les aulnes.

Rien de pire pour les motoneiges que ce chaos de rochers au fond d'un canyon.

Chaque motoneige tractait une luge chargée de matériel (essence, nourriture, tente, etc.), qui devenait un poids mort épuisant dans les passages difficiles.

Page suivante : sur le lac Athabasca.

Réunion tendue au «camp de la mort» : dans les Rocheuses, et de surcroît par −55 °C, les moto-neiges n'avancent plus assez vite. Dès le lendemain, je partirai en tête avec deux hommes, alors que le reste de l'équipe, avec les motoneiges les plus lourdes, se retrouve lâché en arrière.

Dans les rochers, les skis du traîneau sont soumis à rude épreuve, et je perds du temps en réparations.

Exercice de soumission entre Torok et Voulk.

Lorsque l'épuisement se lit sur le visage…

tant et l'on dit partout que, cette année, les ours hivernent en retard en raison du manque de myrtilles.

Je n'ai pas d'arme et la peur me gagne. Un grizzly affamé, en pleine obscurité de surcroît, représente un réel danger que je ne sous-estime pas du tout.

Depuis que j'ai échappé de justesse, grâce à Otchum, à un de ces fauves dans les Rocheuses, je les crains vraiment car j'ai pris conscience de leur puissance phénoménale.

En moins de temps qu'il n'en faut pour le dire, je ramasse toutes mes affaires, les entasse n'importe comment dans le traîneau, et lève l'ancre. J'ai tout de même pris le temps de regarder derrière moi plusieurs fois et de placer ma hache dans le sac disposé à l'arrière du traîneau, juste sous la barre de conduite. Une hache pour seule arme contre un grizzly et pourquoi pas un lance-pierre ?

Je retrouve une respiration normale alors que nous nous enfuyons au grand galop dans la pente. Je laisse faire les chiens un petit moment puis freine jusqu'à ce qu'ils reprennent leur trot de croisière. La piste damée par trois passages est excellente et nous filons. Deux heures et demie plus tard, nous arrivons en vue de Ross River avec plus de cinquante heures d'avance sur le programme. Je suis fier des chiens. Ils viennent de réaliser leur premier exploit et de battre leur premier record de cette traversée. Skagway-Ross River en 95 heures.

9.

Ross River, −41 °C, 550 km

— Vous ne passerez pas !

Une litanie à laquelle Bruce répond d'un haussement d'épaules. Au scepticisme des habitants de Ross River s'ajoute celui, encore plus catégorique, des habitants de Norman Wells.

Pierre en a été pour ses frais. Au terme de six mois de recherche par courrier électronique, fax, téléphone et lettres en tout genre, il n'a pas réussi à dénicher une seule personne susceptible de monter une équipe pour venir à notre rencontre. Pourtant, lorsque nous nous étions rendus là-bas avec Bruce, les notables paraissaient enthousiastes :

— Lorsque la Canal Road s'est construite en 1940, il y avait deux équipes, l'une partant de Ross River et une seconde de Norman Wells. Il faut recréer l'histoire, disaient-ils.

Mais les hommes de terrain avaient tous rejeté la proposition et s'alliaient maintenant pour nous dissuader. La police montée canadienne ainsi que le ministère des Ressources renouvelables chargé de la gestion des espaces sauvages nous avaient adressé des mises en garde appuyées qui, au fil des jours, prenaient des allures d'interdiction. Même Bruce s'était fait prendre au piège et, de rebuffade en rebuffade, commençait à se décourager. Il était temps qu'on arrive.

J'ai la conviction que Bruce est l'homme qu'il nous faut. Métis, il possède les qualités instinctives des Indiens tout en ayant le sens de l'organisation et la notion du temps propre aux Occidentaux. Il étale les cartes et lorsque ses doigts montrent les passages, ses yeux brillant d'excitation trahissent une grande motivation. Il a organisé et effectué en été les trois premiers dépôts d'essence en 4×4. Le troisième dépôt est situé sur le col de Mac Millan Pass à partir duquel on bascule vers les Territoires du Nord-Ouest. Jusque-là, une piste régulièrement empruntée en été par les Indiens qui l'utilisent pour la chasse aux caribous et sporadiquement en hiver par des trappeurs ne devrait pas poser de problèmes. Ensuite, il n'y a plus rien. Seulement une route dessinée sur les cartes mais que le temps a presque totalement effacée comme nous l'avons constaté en la survolant en avion.

Dans cette seconde partie, les dépôts d'essence seront effectués sur des lacs par un avion équipé de skis, ou en hélicoptère. Pierre, Raphaël et Bob les organiseront depuis l'autre côté des Rocheuses et essaieront de monter une équipe pour venir à notre rencontre. Nous décidons d'effectuer avec l'avion une ultime reconnaissance, qui permettra de noter sur les cartes glaciers et « overflows », ces zones de rivières où l'eau monte au-dessus de la glace (c'est lorsque cette eau, mélangée à la neige, forme une sorte de pâte qui ne gèle pas que l'on parle de slutch). Comme il ne reste qu'une place disponible, nous l'attribuons à Bruce qui effectuera l'aller-retour.

Je choisis les quatre chiens que j'envoie là-bas : Pawnee que je n'ai pas attelé depuis le départ car il est atteint d'une pneumonie, puis Chip, Buck et Oukiok.

Ils s'envolent le lendemain de notre arrivée, avec Pierre Paré, l'un de nos amis, pilote à Whitehorse et fidèle supporter de nos aventures.

Les 36 heures d'arrêt à Ross River, si elles sont du repos pour les chiens, ne le sont pas pour les hommes. Tout le monde s'affaire, conscient qu'il s'agit ici du dernier port avant une grande traversée. Les six motoneiges reçoivent un check-up complet dans le seul garage du village, que tient un certain Norman, trappeur à ses heures.

À force de côtoyer l'équipe, Norman s'y attache et Bruce vient rapidement me confier qu'il participerait bien à l'aventure.

Un mécanicien de cette trempe, véritable bushman d'expérience, nous sera d'une très grande utilité et nous n'hésitons pas. Quelque chose de clair et droit dans son regard me dit que nous allons nous entendre.

La seconde bonne nouvelle nous arrive de Norman Wells où Bruce a fini par dénicher dans un bar un Indien qui, moyennant une belle somme, a accepté de se joindre à Raphaël, Bob et Pierre pour venir à notre rencontre. Il nous loue ses motoneiges et un engin chenillé équipé de quatre roues motrices, censé passer partout ! Je suis sceptique. La lenteur, le poids et le manque de maniabilité du « tank » me semblent inadaptés mais je suppose que l'Indien sait ce qu'il fait.

Le thermomètre chute jusqu'à −45 °C au cours de la nuit. Un froid si intense dès le milieu du mois de décembre préfigure un hiver rigoureux.

Norman n'est pas optimiste :

— Si tu roules en motoneige à cette température-là, tu casses tout.

— Mais on aura forcément des grands froids dans les montagnes !

Norman, devant ma mine contrite, éclate de rire.

— Dans les montagnes, on va en avoir des soucis !

Je lui serre la main.

— Je suis content que tu viennes avec nous.

— Si ton équipe est aussi forte que tes chiens, on a une chance sur dix de réaliser l'impossible, ça vaut le coup d'essayer...

— On passera, Norman.

La mauvaise nouvelle arrive dès le lendemain matin, à quelques heures du départ fixé à 13 heures. L'avion censé ramener Bruce ici est bloqué à Norman Wells dans une terrible tempête de neige. Il ne décollera pas aujourd'hui.

Bon, nous n'avons pas vraiment besoin de ses talents de pisteur avant Mac Millan Pass, dont 230 kilomètres nous séparent. Nous décidons de partir sans lui : Norman l'attendra et ils nous rejoindront vite.

Dans le village, nous avons fait la connaissance d'un missionnaire catholique français installé depuis quarante ans dans le Grand Nord et qui se déplace en traîneau à chiens. Nous lui avons rendu visite et il nous a parlé de ses rêves d'enfant devenus réalité. Chasseur, pêcheur et grand voyageur sillonnant les grandes étendues blanches avec ses chiens, nous l'avons écouté évoquer ses souvenirs dans lesquels Jack London aurait pu puiser son inspiration.

Devant la petite église en bois de Ross River, nous sommes aujourd'hui réunis, les chiens et nos six motoneiges en cercle autour du prêtre. C'est la première fois de sa vie dans le Grand Nord qu'il a l'occasion de procéder dans sa langue natale à une bénédiction, et pas n'importe laquelle. Il connaît la difficulté et les risques de notre entreprise et sa voix est chargée d'émotion lorsqu'il lit ce qu'il a préparé pour nous :

Notre Père qui êtes aux cieux,
Guidez ces voyageurs qui partent pour un long et difficile voyage à travers le Grand Nord.
Protégez-les dans la traversée de ses immensités. Bénissez-les ainsi que leurs moyens de locomotion, chiens de traîneau et motoneiges. Accordez-leur un temps favorable. Que cette entreprise soit en Votre honneur et pour le bien de tous ceux qui participent. Qu'au cours de ce voyage, ils admirent les merveilles de votre création dans les montagnes Rocheuses. Amis voyageurs, que vos saints anges vous accompagnent et veillent sur vous.

Je regarde nos visages empreints d'une certaine gravité et l'émotion qui se dégage de la scène me bouleverse. Ces hommes, qui ne croient pourtant en rien d'autre qu'en leur bonne étoile, sont recueillis et s'imprègnent des paroles du prêtre. La bénédiction est suivie d'un silence solennel, presque palpable, et que personne n'ose briser. Les chiens eux-mêmes, immobiles, sages à l'excès, semblent touchés par la grâce de l'instant.

— Merci mon père, merci beaucoup.
— Que le Seigneur soit réellement avec vous, mes enfants…

Je serre les mains et m'enfuis car je sens que je vais pleurer.

En quelques secondes, nous sommes sortis du village et tournons à droite sur la Canal Road au centre de laquelle une belle piste de motoneige fend la neige.

En partant, le prêtre m'a demandé combien de kilomètres je comptais faire aujourd'hui.

— Vu l'heure avancée, tu ne vas pas aller bien loin ?

— Une centaine de kilomètres, peut-être un peu plus.

Interloqué, le missionnaire croyait visiblement à une blague mais lorsque Norman est intervenu pour lui dire que nous avons fait l'étape depuis Quiet Lake en une seule journée, il a eu cette réplique extraordinaire :

— Nom de Dieu !

Le thermomètre est un peu remonté mais de toute façon tant que le mercure ne franchit pas la barre des −45 °C, le froid ne me gêne pas, au contraire j'aime lorsqu'il habille mes chiens de givre et qu'il les auréole d'un nuage blanc.

Jusqu'à Mac Millan Pass, nous remontons une immense vallée drainée par une rivière que la Canal Road traverse plusieurs fois pour chercher d'un côté ou de l'autre de la vallée les meilleurs passages. On ne peut rêver plus facile et plus belle piste. Je laisse les chiens aller à leur rythme et admire en rêvassant le majestueux panorama de montagnes qui se déroule comme un film au ralenti. Au loin se dressent les pics majestueux des grandes cimes qui se disputent le ciel d'un bleu transparent. Mais vers 16 heures, la nuit revient et tire son rideau. Je m'arrête quelques instants pour mettre des bottines aux chiens ayant des coussinets sensibles, distribuer quelques snacks et surtout positionner la lampe frontale alimentée de piles au lithium très performantes et d'une ampoule halogène puissante.

À 17 heures, je commence à râler car si la piste était bien damée sur les 50 premiers kilomètres, une couche de vingt centimètres de neige fraîche recouvre maintenant les vieilles traces. Alain m'avait promis de quitter le village une heure après moi, pour me rattraper et, si besoin est, redamer la piste. Une fois de plus, le départ n'a pas dû se faire à l'heure.

— Ras le bol !

Ça me fait mal de voir les chiens, esclaves de cette situation, s'échiner dans la neige quand nous devrions filer sans trop d'efforts. La tension monte au fil des heures mais retombe aussitôt que j'entends les moteurs.

Alain est là.

— On a été retardés par un tas de trucs, une luge cassée qu'il a fallu changer au dernier moment, Pierre au téléphone pour des histoires d'avion avec Bruce, bref, ça n'en finissait pas...

Il passe devant et m'ouvre la piste. Bientôt Didier me dépasse, puis Thomas et Emmanuel ensemble sur une VK et enfin Alvaro, le photographe de l'expédition.

Ils disparaissent dans la nuit et filent vers le kilomètre 110 où Norman nous a indiqué une cabane au bord de la rivière Caribou.

Vers minuit, je dépasse la rivière en question et aperçois des traces de motoneige qui vont dans tous les sens. Quelques kilomètres plus loin, je tombe sur le campement pitoyablement installé sur un replat.

— On l'a cherchée pendant une heure mais on l'a pas trouvée sa foutue cabane !

Alain a même décroché le téléphone satellite pour essayer de joindre Norman. Comme il n'avait pas son numéro, il a téléphoné à la femme de Pierre Paré, à Whitehorse, qui, réveillée à 11 heures du soir, a cru à une blague.

— Mais je te promets, je ne suis pas saoul. Je suis dans les montagnes, il fait −40 °C, nuit noire et on est paumés. Il faut que tu trouves le numéro d'un certain Norman à Ross River pour qu'il t'explique où est la cabane, tu lui dis qu'on l'a pas vue, tu nous rappelles après !

Tout cela avec l'antenne surélevée sur la tête car c'est la seule position avec laquelle ils avaient réussi à capter un satellite. Le comique de la situation a déclenché un énorme fou rire si bien que l'antenne lui est tombée de la tête et la communication s'est interrompue.

— De toute façon, la femme de Pierre n'a pas réussi à joindre Norman, on l'a rappelée plus tard, m'explique Thomas.

Ils avaient donc installé la tente entre deux arbres et sur le poêle mijotait une soupe alléchante. Nous nous endormons vers 2 heures alors qu'Alain et Marc se préparent déjà à repartir pour damer la piste avec quelques heures d'avance. Mais ça ne suffira pas, d'autant que le thermomètre remonte à −25 °C.

J'enrage. Nous n'y arriverons jamais !

Il est un peu plus de 6 heures.

Les chiens trottent péniblement à 8 km/heure alors que sur un aussi bon chemin, nous pourrions nous offrir 12 km/heure de moyenne, c'est-à-dire parcourir cent kilomètres en huit heures environ. La différence peut paraître dérisoire, mais elle signifie qu'au lieu de disposer de seize heures de repos par 24 heures, nous n'en aurons que dix !

Au bout de trente kilomètres de course dans cette neige molle sur laquelle ils ne peuvent prendre appui, mon découragement gagne les chiens. Amarok commence à boiter, victime d'un début de tendinite, puis c'est au tour d'Oumiak. Je les place immédiatement à l'arrière du traîneau en réorganisant mon chargement pour leur aménager un espace suffisant. Et lorsque, quelques minutes plus tard, j'aperçois une petite cabane déglinguée mais équipée d'un poêle, je n'hésite pas. Les chiens et moi, nous nous arrêtons et sortons le piquet de grève.

10.

Mac Millan Pass, – 36 °C, 800 km

La décision était sage. Pourtant, hier après-midi, je me sentais aussi coupable qu'un enfant n'ayant pas fait ses devoirs. 35 kilomètres au lieu de 100. Alors, je me suis longuement occupé de l'attelage. Check-up complet. Dix à quinze minutes par chien, notant sur un petit carnet tout ce que je relevais, notamment aux pieds pour ne pas me tromper dans les bottines. Quarante pattes de mémoire, c'est beaucoup. Et j'étais plutôt satisfait car les petites blessures, coupures et abrasions diverses accumulées en début d'expédition sur les routes et qui cicatrisaient mal à cause du sel mélangé à la neige étaient en voie de guérison. J'ai massé, pommadé, caressé, et ces minutes de tendresse ont donné aux chiens l'énergie qu'ils utilisent maintenant sur une bonne piste dure, même si le vent l'a, par endroits, recouverte d'une petite pellicule de neige. Je suis parti vers 4 heures du matin et, au lever du jour, nous avons déjà 70 kilomètres au compteur. Mon compteur, ultrafiable, c'est la vitesse des chiens. Je sais exactement quelle est l'allure de leur trot. Nous sommes partis depuis 6 heures auxquelles je soustrais 40 minutes d'arrêt, snacks, bottines à remettre, une engueulade (Buck vexé d'être placé à l'arrière avec Torok), une ampoule de frontale à changer, un arrêt pipi, un autre pour boire un café. Cela donne donc 5 h 20 dont 2 heures à 13-14 km/heure et environ 3 h 20 à 12 km/heure soit un total d'environ 70 kilomètres. Il est rare que sur une étape de 100 kilomètres la marge d'erreur soit supérieure à 5-6 kilomètres.

J'aime l'arrêt de deux heures car à la satisfaction du devoir accompli — les deux tiers de la route déjà effectués — s'ajoute celle de repartir bientôt pour une courte étape au terme de laquelle nous attend le long repos de 8 heures. Je construis un bon feu, mange en regardant les chiens s'étirer les muscles en soupirant d'aise, et admire le paysage. Souvent, je passe de longues minutes à étudier les montagnes à travers une paire de jumelles, à la recherche d'animaux sauvages, et cet après-midi, l'observation d'une petite harde de chèvres des Rocheuses, quelques mères et leurs petits, véritables peluches blanches, me comble de satisfaction. Je me chauffe au bord du feu, notamment la paume des mains que j'approche le plus près possible des flammes, comme si je pouvais stocker leur chaleur pour plus tard. Je suis bien mais l'esprit n'est pas tranquille. Bruce et Norman ne nous ont toujours pas rejoints. Mais alors que je me prépare à repartir, une motoneige se fait entendre.

— Bruce !

Je pensais qu'il s'agissait de l'équipe cinéma censée me rattraper dans la journée. Je lui demande aussitôt ce qu'il a fait de Norman.

— Il est derrière. Vous avez dépassé le premier dépôt d'essence, il charge les bidons et il nous rattrape.

Bruce me raconte ses déboires. L'avion, après 48 heures d'attente, a finalement décollé. Ils ont passé de justesse les Rocheuses mais n'ont pas réussi à atterrir à Ross River, noyé dans une tempête de neige. Ils se sont donc orientés vers Whitehorse où ils se sont posés au bord de la panne sèche.

— Je suis reparti aussitôt de Whitehorse en voiture et suis arrivé ce matin à 4 heures, pour repartir à 7 heures après trois heures de préparatifs. Pas dormi depuis deux jours !

Je fais part à Bruce de mes inquiétudes. Dans quelques jours nous allons entrer dans le vif du sujet, au cœur des Rocheuses, où l'ouverture d'une piste nécessitera dans certains passages difficiles des heures de bataille pour conquérir quelques kilomètres. Si les pisteurs ne disposent pas d'une avance conséquente, je vais être constamment sur leurs talons.

— Écoute, Nicolas, à 50 kilomètres d'ici, il y a une cabane où l'on peut dormir. Retrouvons-nous tous là-bas pour parler de l'organisation des prochaines semaines.

Je sais que cette réunion est indispensable mais elle prive encore les pisteurs d'une occasion de prendre 100 kilomètres d'avance sur les chiens. En deux heures de motoneige, trois ou quatre personnes auraient pu filer devant, enfin devant !

Mais dans ce type d'expédition, la raison doit toujours l'emporter sur le reste.

— Et demain, on filera loin devant, promet Bruce.

Demain, toujours demain…

Vers 16 heures, alors que la nuit tombe, le vent change assez brusquement de direction et le froid s'installe. De la glace se forme partout dans ma barbe, moustache, les cils et sourcils, créant une gangue qui m'empêche de tourner la tête.

J'arrive tel un bonhomme de neige dans la clairière au fond de laquelle trône une belle cabane en bois rond dont les fenêtres éclairées sont comme deux yeux brillant dans l'obscurité.

Le trappeur, un vrai David Crockett, sort aussitôt de la cabane, accompagné de Marc et d'Alain

— Je te présente Richard qui nous a accueillis hier soir.

Richard m'indique un endroit parfaitement tranquille, à 300 mètres de la cabane, où je peux tendre mon câble et installer les chiens. Alain et Marc viennent m'aider à dételer et en profitent pour me raconter leur journée.

— On s'est embourbés au moins cinquante fois dans la profonde, c'était horrible. Au début ça allait, mais après 12 heures de motoneige, on n'en pouvait plus. On n'avait plus rien dans les bras. Puis le vent s'est levé, la neige s'est mise à tourbillonner, on n'y voyait plus rien…

Marc se souvient.

— Tu aurais vu le gros (Alain), il gueulait après toi, après moi, il voulait mettre le feu à ces foutues motoneiges. À la pire crise, je me suis mis à chanter, ça l'a calmé. On a rigolé et on est repartis. Mais alors l'état dans lequel on est arrivés ici…

Il montre Richard.

— C'est lui qui nous a déshabillés, on était gelés. On tenait plus debout! On a passé une soirée géniale à décongeler pendant qu'il nous racontait des histoires.

Effectivement, Richard est un type passionnant. Il habite ici huit mois sur douze depuis trente ans, dans un isolement total. Il nous parle de l'évolution de son métier avec un certain recul et beaucoup de justesse dans ses raisonnements. Le genre de type que les écologistes bureaucrates devraient écouter attentivement avant de se lancer dans de grandes campagnes anti-fourrures.

La soirée est agréable. Le courant passe bien entre Norman, Bruce et le reste de l'équipe. La motivation et la détermination de tous est sans faille. Richard, sans chercher à nous décourager, parle de ce qu'il connaît, les 50 premiers kilomètres après Mac Millan Pass.

— Il y a des glaciers difficiles qui recouvrent les portions de chemin encore existantes sur le flanc de la montagne qui précède le col. C'est plein de rochers, d'éboulis mais vous pourrez contourner si la neige n'a pas été soufflée par une tempête. Quant aux cols, attention. Faites vraiment attention de ne pas vous faire « poigner » là-dedans de nuit en pleine tempête, ça peut être terrible là-haut.

Bruce, particulièrement attentif, note les informations sur le petit carnet qu'il conserve toujours sur lui.

La mauvaise nouvelle vient de Norman qui, après un rapide check-up, nous demande la journée du lendemain pour réparer le démarreur d'une des deux bravos et effectuer des réglages sur les chenilles des VK. Comme tout le monde semble ravi de ce répit inespéré qui permettra de procéder aux ultimes mises au point avant le grand saut, je me console en me disant que ce contretemps sera forcément le dernier et qu'il marque la fin de notre rodage.

« Mac Millan Pass », c'est écrit en rouge sur un petit panneau métallique rouillé, retenu par un clou à un gros morceau de poteau télégraphique. Il claque dans le vent comme pour applaudir notre passage et il peut, car les chiens, en grande forme, ont gravi plus de 700 mètres de dénivelé sur 45 kilomètres de piste en moins de 3 heures.

Nous sommes bardés de bonnes résolutions, ce matin : Bruce, Marc et Alain sont partis devant avec la ferme intention d'ouvrir la trace sur une distance suffisamment grande pour créer entre nous une « zone tampon ». Didier escorte l'équipe cinéma avec laquelle Alvaro fonctionne, et Norman ferme la marche pour récupérer, au cas où, les machines défaillantes. Tous les cinq, autonomes en vivres et en équipements divers (tente, matériel de cuisine, caisse à outils, pièces de rechange), vont voyager sur la piste damée entre les pisteurs et moi-même. La répartition des rôles, des motoneiges, du matériel a été décidée et organisée hier, lors de notre grande, et j'espère ultime, réunion de travail.

Le jour se lève alors que, pesant sur le frein, je ralentis l'attelage dans la longue descente qui mène à un vaste plateau en bas du col. Le panorama est féerique. Nous nous trouvons au beau milieu d'un gigantesque cirque qui s'ouvre vers l'est entre de hautes montagnes aux cimes rocheuses d'une couleur ocre. Situé largement au-dessus de la limite des arbres, ce secteur est totalement dénué de végétation à l'exception de quelques hectares d'aulnes nains desquels s'échappent des élans. J'en compte plus de onze dans la descente et au moins autant sur le plateau que la piste traverse en son milieu. Ici la Canal Road a infligé au paysage des blessures sous forme de bourrelets de terrain rectilignes qui permettent encore aujourd'hui de deviner sa trajectoire. Les pisteurs l'ont plus ou moins suivie, la perdant sur plusieurs kilomètres puis la retrouvant. Quelques pistes marquées d'un ruban jaune trahissent leur errance pour la situer car elle est et restera notre référence.

Bruce en a encore eu la confirmation lors de son survol en avion. Il apparaît nettement qu'elle emprunte toujours les meilleurs passages dans les zones au relief accidenté. Les géographes de l'époque ont fait un bon travail qu'il serait ridicule de remettre en cause. Nous avons donc décidé de suivre, autant que ses vestiges nous le permettent, l'itinéraire de la vieille route. Pour cela, nous disposons aussi de cartes au 50/1 000 sur lesquelles j'ai noté de précieuses indications pendant le survol que nous avions effectué l'année dernière. J'imagine assez bien quel a été l'enfer de ces centaines d'hommes que l'armée américaine a embauchés pendant un an pour trouver un itinéraire, niveler, creuser, fabriquer le chemin avec ces engins chenillés dont on aperçoit des cadavres tout au long de la route.

L'année dernière, à Norman Wells, nous avions visionné un petit film en noir et blanc, réalisé pendant la construction, en 1940. C'était émouvant de voir ces hommes et leurs machines confrontés aux rigueurs de l'hiver puis embourbés dans les marais, assaillis par les moustiques, ensevelis dans des avalanches, bloqués par des éboulis, des glaciers ou des rivières en crue. Que d'efforts vains ! Aussitôt achevée, la route a été abandonnée. Elle était destinée à desservir l'installation puis l'entretien d'un pipeline qui, traversant les Rocheuses, alimenterait une raffinerie de Whitehorse à partir des réserves pétrolières de Norman Wells. Cet approvisionnement en essence, côté Pacifique, était stratégiquement indispensable à l'époque de la Seconde Guerre mondiale. Il devenait inutile dès lors que l'armistice était signé. Il en est ainsi des guerres qui fabriquent inutilement autant de choses qu'elles en détruisent. Mais le travail de ces hommes eut au moins le mérite de forer, dans ce labyrinthe de montagnes, de canyons, de cols et de crêtes infranchissables, un passage qu'empruntent chaque année en été une poignée d'aventuriers. En hiver, c'est un autre monde, un autre défi, d'autres difficultés auxquelles beaucoup se sont heurté jusqu'au renoncement. Un défi qui devient le nôtre à partir d'aujourd'hui.

11.

Territoires du Nord-Ouest, montagnes Rocheuses, −46 °C, 900 km

Jamais, en plus de vingt ans de pérégrinations dans le Grand Nord, je n'ai glissé en traîneau dans un décor aussi exceptionnel. C'est tellement grandiose, éblouissant, irréel, que les larmes me montent aux yeux comme s'ils ne pouvaient supporter tant de pureté et de perfection. Aussi loin que porte le regard, c'est un éblouissant spectacle de montagnes, de vallées et de canyons, splendeurs inviolées, harmonieusement dispersées entre les pics rocheux et les glaciers.

Jamais je n'ai été à ce point frappé par un paysage défiant aussi désespérément mes capacités de description. C'est si vaste qu'en tournant sur soi-même, des milliers de combinaisons de paysage s'offrent au regard, d'une si infinie diversité, d'une telle richesse, qu'un amateur de splendeur sauvage trouverait aisément à se satisfaire ici une vie entière.

C'est le cadeau de Noël des Rocheuses. À l'heure où ailleurs le champagne coule à flots, où le foie gras et les dindes garnissent les tables pendant que les cadeaux s'ouvrent, je passe l'un des plus hauts cols des Rocheuses avec mes chiens. Le plus beau des cadeaux, qu'aucun champagne, aucun caviar ne saurait remplacer. Alors que le moindre souffle de vent, la brume ou la neige aurait pu transformer ce passage en cap Horn des Rocheuses, le ciel d'une limpidité incroyable semble avoir retenu son souffle. Lorsque j'arrive au sommet, le soleil qui, depuis deux semaines, n'atteint plus le fond des vallées car il ne monte plus assez haut, pointe sa tête dorée derrière une crête pour nous gratifier d'une caresse qui éclaire toutes les cimes alentour. Je ne peux m'empêcher de croire en une intervention divine. Trop de coïncidences, trop de beauté. J'ai envie de dire aux montagnes :

— Arrêtez, c'est trop. J'y crois pas !

Longtemps, nous restons sur la crête, sorte de plateau élevé de cette montagne dominant toutes les autres, que la piste coupe en son milieu pour aller chercher une brèche assez profonde qui plonge vers la rivière Caribou.

Thomas et Emmanuel se sont postés sur une petite élévation de terrain pour filmer le traîneau traversant le plateau derrière lequel se découpe la féerie des cimes. Des centaines de lagopèdes s'échappent des touffes d'aulnes rabougris dont ils mangent les bourgeons sur les tiges émergeant de la neige. Certains arbustes se sont remarquablement adaptés aux courts étés du Grand Nord en bourgeonnant à l'automne si bien qu'ils fleurissent sans perdre de temps, dès les premiers beaux jours. Cette anomalie de la nature profite aux perdrix, lagopèdes, tétras et gélinottes, mais aussi aux lièvres et aux grands mammifères tels que l'élan, les mouflons et les chèvres des Rocheuses qui raffolent de la substance antigel au goût un peu salé que la plante fabrique pour protéger les bourgeons.

Le soleil, même si ses rayons n'élèvent pas la température de l'atmosphère, procure une sensation de chaleur qui cesse aussitôt que l'on retrouve l'ombre.

La brèche s'ouvre en biseau sur la bordure est du plateau comme si une énorme hache l'avait entaillé pour permettre d'en redescendre. Des aulnes ont poussé dans l'ancien chemin et l'ont protégé de l'érosion sur la plus grande partie. Quelques éboulis et ruisseaux l'ont détérioré par endroits mais la descente reste possible. J'aime ce genre de manœuvre où la conduite exige beaucoup de doigté et de justesse dans le freinage et les prises de carre parce qu'il faut adapter ses décisions aux trajectoires que les chiens suivent et surtout aux mouvements des deux chiens placés immédiatement devant le traîneau. L'exercice est d'autant plus passionnant avec un traîneau aussi technique que le mien et avec des chiens aussi expérimentés qui anticipent certaines de mes réactions tout en se conformant à mes décisions. C'est amusant de voir Voulk se retourner l'espace d'un instant lorsqu'un ordre le surprend pour en attendre confirmation avant de l'exécuter.

Nous arrivons au bord d'une combe. Voulk, d'après son analyse, pense que le mieux est de descendre par la gauche, or je lui demande de monter à angle droit par la droite alors que plusieurs rochers gênent le passage.

— Djee.

Voulk, qui s'apprêtait à plonger à gauche, se raidit et me regarde.

— Oui, djee, Voulk.

Alors il n'hésite pas, il entraîne tout l'attelage dans la difficulté. Il a confiance en mon choix. Il sait que cette option trouvera sa justification plus tard. Je pèse de tout mon poids sur le patin droit du traîneau pour éviter un rocher, puis sur le gauche pour éviter le second, freine pour redresser la flèche engagée trop à droite, aidé par Torok et Baïkal placés en queue d'attelage, alors que Voulk décrit un large cercle. Il aperçoit en haut de la combe le passage permettant de rejoindre le sentier, et s'y dirige spontanément. Une fois de plus, il a compris ma décision et l'a parfaitement exécutée.

— C'est bien mon Voulk.

Il relève la tête et gonfle le poitrail d'orgueil, mon seigneur des neiges.

Derrière lui, Nanook me jette une œillade chargée de sens : « Moi aussi, je suis capable de faire ça, facile ! »

— C'est bien mon Nanook.

Et tous les chiens reçoivent leur petit compliment en me gratifiant tour à tour d'une œillade.

Nous descendons le sentier. Encore une fois, de grands trous trahissent les enlisements des pisteurs, des traces de pas montrent les hésitations, des rubans indiquent les bonnes pistes. J'admire le travail réalisé. Les choix sont judicieux et confirment les qualités de Bruce qui a véritablement le sens de la piste.

Un ancien campement fait de plusieurs bâtisses en planches et contre-plaqué en pleine décrépitude borde le chemin en bas de la descente. Une cabane a été plus ou moins entretenue, réparée sommairement, les vitres cassées remplacées par des sacs en plastique, les trous dans les murs comblés par des planches disjointes. La porte est sortie de ses gonds rouillés et le poêle percé laisse s'échapper la fumée par plusieurs trous. Je reconnais aussitôt les luges de Bruce, Marc et Alain à côté des autres, alignées le long de la cabane. Ils sont censés être bien plus loin…

Ils ont laissé un mot.

« Sommes arrivés ici à 19 heures le 23 décembre. Grosse galère pour ouvrir dans la profonde du plateau jusqu'ici. Ne pouvons pas ouvrir plus en avant avec les luges chargées et avons donc décidé d'effectuer un aller-retour à vide. Nous irons le plus loin possible afin que Nicolas ait une piste gelée pour demain et repartirons le 25 très tôt pour continuer. Passerons le soir de Noël avec vous.

Bises, Alain, Bruce et Marc. »

Ce message inquiète Norman pour des raisons d'essence.

— On n'en aura pas assez s'ils continuent comme ça ! Surtout avec le froid qui arrive !

Il me montre le ciel pur et lumineux, rose à l'ouest, signe de froid. Le thermomètre a déjà chuté jusqu'à −40 °C et devrait encore descendre cette nuit. Or, les motoneiges consomment jusqu'à deux fois plus par grands froids.

— Si on les démarre !

Au fil des jours et des obstacles qui surgissent, je m'aperçois que j'ai beaucoup sous-estimé la difficulté de traverser le Canada avec six motoneiges. Une aventure en soi, d'autant plus ardue qu'elle doit se coordonner avec la mienne. Cette incapacité à nous organiser pèse sur le moral de l'équipe. Mais ce soir, c'est Noël et chacun essaie d'oublier, sans y arriver vraiment. Nous venons de franchir le premier obstacle de la mythique Canal Road et maintenant se dressent devant nous des montagnes de difficultés devant lesquelles chacun se sent petit, vulnérable. Les visages sont graves, les sourires retenus. Ce n'est pas une veillée de Noël, mais une veillée d'armes.

12.

Montagnes Rocheuses, −44 °C, 980 km

La meute de loups qui a hurlé une bonne partie de la nuit cesse aussitôt que la caravane de motoneiges se met en marche. Je me suis levé plusieurs fois cette nuit pour surveiller les chiens car il me semblait que les loups s'approchaient et je redoutais un accident. Les loups sont des animaux extrêmement territoriaux, qui n'hésitent pas à s'attaquer aux chiens pénétrant à l'intérieur des frontières de leur domaine. Heureusement, d'instinct ils redoutent l'homme, qui doit faire acte de présence pour les dissuader d'envisager une action d'épuration ethnique.

J'ai rencontré dans le Yukon un missionnaire morave dont l'attelage a été entièrement décimé par une meute de cinq loups au bord de la baie d'Hudson. Les chiens ne dormaient qu'à une cinquantaine de mètres de sa tente, plantée dans un bouquet d'arbres, mais le vent soufflait fort et il n'avait rien entendu. Il se trouvait à 80 kilomètres du village de Povognituk et, au petit matin, il s'était mis en marche, raquettes aux pieds. Sans elles, il serait mort. Les loups le suivaient à distance et s'approchaient de plus en plus au fur et à mesure que ses forces l'abandonnaient. Mais un avion l'avait repéré l'après-midi du deuxième jour et des Inuits en motoneiges l'avaient récupéré le soir même. Il avait eu de la chance. Les loups auraient attendu qu'il s'effondre pour l'achever et le dévorer. On aurait peut-être retrouvé son traîneau bien plus tard mais aucune trace de lui, ni de ses chiens, encore moins des loups, vite effacée par le vent, n'aurait permis d'élucider le mystère de sa disparition. Il aurait rejoint celui de bien d'autres aventuriers du Grand Nord.

En 1984, des loups m'ont suivi pendant deux jours, à distance respectueuse le jour mais à quelques dizaines de mètres la nuit, alors que je marchais seul en raquettes vers le Yukon, traversant une zone extrêmement reculée. Depuis, je connais la peur des animaux sauvages. En pleine nuit, lorsque, réveillé en sursaut, les yeux jaunes en amande me sont apparus dans le faisceau de ma lampe frontale, j'ai perdu le contrôle de moi-même et ce cauchemar me hante encore aujourd'hui. C'est lui qui m'a réveillé cette nuit lorsque les plaintes des loups s'élevaient, mélodieuses et mélancoliques, d'entre les montagnes. Pourtant, je les aime et leur présence me fascine autant qu'elle me comble de joie. Le loup incarne pour moi la sauvagerie dans ce qu'elle a de plus noble et de plus pur. D'ailleurs, ce n'est pas un hasard si cette meute vit ici. Ne venons-nous pas de franchir la frontière qui sépare le monde des hommes du reste du monde sauvage que les loups recherchent autant que moi ? Je reçois leur chant comme un hymne de bienvenue. Bienvenue dans le no man's land !

Hier soir, Alain et Marc sont revenus de leur expédition avec les yeux brillants d'émotion, déjà chargés de souvenirs qui ne les quitteront plus.

— On est arrivés dans des vallées édéniques. Pas une trace humaine dans la neige. Partout des animaux n'ayant jamais rencontré l'homme se dressaient à notre approche et s'enfuyaient à pas lent, comme à regret, des élans, des caribous, des loups, tout cela entre de somptueuses montagnes...

Marc s'essouffle. Il se sent impuissant à exprimer par des mots l'émotion ressentie pendant ces moments-là.

Je les envie un peu. Je ne traverserai pas le même paysage, une trace y sera creusée, et ce ne sera plus la même vallée. Depuis vingt ans que je sillonne les terres gelées, je n'ai jamais échangé ma place de pisteur, quitte à ahaner des heures dans la neige profonde en raquettes, contre celle de suiveur car c'est ce paysage que je viens voir, et celui que je découvre en me retournant ne m'intéresse déjà plus. L'amour du pur, de la découverte. Impression animale d'écrire sa piste, satisfaction de conduire son destin, sensation exquise d'être au bord du monde et, à chaque pas, d'y pénétrer pour la première fois. Que cette jouissance de fouler les premiers des espaces vierges soit ressentie par Marc et Alain me console. Ce n'est pas du gâchis.

Les bruits de moteur s'évanouissent dans la nuit et le grand silence s'installe, parfois meublé de quelques caquètements de lagopèdes.

Je quitte le campement vers 6 heures, une heure derrière les motoneigistes qui devraient se rendre rapidement au bout de la piste tracée hier jusqu'à 50 kilomètres d'ici. Celle-ci est dure et les chiens, excités par toutes les traces fraîches de gibier que nous croisons, vont bon train.

Je pense à Pierre, Raphaël et Bob qui, de l'autre côté des montagnes Rocheuses, doivent batailler pour ouvrir une piste vers nous. De la réussite de leur expédition dépend la nôtre car je sens qu'il nous manquera de l'essence, des vivres et peut-être un peu d'énergie pour aller jusqu'au bout. Hier, nous avons essayé de les joindre mais une fois de plus en vain, l'espace entre les montagnes étant trop réduit pour capter le satellite.

J'ai retardé d'une heure mon départ pour laisser la nuit s'estomper et ne pas rater le spectacle. Je ne le regrette pas. Nous nous trouvons réellement dans l'un des plus majestueux décors de montagnes, de vallées et de hauts plateaux que l'on puisse imaginer. Une sorte d'apothéose pour un musher. Même si les cimes sont très élevées et un peu écrasantes par leur masse, les vallées sont suffisamment larges et vastes pour ne pas se sentir prisonnier de cette immensité. La piste longe le torrent ouvert par endroits, qui draine la vallée et duquel partent de grandes étendues d'aulnes et de saules dans lesquels j'aperçois plusieurs élans, dont un magnifique mâle au panache impressionnant, large de près de trois mètres. Quant aux compagnies de lagopèdes qui décollent avec fracas des aulnes, les chiens ne leur prêtent plus qu'une vague attention, consentant seulement à prendre le galop lorsqu'une compagnie tarde à s'envoler et qu'ils estiment avoir une petite chance d'en croquer un, ce qui arrive rarement. Toutefois, ce matin, Voulk et un peu plus tard Nanook en ont tous les deux attrapé. Celui qu'a tué Voulk n'a pas eu le temps de souffrir ni même de réagir. Un seul claquement de mâchoire pour tuer le volatile bien pris par le milieu du corps et il l'a avalé tout entier, recrachant quelques plumes tout en courant. Par contre, pris d'un fou rire incontrôlable, j'ai été obligé d'arrêter le traîneau sous peine de tomber lorsque Nanook, d'un bond sur le côté, a réussi à saisir l'aile, une seule, d'un lagopède un peu lent au décollage. La perdrix, un gros mâle vigoureux, se débattait de toutes ses forces en claquant des ailes, infligeant une correction bien involontaire mais diablement efficace au pauvre Nanook qui, fermant les yeux, recevait les gifles sans pour autant lâcher sa prise. Le voyant en mauvaise posture, Baïkal, à côté de lui, ne perdit pas une si belle occasion et attrapa l'aile libre au passage, ce qui sembla satisfaire Nanook car il commençait à flancher sous l'avalanche de gifles. Voilà donc mes deux chiens reliés par le lagopède écartelé, essayant de s'adapter au rythme des autres qui, derrière, tentaient de les rattraper au galop pour se joindre au festin alors que devant, Voulk et Oukiok ralentissaient, pas moins intéressés. Un vrai scénario de dessin animé se terminant justement puisque c'est Nanook qui a mangé le corps et que Baïkal s'est contenté d'une aile.

Un peu plus tard c'est le tour des loups. Ils sont cinq, trois noirs un peu argentés et deux gris foncé, qui trottent à notre hauteur, à flanc de montagne, à environ cinq cents mètres de nous. Les chiens feignent de les ignorer mais une foule de détails dans leur comportement et même dans leur façon d'avancer, la queue basse et le cou allongé, trahissent leur trouble et leur embarras. Les chiens détestent les loups et en ont peur. Même sans les avoir jamais affrontés ni approchés, ils admettent leur supériorité. Mes loubards, penauds, se retournent souvent vers moi comme pour vérifier qu'ils peuvent compter, au cas où, sur mon intervention. Mais les loups se contentent de nous escorter à travers leur terrain de chasse. Ils nous quittent quand nous basculons dans une nouvelle vallée, une sorte d'immense cirque marécageux envahi par les aulnes et bordé de collines piquetées de rochers. J'arrête le traîneau et observe les loups, alignés sur un épaulement de terrain, flanc contre flanc, seigneurs hiératiques sûrs de leur droit et de leur puissance. Je hurle et ils me répondent. Ce dialogue terrorise les chiens. Pensent-ils que je pactise avec leurs ennemis en engageant une conversation avec eux ? Comprennent-ils le sens de ces hurlements assez semblables aux leurs ?

En tout cas, lorsque je donne le signal du départ, ils plongent dans leur harnais comme un seul chien et quittent l'endroit avec empressement. Mais leur soulagement ne dure pas plus d'une demi-heure. Quelques kilomètres plus loin, nous croisons les traces fraîches d'un autre couple de grands loups dont c'est assurément le territoire.

Après de multiples hésitations dans les marais où les vestiges de la route disparaissent dans la végétation et de multiples ruisseaux, la piste monte sur le flanc du cirque entre les rochers et serpente au milieu de fréquents éboulis. De nombreux cailloux, saillants, abîment les skis malgré les efforts que je fais pour les éviter en basculant le traîneau sur la tranche. Puis nous quittons les éboulis et traversons plusieurs ravines, descentes abruptes et montées raides que les chiens franchissent bien plus facilement que les motoneiges, dont les luges sont pour certaines chargées de plus de 200 kilos d'essence et de matériel. À ce rythme-là, je vais les rattraper, d'autant que la piste ne s'améliore pas, bien au contraire. Après les éboulis, les ravines et les cailloux, ce sont les aulnes entremêlés jusqu'à former une véritable barrière végétale sur plusieurs kilomètres. Enfin, aussitôt que nous quittons la vallée pour monter vers un nouveau col assez élevé, un espace se dégage. Nous perdons le chemin quelque temps, sans doute érodé par les avalanches dont les montagnes portent les cicatrices, mais nous le retrouvons plus haut, creusé à flanc de montagne et rejoignant un plateau. C'est là que le vent et les deux loups noirs, un mâle puissant et une femelle chenue un peu efflanquée, nous attendaient. Le vent peigne leur fourrure ; ils disparaissent rapidement dans un repli de terrain.

Nous glissons par moments sur le lichen et les cailloux, le vent ayant chassé la neige formant ici et là des congères et comblant les trous. Au loin, apparaît une minuscule cabane construite au beau milieu du plateau dénudé, en plein vent. Thomas et Emmanuel s'y trouvent. Bruce leur a demandé d'attendre ici Norman, reparti en arrière chercher l'essence restée au dépôt effectué après Mac Millan Pass. Les lisses de mon traîneau s'étant complètement arrachées sur les cailloux, je décide de m'arrêter moi aussi pour effectuer les réparations. De toute façon, Thomas m'apprend que l'équipe de pisteurs ne se trouve pas loin d'ici, bloquée par de l'overflow, des éboulis, des aulnes...

— Ils avancent au ralenti, me confie Emmanuel. Bruce m'a dit que si ça continuait comme ça, ils n'arriveraient jamais à Goldin Lake ce soir.

Mieux vaut donc attendre que la piste soit faite et gèle sur une distance d'au moins 50 kilomètres pour y lancer les chiens. Ils couvriront cette distance en quatre heures au lieu du double et se reposeront deux fois plus. Je place les chiens tout autour de la cabane, contre elle, pour éviter que les loups ne les attaquent, et procède aux vérifications des pattes. Beaucoup de petites coupures se sont rouvertes sur les cailloux malgré les bottines.

Le vent gagne en puissance et certaines rafales ébranlent la cabane mal jointe où la température reste négative. Je sors plusieurs fois pour constater que la piste creusée par les pisteurs se comble de neige et s'efface rapidement. Norman arrive vers 16 heures. Thomas et Emmanuel repartent aussitôt pour rejoindre l'équipe de pisteurs. En cas d'accident, ils sont organisés de façon autonome, une petite tente, de la nourriture, leur sac de couchage. Le thermomètre chute et avec ce vent et l'obscurité, leur voyage peut rapidement virer au cauchemar.

— Il n'y a que 60 kilomètres pour Goldin Lake, on devrait vite les rattraper.

— Faites gaffe.

Ils disparaissent dans la nuit et la tempête. Norman reste pour rouvrir demain devant moi les portions de piste (ou la totalité ?) que le vent aura effacées. En guise de bois de chauffage, nous allons scier des poutres ayant servi à la construction d'un pont aujourd'hui écroulé, puis, à la lueur d'une petite bougie, Norman me raconte sa vie de bushman. L'année entière qu'il a vécue sous la tente sur son territoire de trappe, les saisons de chasse à la poursuite d'élans, de caribous, de mouflons et de loups. Je l'écoute passionnément en perdant la notion du temps. Combien d'heures passons-nous ainsi à échanger nos souvenirs ? Peu importe, c'est du temps qui compte.

13.

Ekwi River, −40 °C, 1 040 km

Norman sait lire la neige et, à de multiples signes invisibles aux profanes, devine la piste totalement effacée sur le plateau, mais que nous retrouvons aussitôt que nous regagnons la forêt protégée du vent.

Il fait −40 °C et, ce matin, Norman a été obligé de démonter plusieurs pièces de sa motoneige, dont le carburateur, pour les dégeler près du poêle avant de pouvoir démarrer. Heureusement, nous nous étions levés à 4 heures. Les chiens, eux, démarrent au quart de tour.

Sur la piste, Norman doit faire preuve de tout son talent pour franchir les obstacles sans renverser trop souvent sa luge surchargée par un bidon de 100 litres d'essence. Toutefois, il avance moins vite que moi et je le retrouve en rade à de nombreuses reprises. J'arrête alors les chiens, plante l'ancre et vais l'aider à pousser, tirer, retourner la luge, dégager les skis coincés ici puis là, entre les arbrisseaux ou les cailloux à travers lesquels, tant bien que mal, les pisteurs ont trouvé un passage. De multiples fausses pistes partent à droite, à gauche. Cette progression par à-coups convient mal aux chiens mais je ne peux pas laisser Norman seul, d'autant que je ne suis pas pressé. L'expérience de ces deux derniers jours prouve que le temps nécessaire aux pisteurs pour ouvrir la piste est au moins deux fois supérieur à celui qu'il me faut pour couvrir la même distance. Les rattraper et buter derrière eux ne m'avancera à rien d'autre qu'à faire brasser les chiens dans la neige fraîche.

Après cinq heures difficiles mais dans un paysage toujours aussi grandiose, nous arrivons à Goldin Lake où quelques cabanes sont entretenues par un guide de chasse qui, l'été, y amène des clients. Il vient en hydravion et chasse essentiellement les mouflons qui hantent les montagnes alentour. C'est ici qu'un dépôt d'essence, de vivres et de nourriture à chien devait être effectué par un hydravion équipé de skis, or il n'y a rien ! C'est la mauvaise, très fâcheuse nouvelle du jour.

— C'est une blague ou quoi ?

Didier n'est pourtant pas disposé à plaisanter. Il serait plutôt d'humeur à aller casser la gueule au pilote qui était censé s'occuper du dépôt.

— Les autres sont partis au bout du lac essayer de téléphoner, ici on ne capte pas.

Une fois de plus, nous sommes bloqués. J'enrage. Le retard s'accumule et chaque jour qui passe sera une journée à rattraper. La facture risque d'être chère !

Je soigne et nourris les chiens et enfourche une motoneige pour rejoindre nos experts en communication qui, à −45 °C — le thermomètre descend toujours — tentent d'établir une liaison avec le village de Norman Wells. Lorsque j'arrive au bord du feu autour duquel grelotte l'équipe en faction, je lis sur les visages une certaine crispation qui ressemble à de l'exaspération.

— Ce pilote est un enfoiré, une vermine de la pire espèce !

Bruce est hors de lui. Quand il a réussi à le joindre, le type lui a dit que la météo ne lui avait pas permis d'effectuer le dépôt pour lequel il a déjà reçu la totalité de son paiement.

— De toute façon, lui a asséné le pilote, on vous a dit que vous ne pourriez pas passer, il faut faire demi-tour. Trout Creek est infranchissable, totalement barré par des éboulis et des rochers et plus loin, la descente vers les plaines d'Abraham est elle aussi impossible en raison du manque de neige. C'est un éboulis de 20 kilomètres de long avec des pierres grosses comme

107

des maisons. Plus loin encore, il y a des overflows terribles et dans la forêt, le chemin a totalement disparu...

— Ça, c'est notre problème !

— Ça peut devenir le nôtre si on doit aller vous chercher là-dedans !

C'est donc ça ! Je subodore une sorte de machination complotée par les gens de Norman Wells, vexés du peu de cas que nous avons fait de leur mise en garde.

Le pilote en a rajouté une couche, gardant le pire pour la fin, pour achever de nous décourager.

— D'ailleurs, votre équipe de ce côté-ci a fait demi-tour au bout de 30 kilomètres. Ils se sont retrouvés bloqués à −50 °C avec des vents de 150 km/heure dans le Dodo Canyon, il y avait deux mètres d'eau sur la glace. Ils se sont enlisés et ont bien failli y passer, voilà ce qui vous attend !

Nous perdons la ligne pendant une heure et la retrouvons en utilisant des chaufferettes pour protéger les cristaux liquides permettant de lire les indications sur l'écran du téléphone.

Nous joignons enfin Pierre. Tout redevient simple.

— Je me débrouille, demain vous aurez tout !

En effet, le lendemain en début d'après-midi, un hélicoptère se fait entendre. Pierre a déniché un pilote exceptionnel appartenant à une société privée travaillant pour les compagnies pétrolières et qui a accepté de voler malgré les températures extrêmes : −50 °C ce matin !

En quelques mots, Pierre nous résume la situation. Effectivement, tout est vrai, ils ont été obligés de faire demi-tour, heureux de se sortir vivants de l'enfer. Il organise actuellement une seconde tentative car l'overflow qui les a bloqués a gelé depuis.

Le pilote s'impatiente, la nuit tombe vite et il doit avoir quitté les montagnes avant 16 heures. Nous avons à peine le temps d'organiser la suite, de poser les questions importantes, d'obtenir les réponses correspondantes, l'hélicoptère s'envole Pierre m'a laissé quelques feuilles, le récit de leur aventure rédigé par Raphaël et envoyé en France pour ceux qui nous suivent sur le site internet de *Paris Match*. Nous les lisons immédiatement, impatients de connaître leur histoire et surtout de savoir ce qui nous attend là-bas :

Norman Wells, le 27/12/98
Température : – 42 °C
Temps : variable, alternance tempête et nuageux.
« *Nous avions décidé de séparer l'équipe en deux et de tracer la piste chacun de notre côté pour nous rejoindre au milieu des montagnes Rocheuses et gagner ainsi un temps énorme sur cette partie que nous savions extrêmement difficile.*

La première chose à faire était de trouver un guide qui serait d'accord pour nous emmener à la rencontre de Nicolas. Le lendemain de notre arrivée à Norman Wells, nous avons rencontré, par hasard, un Indien qui s'est proposé de nous aider, contre rémunération, à la seule condition de prendre à notre charge la casse que nous pourrions occasionner sur son matériel « Je veux bien vous emmener vers l'enfer, mais à vos frais ! » nous a-t-il dit en souriant. Il devait mettre à notre disposition deux motoneiges et un véhicule à chenilles équipé d'une pelle sur le devant. Nous pensions que cet engin nous serait très utile, notamment pour les plaines d'Abraham, ce passage des Rocheuses qui nous inquiétait le plus (nous apprendrons par la suite que les problèmes viendraient avant) : situés à 3 500 mètres d'altitude et longs d'une trentaine de kilomètres, ces hauts plateaux sont balayés par des vents si violents qu'aucune forme de vie ne peut y subsister. Nous savions qu'il nous faudrait des conditions climatiques très clémentes pour les traverser.

Nous voulions partir au plus vite. Le départ fut fixé au matin du mardi 22 décembre. Dans notre enthousiasme, jamais nous n'aurions pu imaginer ce qui allait suivre. Pierre et Bob sont partis en avant avec l'argo (notre engin chenillé) dont la progression serait plus lente que les motoneiges. Nous devions emprunter la Canal Road qui commence juste après avoir traversé le fleuve Mackenzie, complètement gelé à cette période de l'année. Après quatre heures de progression avec l'argo sur cette piste qui n'existe que sur la carte, Pierre et Bob n'avaient effectué qu'une vingtaine de kilomètres, se frayant très péniblement un chemin à travers les arbres. Je les rejoignis avec ma motoneige en 45 minutes. Nous avions prévu d'atteindre le mile 25[1] en moitié moins de temps et de ne rencontrer des difficultés qu'à partir du mile 50. Le retard commençait et nous avons commencé à penser que l'argo allait plus nous ralentir que nous aider. Mardi soir, nous avons donc monté notre camp au mile 15, ne parvenant plus à trouver la suite de la piste. John, notre guide, resté en ville pour les derniers préparatifs, devait nous rejoindre le lendemain matin très tôt. Ne le voyant pas arriver, Bob est parti à sa rencontre en direction de Norman Wells. Vers 15 heures mercredi, John était enfin là, et nous avait fait perdre un temps précieux : ici, le soleil se lève à 10 h 30 pour se coucher à 16 heures, et c'est donc presque de nuit que nous sommes repartis. Il nous a fallu 8 heures pour atteindre le mile 25. Les difficultés du terrain et la neige profonde de près d'un mètre ont rendu ce trajet excessivement compliqué. John avait de surcroît emmené derrière sa motoneige une luge beaucoup trop chargée. Il a dû la laisser sur la piste pour revenir la chercher dans la nuit. À 6 heures du matin, il était de retour ! Le retard entraînant le retard, c'est vers 15 heures, jeudi 24 décembre, que nous avons pris la route en direction du camp 36, une pure folie ! Nous allions entrer dans le Dodo Canyon de nuit. L'argo n'avançait qu'à 5 km/heure. Lire la piste de nuit devenait impossible. Notre guide tentait d'éviter les rochers cachés sous l'épaisse couche de neige et les endroits où l'overflow commençait à apparaître. C'est alors que la galère a vraiment commencé.

John s'est embourbé une première fois, et a été contraint d'abandonner sa luge. Nous sommes parvenus à l'extraire de la slutch grâce à l'argo. Près d'une heure d'efforts ! Il devait être 22 heures quand nous sommes repartis. Il décida de partir en avant pour aller au plus vite au camp 36. Arrivé à 2 miles du camp, il est devenu impossible de continuer, nous avons décidé de rebrousser chemin vers le camp 25. Sur le retour ce fut à mon tour de m'embourber dans l'overflow. En tentant de sortir ma motoneige, je suis

---

1. Tout le long de la Canal Road, les cabanes, les rivières sont repérées en miles (1 mile égale 1,7 kilomètre). Le mile 25, ou camp 25, correspond à un point situé à 25 miles de Norman Wells.

tombé. Mes pieds mouillés ont commencé à geler. L'argo avait entre-temps percuté un rocher qui l'avait déchenillé. 1 h 30 pour le réparer ! Après 20 heures de progression, ce fut au tour de l'argo de s'embourber. Il nous a fallu deux heures pour le sortir. Au moment de repartir, le terrain avait complètement changé : nous étions totalement entourés d'eau et de slutch. Impossible de bouger. Nous sommes parvenus à atteindre un semblant d'île de 20 mètres carré au milieu de la rivière. Il a fallu aussitôt organiser notre survie. Il était maintenant 3 heures du matin : la température avait chuté à −40 °C et le vent commençait à souffler violemment. Sans tente, nous avons décidé de dormir les uns contre les autres dans la neige en espérant que le froid gèlerait suffisamment la rivière pour nous libérer. Toute la nuit, le vent a redoublé de violence et le réveil fut d'autant plus tragique que nous avons pris conscience qu'il était impossible d'échapper à ce piège. Combien de jours allait durer notre attente ? Nous avions dix jours de nourriture mais peu de bois pour faire du feu et résister au froid. Toute la journée, nous sommes restés recroquevillés dans l'argo. 2 mètres carrés pour 5 personnes. C'est incroyable ce que les heures sont longues. La nuit suivante fut un véritable calvaire. Le blizzard avait fait chuter la température vers −50 °C. Le froid nous transperçait comme des lames de rasoir. Nous savions pourtant que seul un grand froid pouvait résoudre notre problème, quel paradoxe ! Mouillé des pieds à la tête, j'ai combattu toute la nuit contre le gel. Je ne pensais pas que l'enfer pouvait être de glace. Dans des moments comme ceux-là, vos systèmes de valeur sont complètement bouleversés. Au réveil, frigorifiés, nos sacs de couchage détrempés, nous étions entourés de glace. Le paysage avait changé. La neige profonde de la veille, balayée par des vents de plus de 150 km/heure, avait disparu. Il ne restait que glace et rochers au fond de ce canyon au nom pourtant si calme et reposant : Dodo. Quel spectacle merveilleux ! Nous avons passé un joyeux Noël.

Raphaël »

Le récit, lu à voix haute afin que toute l'équipe en profite, déclenche une succession de rires nerveux et de grimaces. Chacun en son for intérieur imagine la scène. Le canyon est le seul passage permettant de redescendre des hautes montagnes pour atteindre le fleuve Mackenzie.

En survolant cette zone l'année précédente, nous avions tout de suite pris conscience de la menace qu'elle représente. Continuellement alimenté en eau par des rivières souterraines, l'overflow ne cesse de se former puis de geler sur la couche de glace qui augmente indéfiniment. La Canal Road, qui avait été construite en surplomb, sur une sorte de digue de pierres et de graviers, a complètement disparu, dévorée par la rivière. En hiver, en fonction des vents, de la température et d'autres facteurs aussi variés que mystérieux, l'overflow inonde en partie ou totalement le profond canyon, le rendant souvent impraticable et imprévisible. Cette menace est d'autant plus stressante qu'il s'agit du dernier obstacle, incontournable, qu'il faut absolument franchir sous peine d'un demi-tour à quelques kilomètres du but !

— Allons déjà là-bas !

— Oui, chaque chose en son temps.

Bruce et Norman parlent ensemble dans un coin de la cabane, le visage grave.

— C'est la température qui nous inquiète, les motoneiges vont flancher, des pièces vont éclater, c'est certain !

Bruce acquiesce, Norman continue :

— Il faudrait attendre. Partir à −50 °C, c'est de la folie.

Je réfléchis à voix haute.

— La température a baissé en lune montante, on a toutes les chances que ça tienne jusqu'à la pleine lune, c'est-à-dire une bonne semaine, on ne peut pas attendre tout ce temps-là. On n'a pas assez de nourriture ni pour nous ni pour les chiens et puis on va devenir tous fous coincés ici… Il vaut mieux essayer, j'assume la responsabilité en cas de casse.

— À −50 °C, ça va être dur, très dur et dangereux.

— L'équipe est forte.

— On va le savoir bientôt, dit Bruce.

Il a raison.

14.

Goldin lake, −51 °C, 1 080 km

5 heures du matin, −51 °C, 27 décembre.

Bruce, Marc et Alain s'affairent autour de leur motoneige. Pour réchauffer l'essence du carburateur qui a figé malgré l'antigel, ils se servent d'un sèche-cheveux branché sur le groupe électrogène avec lequel l'équipe cinéma recharge les batteries de la caméra. Chaque respiration forme un nuage de givre qui brille dans la lueur des lampes frontales et recouvre tout d'un linceul blanc. Spectacle lunaire. Les hommes, le visage entièrement protégé, ressemblent à des scaphandriers s'apprêtant à descendre dans les profondeurs de la mer, et c'est un peu de cela qu'il s'agit.

À ces températures, on évolue dans un autre monde. Ce n'est pas celui de l'eau, mais celui du froid, aussi différent et mystérieux. Les sons, les couleurs, les paysages, tout a changé. Même le silence semble plus profond, plus menaçant, plus solennel. L'homme n'a plus sa place ici. D'ailleurs, tous les êtres vivants ont disparu, et vivent cachés, protégés dans des niches de neige. Rien ne bouge. Le froid extrême règne en maître et nous transperce de ses aiguilles.

Deux heures pour démarrer trois motoneiges.
— C'est de la folie !
Bruce ne cache pas son scepticisme et dissimule sa colère.

Autour, Thomas et Emmanuel tentent de fixer sur la pellicule ces nuages de fumée, ces visages graves sur lesquels des larmes ont creusé des rides, et leurs doigts qui brûlent au contact de l'acier deviennent gourds et inefficaces en quelques secondes. Il en faut du courage pour tourner ces images !

Les chiens ne bougent pas d'un poil. Pas une tête ne s'est levée, même lorsque les motoneiges se sont mises à pétarader dans le grand silence. Roulés en boule, la truffe sous la queue, les pattes dans la niche de leur corps, ils retiennent prisonnière la chaleur qu'ils fabriquent en brûlant 20 à 40 % de calories de plus que d'habitude. Il faut en tenir compte dans le calcul des rations : 1,3 kilo au lieu de 900 grammes par jour et par chien.

Deux heures après le départ des pisteurs, je quitte Goldin Lake. Norman ferme la marche avec l'équipe cinéma. La piste est dure sur les 15 premiers kilomètres, ouverts en un aller-retour par Marc et Didier hier soir.

Une piste, c'est un bien grand mot, car si la Canal Road est encore visible grâce au renflement rectiligne qu'elle trace sur le flanc de la montagne, elle ne ressemble plus du tout à un chemin, ni même à un sentier. Des saules de 2 à 3 mètres de haut, recouverts d'une épaisseur de neige qui les courbe parfois jusqu'au sol, l'ont totalement envahie, formant de véritables murs de branchages dans lesquels il faut rentrer, la tête la première, protégé tant bien que mal par le pare-brise.

Soulagés de leur neige par les motos qui les couchent en passant, les saules se redressent en fouettant l'air. Les chiens de tête plongent dans cette jungle, zigzaguant du mieux qu'ils le peuvent entre les tiges. Certaines, de nouveau couchées par le trait et les neck lines, se redressent, les giflant au passage, claquent contre le traîneau, m'écorchent les mains, le visage et les bras, déchirent ma veste. J'avance recroquevillé derrière le traîneau pour profiter du tunnel de branchages creusé par les motoneiges, alors qu'à hauteur d'homme, des branches transversales barrent encore le passage et déversent sur moi d'énormes paquets de neige dont une partie finit par rentrer dans le cou, partout. Au contact de ma peau, cette neige fond, imbibe mes vêtements qui gèlent aussitôt, et bientôt une gangue de glace m'empêche de tourner la tête.

Les chiens m'impressionnent. De nombreux attelages auraient refusé d'avancer dans un tel fouillis et se seraient découragés à force d'être fouettés par les tiges. Mes chiens acceptent l'épreuve avec un formidable courage et ne ralentissent pas. La glace qui colle mes cils m'oblige à m'arrêter souvent, car il m'est impossible de lâcher le traîneau, même d'une seule main, pour les séparer. Nous sortons parfois de la jungle pour traverser un ruisseau mais la retrouvons aussitôt. L'enfer dure trois heures, jusqu'au bas d'une vallée que la Canal Road traverse pour remonter plus tard à flanc de montagne vers un autre col d'altitude. Une rivière assez large apparaît dans le creux de la vallée boisée.

Lorsque les chiens prennent le virage et s'engagent sur la glace, il est trop tard pour stopper le traîneau. Pourtant, la pente sur laquelle il va inévitablement glisser nous entraînera vers une chute d'eau libre, plus bas, qui forme une sorte de croissant barrant la rivière. Même par des températures extrêmes, le froid n'a pas de prise sur cette eau constamment agitée qui gronde, menaçante, furieuse d'être retenue partout ailleurs, prisonnière de l'hiver. D'un geste rageur, j'arrache et brise les glaçons qui m'empêchent de voir et me cramponne au traîneau, essayant avec les pieds de contrôler la glissade et d'aider les chiens qui tentent de rester sur leurs pattes.

Soudain, le traîneau heurte violemment un rocher qui affleure, et se renverse. Je chute lourdement sur la glace, véritable couche de béton sur laquelle je rebondis en laissant échapper un juron de colère et un cri de douleur, ma hanche ayant heurté une arête de glace. Voulk et Nanook ont rejoint une sorte d'îlot sur lequel des herbes ont percé la glace, leur permettant de prendre des appuis, mais le traîneau et le reste de l'attelage sont trop lourds et ils ne résistent pas. Le sol se dérobe sous leurs pattes et ils chutent eux aussi comme des fétus de paille emportés par le vent. La chute d'eau se rapproche. La mort aussi. Il fait sombre encore et, couché sur la glace, tenant toujours le traîneau d'une main, je tente d'apercevoir un obstacle, un bourrelet de glace, un rien auquel je pourrais m'agripper mais tout va trop vite bien que les secondes ressemblent à des minutes. J'aurais préféré que ce soit le hasard qui décide de notre fin : une avalanche insoupçonnée, un pont de glace cédant tout à coup à notre passage, mais ce piège, j'aurais dû l'éviter...

Ce hasard, c'est lui qui nous sauve. Quelques cailloux, qui affleurent dans la zone de hauts-fonds avant la chute, nous freinent, me permettant de redresser le traîneau et de le pousser dans l'axe des chiens ayant retrouvé quelques appuis. Nous traversons une zone de glace fine que le traîneau défonce, embarquant un peu d'eau, mais les chiens, qui ont rejoint la berge, nous sortent de là avant que nous nous enfoncions.

La scène n'a pas duré plus de dix secondes mais nous avons glissé sur plus de 30 mètres. En remontant par la berge pour récupérer la piste, j'aperçois les estafilades qu'ont tracées les motoneiges en glissant au même endroit. Elles se sont arrêtées plus haut que nous mais se sont fait prendre au même piège.

Avec l'altitude, les saules disparaissent. L'ancien chemin est relativement bon sauf lorsqu'il traverse des ruisseaux où l'érosion l'a totalement défoncé. Certains passages à flanc de montagne avec la paroi à gauche, le vide à droite, sont excessivement délicats et il me faut toute l'expérience des chiens pour les négocier en finesse. Le moindre faux pas et c'est le plongeon. Plutôt que me gêner ou me stresser, ces passages m'amusent car ils me permettent d'utiliser le talent de mes chiens de tête qui, dans ces moments-là, obéissent avec tout le doigté nécessaire, conscients du danger. Je préfère amplement ces brèches dangereuses aux saules, et les chiens aussi. Une fois de plus, les traces laissées par les motoneiges révèlent combien il a été difficile de les hisser. Des marques dans les arbres montrent qu'ils ont dû utiliser des poulies et des cordes. Plus loin, des arbres abattus en travers de la piste comblent un trou. Au fur et à mesure que nous montons, le chemin disparaît dans des avalanches et des éboulis qu'il faut contourner ou traverser dans les rochers. La progression devient très lente et surtout excessivement pénible.

Didier, Norman ainsi que Thomas et Emmanuel me rejoignent un peu après le lever du jour et nous avançons ensemble un moment. Les machines vont un peu plus vite d'une difficulté à une autre mais les franchissent en beaucoup plus de temps que nous. La progression en traîneau, même dans un terrain très accidenté, est assez régulière et se marie mal avec le rythme haché des machines, si bien que nous nous séparons de nouveau.

Ils me dépassent deux fois dans l'après-midi et deux fois, bloqués dans des passages abrupts où ils sont obligés de hisser les motoneiges avec cordes et poulies, je les redouble après avoir poussé et tiré avec eux.

— C'est de pire en pire, constate Didier, on n'avance même pas à 1 km/heure !

Avec son visage entièrement protégé par des cagoules qui ont gelé en surface et ses yeux maquillés par le givre, Didier ne ressemble plus beaucoup à celui que j'ai connu en France. Elles sont loin nos soirées bauloises où dans la moiteur des bars de nuits estivales, nous dansions sur les tables jusqu'au petit matin ! Je ne regrette pas de l'avoir embarqué dans l'aventure car Didier est un dur à cuire, qui a le sens de l'organisation et qui garde les pieds sur terre en toute situation. Il parle peu, extériorise encore moins mais beaucoup de passion se lit dans son regard et il est toujours là quand il faut, où il faut, agissant avec réflexion et une confiance rassurante.

À ses côtés aujourd'hui, Thomas et Emmanuel font preuve d'un incroyable courage. Malgré le froid intense rendant périlleuse la manipulation du matériel, malgré les difficultés du terrain et des efforts qu'ils fournissent pour avancer en motoneige avec une luge surchargée, ils continuent à filmer. Pour protéger son matériel de prise de son, magnétophone, mixeuse et système d'alimentation, Emmanuel le porte comme un sac ventral, sous ses vêtements. On imagine la gêne que cet encombrant et précieux chargement occasionne mais Emmanuel ne s'en plaint jamais et, le connaissant, je doute qu'il le fasse une seule fois en quatre mois. Je disais qu'il y avait deux aventures dans l'Odyssée blanche : celle que je vis avec les chiens et celle des pisteurs. Il y en a une troisième, celle de cette équipe chargée de réaliser un film dans les conditions les plus inadaptées à ce travail que l'on puisse imaginer.

Le thermomètre, qui était un peu remonté, redescend vers les abysses du froid avec −48 °C à 18 heures. Je rajoute une veste polaire au-dessus de celles que je porte déjà sous mon ample parka. La progression, considérablement ralentie par les difficultés du terrain, se gagne par centaines de mètres. Nous sortons à peine d'un obstacle qu'un autre se présente. Pour éviter un canyon aux parois vertigineuses, la route, ou du moins ce qu'il en reste, s'accroche sur le flanc de la montagne escarpée envahi soit par la forêt, soit par les rochers que des avalanches ont entassés dans des couloirs que nous devons franchir. Lorsque la nuit tombe, claire et glaciale, je suis loin devant les motoneiges, et cherche désespérément un endroit pour monter un campement. Je me perds plusieurs fois, les chiens s'engageant dans des fausses pistes que mon champ de vision très réduit m'a empêché d'identifier. En raison du froid, je ne me suis laissé qu'un étroit orifice qui ressemble à un tuyau de laine, de glace et de fourrure par lequel, entre les stalactites de mes cils et les buées de givre de ma respiration, j'aperçois ce que ma lampe éclaire : quelques chiens, noyés dans leur propre nuage de givre qui, se mêlant à celui des autres, forme un brouillard opaque à travers lequel je suis incapable de distinguer le moindre obstacle et encore moins d'anticiper une manœuvre pour l'éviter. La conduite d'un traîneau de nuit dans de telles conditions et par un tel froid peut éventuellement s'envisager sur une piste parfaite, plate, sans histoires. Ici, c'est de la folie.

Tout à coup, alors que je négocie un passage délicat, dans un virage en descente, à travers des rochers aux arêtes coupantes, les chiens accélèrent. Je crois qu'il s'agit d'un gibier quelconque mais une petite lueur filtrant à travers un rideau d'arbres me révèle la présence de l'équipe de pisteurs censés se trouver à plus d'un jour de marche d'ici !

Leur campement, sommairement installé sur un des rares replats qu'offre le flanc de la montagne à des kilomètres à la ronde, est assez pitoyable, à l'instar de leurs visages. Marqués par le manque de sommeil, les pommettes et le nez rongé par le froid, leurs yeux enfoncés dans leurs orbites que soulignent des cernes profondes, Alain, Marc et Bruce ressemblent à des bagnards dans leur prison de montagnes et de froid.

— On t'attendait pas si tôt !

— Je m'attendais pas à vous rattraper !

— Ça a été l'enfer. On a terminé à 2 heures cette nuit, et aujourd'hui on a galéré pendant 10 heures pour avancer de 5 kilomètres. 5 kilomètres, tu te rends compte !

Marc le répète encore comme s'il ne le croyait pas lui-même.

— 5 kilomètres en 10 heures !

Alain, silencieux, fend du bois qu'il empile méthodiquement devant lui. Bruce, visiblement content de me voir, a perdu un peu de sa superbe et me semble atteint moralement, même s'il tente de le cacher.

— Impossible de retrouver le chemin pendant toute une demi-journée. Hier, on a essayé la rivière, on s'est retrouvé bloqués dans un canyon, on a été obligés de revenir sur nos pas.

— J'ai vu vos traces d'en haut !

On parle de certains passages, d'éboulis, de forêts, de plaques de glace.

— Et comment tu as passé l'éboulis en dévers, là où on a laissé un ruban dans le pin couché en travers de la piste ?

— Plutôt bien dans la descente mais en remontant, le traîneau s'est coincé entre le gros rocher et la glace. J'ai été obligé de décrocher le trait pour le déloger.

— Je sais, la luge de Bruce s'est coincée là aussi !

Raconter nos difficultés, confesser nos faiblesses a un effet un peu thérapeutique et les sourires reviennent.

Exténués, vidés de toutes leurs forces, Didier, Thomas, Emmanuel ainsi qu'Alvaro et Norman arrivent une heure plus tard, en pleine nuit.

Sans même nous concerter, nous savons tous que nous ne repartirons pas demain et l'annoncer au plus vite permet à chacun de se débarrasser d'une incertitude de plus.

— Demain, on reste ici, en espérant que le thermomètre remonte un peu !

Quelques heures plus tard, je m'extirpe de mon sac de couchage et comme à mon habitude, sors respirer la nuit, regarder les chiens dormir et écouter les montagnes.

Il fait – 55 °C et même les loups se taisent. Pour la première fois de l'expédition, je nous sens vraiment vulnérables à l'échec. Je reste quelques minutes dehors puis regagne la tente où Thomas dort profondément. Rechargeant le petit poêle à bois toutes les demi-heures pour échapper au froid, je reste éveillé jusqu'au petit matin, réfléchissant les yeux ouverts. La décision que j'ai à prendre est trop importante et lourde de conséquences pour dormir.

15.

Rivière Twitya, −55 °C, 1 100 km

Nous l'avons baptisé « le camp de la mort » parce qu'il ressemble à un goulag. En Sibérie, nous en avons croisé plusieurs et il n'y avait ni murs ni barbelés autour des camps car s'en échapper pour errer dans le froid et les montagnes était se condamner à mort. C'est pourtant ce que je m'apprête à faire, m'évader seul d'ici, mais avec des chiens, pour tenter le tout pour le tout car le point de non-retour est atteint. Bruce et Norman, qui ne connaissent pas encore mon projet, l'ont bien compris, eux qui proposent d'effectuer une ultime reconnaissance jusqu'à la rivière Twitya avant de revenir sur leurs pas.

— Si l'overflow est aussi important là-bas que le pilote le prétend, la seule solution, vu l'essence qui nous reste et les conditions météo, est de retourner à Ross River. On ne pourra pas contourner par les plateaux, on a déjà brûlé trop d'essence ces deux derniers jours.

Norman acquiesce.

— C'est déjà une chance que les machines aient tenu par ces températures.

Cette aventure n'est plus seulement une affaire d'hommes, de volonté et de courage, mais aussi une histoire de machines sans lesquelles tout s'arrête. Or, nous ne passerons jamais avec sept machines et neuf personnes, surtout par ce froid. Par contre, avec les chiens, je passe partout ou presque…

J'explique ma décision à Alain qui n'hésite pas :

— J'irai avec toi !

Je déclenche aussitôt une réunion avec toute l'équipe, dans la grande tente «prospector» en toile qu'utilisent encore de nos jours les trappeurs et les Indiens lorsqu'ils partent en forêt.

— Voilà, je crois que vous l'avez tous compris, si nous continuons, nous ne pourrons plus revenir en arrière pour des questions d'essence. Or, devant l'importance des obstacles qu'il nous reste à franchir par ce froid, les risques deviennent considérables. C'est ici qu'il faut faire demi-tour.

Les visages sont graves.

— Il y a deux expéditions. La mienne et la vôtre. Ici, la mienne est plus facile. En raquettes, je peux avancer de 25 kilomètres par jour. Compte tenu des passages sur les rivières et dans le canyon où j'espère progresser sans avoir besoin de marcher devant les chiens, je pense pouvoir atteindre Norman Wells en deux semaines. J'ai pris la décision d'y aller. Alain veut tenter de m'accompagner, à condition que sa motoneige suive. Nous serons donc deux.

— Et si on veut continuer ?

— C'est votre décision, à vous tous, tous ensemble. Mais elle peut être lourde de conséquences. Si vous continuez, il n'y aura plus de possibilité de demi-tour, la porte se referme définitivement derrière vous. Puisque je ne dépends plus de vous, vous pouvez y réfléchir en toute sérénité.

Les visages se tournent instinctivement vers Bruce et Norman.

— Je veux aller à Norman Wells. Rien n'a changé de ce côté-là, dit Bruce, mais il est évident qu'on ne peut pas y arriver.

Il marque une pause.

— Pas comme ça. Il faut considérablement alléger les luges, surtout régler le problème de l'essence. On a calculé ce matin avec Norman ce qui nous restait. On n'a pas de quoi atteindre le prochain dépôt. Et si on organise une expédition à

deux motoneiges pour aller chercher cette essence, on va en brûler tellement en effectuant l'aller-retour qu'il ne nous en restera
plus assez pour la suite.

— Si je comprends bien, on n'a pas le choix, on ne peut
pas continuer, me demande Didier.

— Si c'est une question d'essence, on peut essayer de
joindre Pierre ce soir et lui demander d'effectuer un dépôt ici ou
un peu plus loin en hélicoptère. Hélicoptère qui, en repartant à
vide, pourra se charger de tout le matériel dont vous n'aurez pas
impérativement besoin ici. Mais avant de parler de ça, il faut
bien que chacun prenne conscience de l'instant, de sa décision
personnelle et collective.

— Est-ce que vraiment, vous voulez continuer ?

— Oui, oui, oui.

Sans une seule hésitation, le oui l'emporte avec 100 % des
suffrages.

J'en suis heureux mais aussi mal à l'aise. Mon rôle ne
consistait-il pas à organiser d'autorité une équipe légère de deux
ou trois personnes qui, à l'image des expéditions en haute montagne, tenterait seule le sommet pendant que le reste de l'équipe
retournerait vers Ross River ? Pendant que nous avancerions, ils
auraient largement le temps d'effectuer en camion le grand
détour par la route du sud pour nous retrouver à Norman Wells.
Cette solution est la meilleure, la moins coûteuse et la plus raisonnable. Marc, Didier, Thomas, Emmanuel et Alvaro n'ont
aucune expérience des grands froids et des conditions extrêmes.
Déjà Alvaro souffre d'engelures sérieuses et s'épuise, bientôt ce
sera un autre et tout va si vite... Ne suis-je pas le responsable
et qu'en sera-t-il de ma conscience en cas d'accident ? Ne fallait-il pas avoir le courage d'imposer une décision qui d'évidence est la bonne puisque l'autre ne comporte que des inconvénients ?

Mais cette petite chance qu'il nous reste de réussir tous
ensemble ne vaut-elle pas d'être tentée ?

Je suis partagé, tourmenté, anxieux. Mais les dés sont jetés
et il faut maintenant regarder devant, s'organiser.

Nous étendons une grande bâche dans la neige où chacun

vient déposer ce qui dans sa luge n'est pas strictement nécessaire, du tube de dentifrice au matériel de pêche, du caleçon de rechange au groupe électrogène. Nous abattons tous les arbres sur une surface de plusieurs dizaines de mètres carrés afin que l'hélicoptère puisse se poser et récupérer ce matériel ; Norman improvise au bord d'un feu un atelier où chacun vient réparer sa motoneige. Le thermomètre reste bloqué toute la journée entre −45 °C et −50 °C.

Dans l'après-midi, Didier et Marc partent à pied reconnaître le chemin sur quelques kilomètres pendant que je recherche en altitude un endroit suffisamment ouvert vers l'ouest pour capter un satellite. Il est impératif que nous puissions joindre Pierre ce soir entre 20 heures et 20 h 30.

L'ambiance dans « le camp de la mort » est excellente. Cette réunion et la décision collective qui s'est prise ont transformé l'esprit de l'aventure en responsabilisant, individuellement, chacun d'entre nous.

À 19 h 30, anxieux, nous grimpons dans l'obscurité en haut de la montagne contre laquelle le campement est installé, dominant une sorte de petit canyon. Il fait −55 °C et nous montons prudemment, sans nous essouffler, pour ne pas aspirer l'air glacial trop violemment. À ces températures extrêmes, le froid brûle et des lésions peuvent se former dans la trachée et les poumons. On s'en rend compte lorsqu'on commence à cracher du sang… mais il est trop tard. Il faut donc aspirer l'air très lentement afin qu'il se réchauffe dans le nez et la bouche avant d'aller plus loin. Nous construisons un grand feu au bord duquel nous installons le téléphone, l'antenne satellite dirigée vers l'ouest.

— C'est bon, 360 de réception. J'accroche le satellite.

— Il prend ?

— Oui, je l'ai.

Nous essayons le numéro que Pierre nous a laissé. Pas de réponse.

— Qu'est-ce qu'on fait ?

— On attend ! Je suis certain qu'il va essayer de nous joindre.

Marc, penché au-dessus du feu, de la glace plein la barbe,

des glaçons pendus à la moustache, dégèle doucement en manipulant le téléphone.

Un moment détaché du monde dans lequel s'inscrit cette scène mémorable, je souris car elle est comique. Il faut nous voir en haut de cette montagne, en pleine nuit, par −55 °C, en train de téléphoner sous la lune !

Tout à coup, la sonnerie, un peu hésitante, sans doute à cause du froid, retentit avec l'effet d'une bombe.

Je bondis et Marc hurle :

— Attends, attends un peu !

Alors j'attends deux sonneries de plus avant de décrocher. Ni lui qui me l'a demandé, ni moi qui ai obtempéré ne savons à quoi peut bien servir ce délai de deux sonneries avant de décrocher. L'appréhension sans doute mais aussi faire durer le plaisir d'entendre cette sonnerie qui nous relie, comme par un fil invisible, au monde extérieur qui nous semble trop loin.

— Je décroche ?

— Vas-y, doucement.

Car les fils, rigides comme du verre, peuvent casser.

— Allô ?

Pas de réponse.

— Allô, allô !

Enfin, au loin, la voix de Pierre.

— Tu m'entends ?

Il m'entend.

— Pierre ! Je vais vite avant que ça coupe, il nous faut 200 litres d'essence, de la nourriture, 20 bougies de VK et 15 pour la bravo. As-tu bien compris, à toi ?

Ma voix tremble, je suis bouleversé et Pierre aussi. Il me répète la commande et demande de nos nouvelles.

— Il fait −55 °C, on a fait quelques kilomètres seulement en 12 heures hier. Ça devient très, très dur ! Mais la décision a été prise collectivement ce matin, on continue, on ira au bout.

— Ici, à Norman Wells, depuis deux jours, les gens ont complètement changé. Ils s'inquiètent pour vous avec la température et en même temps, ils sont très impressionnés et respectueux de ce que vous avez déjà fait. Si vous réussissez, tout Norman Wells va fêter votre réussite.

Pierre, par ces paroles choisies, touche l'équipe au cœur et le soir, dans la tente, la veillée d'armes a quelque chose de grandiose. Chacun a pris conscience qu'il allait, dans les prochains jours, vivre quelque chose d'exceptionnel.

16.

Trout Creek, −53 °C, 1 150 km

Bruce, Alain et moi avons décidé de fonctionner ensemble pour tracer la piste. Nous quittons le campement vers 6 heures du matin. Nous savons maintenant que les motoneiges ne prendront pas d'avance sur les chiens. J'entends donc faire partie de l'équipe de tête pour lui imposer un rythme et surtout pour participer aux décisions importantes qui s'y prennent quant au choix de l'itinéraire. Personne n'a autant d'expérience de la piste que moi et l'utiliser ici est indispensable.

Le rythme est primordial et les heures se gagnent ou se perdent dès le matin. C'est un des côtés les plus pénibles de ma fonction de chef d'expédition que de tirer du sac de couchage ceux qui seraient tentés d'y rester un peu plus. En l'occurrence, ce matin, Bruce donnerait tout l'or du monde pour traîner un peu au « lit » plutôt que d'aller en baver dehors par −50 °C. Il grogne, râle et s'énerve en répétant que c'est de la folie que de partir par ces températures mais il finit par se lever lorsque je le menace de partir seul avec Alain.

Deux heures plus tard, après quelques quarts d'heure de sèche-cheveux, nous démarrons enfin dans le froid et l'obscurité. Bruce et Alain prennent immédiatement de l'avance, profitant des traces que Marc et Didier ont faites hier sur 4 kilomètres. Nous suivons tant bien que mal le chemin, envahi par les aulnes aussitôt que nous franchissons un col pour redescendre vers la rivière Twitya. Allégées, bien organisées avec un système de cordes, de tire-fort et de poulies rapides à installer, les deux motoneiges passent mieux que les jours précédents. Il me faut 5 heures pour les rattraper dans une combe où les vrombissements des moteurs couvrent les jurons d'Alain et Bruce, enlisés au milieu d'une pente pleine de cailloux.

Nous passons la journée à galérer dans ce type de terrain, aulnes ou combes, indéfiniment, jusqu'à la rivière Twitya au bord de laquelle nous dressons la tente sur une sorte d'île. Le lendemain, l'hélicoptère nous dépose son précieux chargement, avant de s'envoler avec Bruce pour « le camp de la mort » afin d'y récupérer le matériel. Au retour, le pilote s'arrête de nouveau déposer Bruce qui nous dit que l'équipe n'a pas encore quitté le campement, Norman ayant passé sa journée à réparer le carburateur et le système d'alimentation d'une VK

— Ils s'interrogeaient pour savoir s'ils allaient partir ce soir de nuit, mais je pense qu'ils vont plutôt attendre demain et partir très tôt pour nous rejoindre.

Lorsque l'hélicoptère s'envole, Bruce explose sans que nous sachions vraiment pourquoi. Il critique l'organisation, s'emporte, revient sur les décisions prises, dit tout et son contraire et lorsqu'il se calme enfin, les questions que je lui pose nous donnent quelques indications sur les raisons de sa frustration.

En arrivant au campement, il s'est retrouvé, nous dit-il, entouré par toute l'équipe, harcelé de questions, sur l'état de la piste, le nombre de kilomètres, le nombre de ruisseaux à franchir... enfin mille et une choses, si bien qu'il en a oublié l'essentiel, mais cela nous l'apprendrons bien plus tard : Norman lui avait demandé de lui rapporter une dizaine de litres d'essence dont ils avaient besoin pour nous rejoindre. Ils sont désormais bloqués et nous n'en savons rien.

Le lendemain, alors que nous espérions que les conditions de progression s'amélioreraient avec l'altitude (à partir de la rivière Twitya, nous montons vers un autre col), la montagne nous offre son plus mauvais visage et chaque passage ressemble à une grimace. Bruce, en tête, fait preuve d'une grande concentration et agit avec beaucoup d'intelligence. Ses choix sont rarement démentis par le terrain et nous progressons avec le maximum d'efficacité dans cette jungle de neige, de ravins, de forêts et de glace. Les machines et les chiens réalisent des prouesses techniques en des endroits où les manœuvres s'apparenteraient plutôt à un numéro de cirque. Nous suivons avec plus ou moins d'intermittence les restes du chemin que l'on devine, par endroits, tracé dans la montagne, tantôt à droite, tantôt à gauche du ruisseau que nous remontons, traversons et suivons parfois malgré les réticences de Bruce à progresser sur de la glace incertaine.

Notre petit groupe fonctionne bien et j'envisage par la suite, aussitôt que les autres nous auront rejoints, de proposer cet ordre de marche, avec nous trois devant le reste de l'équipe.

Nous perdons beaucoup de temps à choisir l'itinéraire, prenant parfois des options qu'il nous faut abandonner en revenant sur nos pas. Souvent, nous nous arrêtons, consultons les cartes, allons voir à pied avant d'engager machines et chiens dans un passage. Derrière, il leur suffit de suivre la piste indiquée. Dès lors, nous ne comprenons pas qu'ils ne soient pas encore arrivés. Au fur et à mesure que les heures passent, l'incompréhension se transforme en irritation.

— Mais qu'est-ce qu'ils foutent ?

Bruce en rajoute :

— Ils ont dû se lever à 9 heures, partir à 11 heures.

L'après-midi est infernale. Certaines descentes dans les cailloux sont des cauchemars pour musher. En motoneige, le frein moteur et celui agissant sur les chenilles permettent de négocier la descente. Avec les chiens, impossible. Le traîneau rebondit dans les cailloux et s'emballe, entraînant les chiens. Quant à moi, je ne peux que tenter de rester debout mais ne contrôle plus rien et, dans une descente pire que les autres — est-ce possible ? — l'accident arrive. Le traîneau se renverse et m'envoie rouler dans la neige (j'évite une grosse pierre de justesse en tombant) puis va percuter un énorme rocher contre lequel il s'écrase avec des bruits de bois cassé.

Deux des trois pièces maîtresses, pourtant fabriquées en carbone et ultrarésistantes, se sont brisées. En examinant le traîneau, je constate aussi que les lisses ont lâché et qu'elles pendent lamentablement comme de vieilles peaux de banane écorchées sous les skis.

C'est la Berezina !

— On ira plus très loin comme ça !

Alain regarde tour à tour sa motoneige et le traîneau que je répare tant bien que mal avec des morceaux de bois ligaturés contre les pièces cassées.

— Tu as vu ma motoneige à l'avant ?

Elle est complètement cabossée, la peinture arrachée, les skis désaxés.

Je consulte la carte. Nous approchons de Trout Creek, l'endroit indiqué par le pilote de l'hélicoptère comme un enfer de roches et d'éboulis ayant comblé la combe qu'on ne peut éviter, car elle seule permet de sauter d'une vallée à une autre.

Nous avons décidé de ne plus revenir en arrière mais qu'en sera-t-il de cette détermination lorsque, au pied d'un mur infranchissable, il faudra bien se résoudre à l'inévitable ?

— Repasser à travers quoi on est passés, les heures dans les aulnes, les éboulis, les rivières… Jamais !

Alors, la peur au ventre, nous avançons.

En fin d'après-midi, Bruce et Alain reprennent un peu d'avance en retrouvant le chemin accroché sur le flanc d'une montagne escarpée, encore assez bien marqué malgré les aulnes qui l'envahissent.

La Canal Road suit ici les courbes de niveau du terrain, s'enfonçant dans le cœur de la montagne lorsque des torrents l'ont creusé. Ces passages, défoncés par l'érosion et les éboulis de rochers lorsque ce ne sont pas les avalanches, sont notre cauchemar et c'est au fond de l'un d'eux que je retrouve Alain et Bruce, encore sous le choc. Bruce, dans l'élan qu'il avait pris pour traverser un mur d'aulnes enneigés, n'a pas vu que le chemin avait été emporté par un glissement de terrain, et il a failli tomber dans le vide : un précipice de plus de 200 mètres.

— Ça s'est joué à quelques centimètres.

— Faites gaffe ! On aura pas de la chance éternellement.

Nous parlons comme des plongeurs, avec parcimonie, à

mots hachés, étouffés par la cagoule gelée protégeant tout le visage sauf les yeux auréolés de givre.

Alain et Bruce ont élargi à coups de pelle dans la neige accumulée le long des parois un étroit passage au-dessus du précipice. Un peu plus loin, il faut se hisser au-dessus de rochers de plusieurs mètres de haut encastrés les uns dans les autres. Je porte les chiens un à un. Le traîneau suit comme il peut, se coinçant ici et là.

— C'est bien mon Voulk, doucement Baïkal.

Je les encourage mes champions, car ils ne comprennent plus très bien ce que je veux. Je ne le sais plus moi-même. Passer coûte que coûte, n'importe comment, est devenu le leitmotiv. Deux heures encore pour franchir le précipice et quelques centaines de mètres plus loin, le cauchemar recommence. Alain s'énerve. Il hurle son désespoir dans la montagne et ça lui fait du bien. Il repart et, un peu plus loin, regueule un bon coup. Pour avancer, chacun sa technique. Je fais preuve d'un calme qui n'est que d'apparence car en moi bout le même feu, la même exaspération. Bruce est une bouteille de calme qui se remplit peu à peu de colère. Il la vide régulièrement par un énorme coup de gueule durant lequel il faut le laisser seul insulter la montagne, ses équipiers, sa motoneige et la terre entière. Un peu plus tard mais systématiquement, il vient s'excuser et il en devient émouvant, touchant.

Ça l'énerve un peu, Bruce, que je ne vide jamais ma bouteille, mais Alain compense, et curieusement ces éclats me font du bien car ils libèrent une partie de ma propre colère.

La fin de l'après-midi est à l'image de la journée. À la nuit noire, nous nous arrêtons enfin, montons le camp et nous couchons, le corps meurtri, les muscles durs et l'esprit tourmenté.

Juste avant de m'endormir, je saisis mon petit carnet et note au crayon :

« –50 °C toute la journée.

Aulnes, éboulis, précipices, rivières imparfaitement gelées, rien ne nous est épargné. Nous n'avons fait que 23 kilomètres. J'ai cassé le traîneau et les lisses sont arrachées. Les autres ne nous ont pas rejoints. Que font-ils ? Passerons-nous ? Je ne pense qu'à ça. Nous ne pensons qu'à cela. Il reste 200 kilomètres pour Norman Wells. Est-il possible qu'en relisant un jour ces notes, je retrouve tout ce qui est en moi ce soir, cette tension, cette incertitude, cette fatigue, cette lassitude, cette peur de l'échec et de l'accident ? »

17.

Fecle River, −50 °C, 1 180 km

— Si tu veux vraiment emprunter la rivière, passe devant, me dit Bruce, mal à l'aise.

— OK ! Allez, les chiens, allez !

Et Voulk réalise un grand numéro, car non seulement il entraîne l'attelage exactement où je lui demande, avec des ordres de direction plus ou moins répétés en fonction de l'angle avec lequel je veux lui voir prendre les virages, mais en plus, après quelques kilomètres, il comprend ce que j'attends de lui : longer les berges, traverser la rivière avant les boucles, éviter de passer près des parois abruptes (où souvent la glace est moins épaisse) si bien qu'il trace lui-même la piste idéale sans grande intervention de ma part. Je peux alors me concentrer sur le relief, la glace, la neige pour tenter de déjouer les pièges qu'une rivière pose inévitablement au voyageur. C'est un exercice que je connais par cœur. Si un diplôme du Grand Nord existait, ce serait ma matière préférée, et celle où, à l'examen, j'obtiendrais la meilleure note. La glace, c'est sur elle que j'ai effectué les plus grandes distances au cours de toutes mes expéditions, des milliers de kilomètres de torrents, de fleuves, et de rivières dont certaines extrêmement dangereuses comme la Stikine que personne, pas un Indien, pas un trappeur, n'emprunte jamais et que nous avons descendue avec Diane et Montaine dans le traîneau, sur plus de 1 000 kilomètres. Toujours devant, en Sibérie, en

Alaska, et partout ailleurs, j'ai acquis une sorte de sixième sens me permettant de juger la glace à distance comme d'autres jugent un bétail sur pied, d'un seul regard. Alors aujourd'hui, avec Voulk, nous formons une équipe championne du monde et le plaisir que j'éprouve à cet exercice doit se lire sur mon visage. De plus, en empruntant cette voie gelée, nous avançons vite, évitant le flanc de la montagne escarpée où la progression dans les couloirs d'avalanche devenait impossible.

Depuis que nous avons décidé de cette expédition, Alain fait régulièrement le cauchemar de sa motoneige passant au travers de la glace et il y repense aujourd'hui. Il serre les fesses et donnerait cher pour retrouver vite la terre ferme, celle qui ne risque pas de s'ouvrir et de vous engloutir sans crier gare. Chaque année, de nombreux motoneigistes meurent ainsi. Lorsqu'on passe sous la glace, les chances de s'en sortir sont infimes, voire inexistantes, car 99 fois sur 100 elle referme son piège aussitôt après vous avoir englouti. Le cauchemar d'Alain est exorcisé au bout d'une heure de progression dangereuse mais efficace : nous sommes parvenus aux sources du torrent, où des chutes nous obligent à remonter sur la berge à quelques kilomètres du col. Bruce exulte.

— On a passé Trout Creek et les éboulis, si on passe le col dans la combe là-bas, je crois qu'on aura gagné une manche.

— On a eu énormément de chance, lui dis-je, ce torrent doit être totalement impraticable neuf hivers sur dix. C'est ce froid, ce −50 °C depuis plusieurs jours, qui nous a permis de l'utiliser, à −30 °C, on était coincés comme le pilote l'avait prédit.

Alain, de sa grosse voix, clôt la discussion.

— Merde, on l'a méritée cette chance.

Nous repartons. La peur d'être bloqués par la combe dont on devine au loin les parois, mâchoires qui se resserrent terriblement, nous vrille l'estomac. Le cœur cogne et notre impuissance à la rejoindre vite augmente la tension. La pente est si raide qu'il faut s'y reprendre dix fois avant de parvenir à hisser les motoneiges desquelles on a détaché les luges que nous montons à la force des bras, ahanant dans la pente comme des mulets.

Je tire de toutes mes forces mais le résultat est pitoyable et cette faiblesse m'énerve. Quand je vois la puissance qu'Alain peut développer, je suis consterné d'être né si fluet. La nature et l'entraînement m'ont donné une bonne résistance me permettant de compenser cette insuffisance, mais dans des cas comme celui-ci, je donnerais cher pour acheter quelques muscles.

— Mais tire donc !

— Je tire !

Une heure pour arriver en haut, vidés de toutes nos forces, essoufflés, lassés, un peu découragés.

— On n'y arrivera jamais !

Nous repartons dans un bon mètre de poudreuse, les chiens brassant courageusement jusqu'au poitrail dans la neige fraîchement roulée par les deux motoneiges qui s'enlisent tous les vingt mètres.

Je m'y attendais mais la violence de la crise me surprend. Bruce craque. Il hurle, m'insulte, fait des bras d'honneur à Alain, tape dans sa motoneige. Il est question de nuits trop courtes, de cette putain de pression que je lui mets en lui collant toujours au cul avec les chiens et des conneries que je lui fais faire et de bien d'autres choses…

Finalement éreinté, il s'écroule dans la neige dont il ne veut plus bouger.

— Pause thé, propose Alain.

Je reste à l'écart.

Alain lui passe le gobelet. Ils mangent une barre de chocolat ensemble et, une demi-heure plus tard, Bruce repart en s'excusant au passage.

— C'est OK, Bruce.

Nous franchissons le col et nous nous engageons aussitôt dans la combe. Les motoneiges se lancent dans la descente et me laissent seul. Une carcasse d'élan fraîchement tué par les loups non loin de la piste excite les chiens et nous allons vite vers le goulet où se joue aujourd'hui une grande manche de la partie. Ça se resserre, les parois à gauche et à droite montent, montent vers le ciel qui devient un ruban bleu, comme une route à l'envers.

— Allez, les petits chiens, c'est bien.

D'énormes rochers au loin.

— Non, c'est pas possible !

Mais la piste s'engouffre dans les blocs et emprunte un étroit goulet entre la paroi et une petite rivière ouverte.

Mon cœur bat à cent à l'heure et les chiens filent sur la neige dure. Je n'entends pas de motoneige. Ils sont donc passés. C'est ce que je me répète pour y croire. Et soudain, sans prévenir, les chiens prennent un virage à angle droit sur une plaque de glace où le traîneau dérape.

Le choc !

Derrière l'angle, la vallée s'ouvre, immense, à perte de vue. Nous sommes passés. L'émotion me submerge. J'arrête le traîneau et je pleure. Pour une fois, ce ne sont pas des larmes de froid.

J'aperçois, au loin, au milieu de la plaine que forme la vallée sans arbres, les restes d'un camp où Bruce et Alain ont fait halte. Les chiens accélèrent aussitôt et j'arrive au grand galop près de la cabane où nous allons passer la nuit. Je plante l'ancre et vais à la rencontre d'Alain. Nous tombons dans les bras l'un de l'autre, sans un mot, parce qu'il n'y a rien besoin de se dire.

Nous repartons vers 5 heures du matin, à la nuit noire. L'anticyclone touche à sa fin, un voile obscurcit le ciel et le thermomètre est remonté à −40 °C. La vallée est large, mais pleine de cailloux que la neige n'a pas recouverts car le vent la chasse sur les côtés.

Alors, Bruce recherche les passages de glace, traversant les mauvaises zones en zigzaguant entre les rochers. Nous n'avons plus aucun indice de la Canal Road, effacée par le temps, mais nous savons qu'elle a été tracée ici grâce aux cartes.

Bruce et Alain prennent de l'avance sur un ruisseau qu'ils empruntent pendant deux ou trois kilomètres pour éviter les rochers. Les chiens galopent, heureux d'avoir retrouvé une belle surface dure. La nuit est d'encre, et je ne vois pas le câble d'acier rouillé qui m'aurait tranché le cou si je n'avais pas baissé la tête, par hasard, à ce moment-là, pour régler le faisceau de ma lampe frontale. Il m'arrache de mon traîneau, en me heurtant en haut du crâne. Heureusement, ma toque de fourrure, sciée nette, amortit le choc. Le temps de reprendre mes esprits et de comprendre, le traîneau est déjà loin. Je hurle.

— Voulk, djee, djee !

Voulk n'hésite pas. Il quitte la glace et entraîne l'attelage sur la berge.

— Ooohhh, les chiens.

Ils s'arrêtent.

Alain et Bruce m'attendent un kilomètre plus loin,

— Il y a des loups partout autour ! Ils étaient dans nos phares, à vingt mètres devant nous.

Voulk vient sans doute de sauver l'attelage. Sans conducteur, ils avaient neuf chances sur dix d'être attaqués par la meute. Aucun chien n'en aurait réchappé. J'imagine l'horrible scénario que, par chance, nous venons d'éviter. On aurait retrouvé le musher la gorge tranchée par un ancien câble téléphonique que les constructeurs de la Canal Road avaient installé et, un peu plus loin, un traîneau devant lequel, figée dans une mare de sang gelée, baignerait une ligne de trait emmêlée avec des restes de harnais et de chiens…

— Moi aussi, j'ai failli le prendre cette saloperie de câble. Il a percuté le haut du pare-brise et j'ai baissé la tête par réflexe, me raconte Bruce, ravi néanmoins d'avoir joué avec les loups.

Échaudés par l'incident, nous consacrons quelques minutes à inspecter l'ancienne ligne téléphonique. Une grande proportion des poteaux en pin écorcé, larges d'une bonne trentaine de centimètres, qui soutenaient la gaine d'acier protégeant la ligne de transmission sont écroulés, si bien que le câble, lorsqu'il n'est pas sectionné, est tendu comme une corde à violon, une vraie guillotine pour voyageur nocturne.

Bruce et Alain reprennent de l'avance et disparaissent dans la nuit, basculant dans la vallée qui descend franchement vers la rivière Carcajou. Les loups arrivent aussitôt. J'en repère deux, à une cinquantaine de mètres sur ma droite, qui trottent à notre hauteur et trois, plus loin sur la gauche. Les chiens ralentissent et jettent des regard inquiets, essayant de percer la nuit. Les loups disparaissent bientôt et je pense qu'ils nous ont laissés lorsque je les aperçois, en file indienne, derrière nous sur la piste, comme un attelage qui nous suivrait. Cinq grand loups adultes, très foncés. Enhardis par l'obscurité et le fait qu'il ne se soit rien produit d'inquiétant pour eux, ils s'approchent et me talonnent maintenant à moins de cent mètres. Lorsque je dirige le faisceau de ma lampe frontale sur eux, leurs yeux jaunes se mettent à briller dans la nuit, jusqu'au moment où ils se dispersent de nouveau, comme pour nous encercler. La piste tracée par Bruce et Alain serpente entre les buissons d'aulnes et je crains qu'ils ne tentent maintenant d'attraper l'un des chiens de tête. Je lance les chiens dans la descente en les encourageant avec des sifflements et ils semblent comprendre car leur galop ressemble à une fuite. En moins de dix minutes, à peine freiné par des passages difficiles sur une berge escarpée, je suis en vue d'Alain à qui je fais des signes de SOS avec ma lampe.

Il s'arrête enfin.

— Qu'est-ce qui se passe ?

— Regarde !

Je lui montre les loups juste derrière moi

— Ils me suivent, m'encerclent, s'approchent. Reste avec moi, la motoneige va les tenir éloignés.

— Tu parles, on en a vu encore deux à moins de trente mètres de nous, ils sont incroyables ces loups !

Escortés par deux motoneiges devant et cinq loups derrière, nous repartons. Lorsque le jour se lève, rose et froid, les loups disparaissent.

18.

Plaines d'Abraham, −44 °C, 1 200 km

— Qu'est-ce qui a bien pu arriver ?

Cette question, ressassée depuis plus de trois jours sans espoir de réponse, nous obsède. L'équipe aurait dû nous rejoindre dix fois, même avec du retard, depuis que nous les avons quittés. Chaque jour, nous perdons des heures à rechercher les meilleurs passages, à damer la piste dans les dévers et la profonde alors qu'ils n'ont qu'à suivre le chemin que nous leur traçons.

— On fait tout le boulot ! Ils vont forcément deux fois plus vite que nous.

— Peut-être pas, on a les deux bravos. Elles sont maniables et légères. Les VK sont lourdes.

— Oui, mais beaucoup plus puissantes. Regarde cette montée où on a galéré pendant deux heures à tirer les luges à la force des bras. Avec les VK, c'est réglé en dix minutes.

— Ça c'est certain !

— Alors ?

Alors, on imagine des tas de scénarios mais le raisonnement se heurte toujours à une lenteur que l'on n'explique pas. Un accident, une ou plusieurs machines cassées, manque d'essence ? Ce sont les seules vraies raisons que nous trouvons mais qui ne tiennent pas car ils disposent du téléphone satellite et auraient forcément obtenu du secours, ce que nous, en revanche, serions incapables de faire en cas d'accident. Et puis *toutes* les machines ne peuvent pas être en panne.

— Je ne comprends pas qu'ils n'envoient pas deux personnes devant. Sur une piste faite, c'est facile de nous rejoindre !

Les attendre, nous ne pouvons pas. Nous avions prévu deux dépôts de nourriture entre Mac Millan Pass et Norman Wells. L'un à Goldin Lake et le second à 40 kilomètres d'ici, en haut des fameux plateaux d'Abraham, à plus de 3 000 mètres d'altitude. Je pensais couvrir la distance séparant ces dépôts en trois jours, or il nous en faudra au moins cinq, ce qui m'oblige, depuis quarante-huit heures, à distribuer une demi-ration par chien. Avec le froid et les efforts qu'ils fournissent ici, c'est totalement insuffisant et attendre, en les privant de nourriture, compromettrait beaucoup la suite de l'expédition.

Chasser ? Nous n'avons pas d'arme. La carabine est derrière avec l'autre équipe, comme le téléphone. Et de toute façon, poursuivre, approcher, tuer et dépecer un animal nous prendrait le temps qu'il faudrait aux chiens pour le manger !

Nous sommes condamnés à avancer en espérant que l'équipe va enfin raccrocher. Au fil des jours, Bruce, Alain et moi commençons à douter de leur détermination.

— Ils ont baissé les bras. Ils se laissent aller. Ils vont leur petit rythme, j'imagine d'ici les départs le matin, ironise Bruce.

— Le fait qu'on soit parti devant a dû les démotiver complètement, rajoute Alain, moins sévère.

Le jour se lève sur le flanc de la montagne recouverte de lichen, sur laquelle paissent des centaines de caribous. Les chiens se mettent à courir de façon désordonnée, chacun forçant de son côté pour aller renifler les crottes fraîches qui sentent bon le gibier et qu'ils happent avec gourmandise. Puis d'un coup, toutes les oreilles s'orientent vers l'avant. Un léger vent leur emplit les narines d'odeurs de caribous et ils reniflent tous, d'accord sur la direction à prendre, sans se concerter.

Mon premier réflexe est de les engueuler car mes dix chasseurs viennent de quitter la piste mais je n'insiste pas. Je n'ai pas le droit de les priver de ce plaisir et cette poursuite sauvage me plaît sans doute autant qu'à eux. J'ai soudain l'impression de faire partie de la meute, d'être un onzième élément, tendu vers le même objectif. L'air froid qui, avec la vitesse, me fouette le visage siffle une musique enivrante qui ressemble au cri d'une bande de sauvages en chasse. Je les vois soudain, ces hardes de caribous, sauter dans tous les sens avec des déhanchements comiques pour échapper à la meute hurlante dont je fais partie.

— Yahou, yahoou !

Je les excite mes chasseurs et le traîneau vole. Nous sommes fous et cette folie m'habille de fourrure. Je voudrais être un chien et courir libre après cette viande chaude, animal parmi les animaux, fort de ses instincts retrouvés.

Notre chasse se heurte à un épaulement de terrain où la neige s'est accumulée et dans lequel les chiens tombent comme dans une mare d'eau. Frustrés, un peu grognons, ils s'ébrouent dans la neige, jappent mollement après les caribous qui ont disparu dans le trou puis, à contrecœur, font demi-tour et rejoignent la piste.

Deux heures plus tard, après avoir dévalé une pente de plusieurs centaines de mètres de dénivelé entre les sapins, puis traversé la rivière Carcajou en slalomant entre les zones d'overflow, de slutch et de mauvaise glace, nous attaquons la montée des plaines d'Abraham.

Je ne sais pas qui a eu l'idée d'appeler « plaines » cette chaîne de montagnes culminant au-dessus de toutes les autres, mais le type avait assurément de l'humour. Pourquoi pas le ruisseau Amazone ou les collines des Andes ?

En consultant les cartes, on comprend aisément ce qui a conduit les constructeurs de la Canal Road à utiliser les crêtes de ces montagnes puisque tout autour de nous et jusqu'au fleuve Mackenzie, ce n'est plus qu'un immense labyrinthe constitué de canyons et de barres rocheuses à travers lesquelles même des alpinistes chevronnés ne pourraient progresser en hiver.

J'envie Bruce et Alain qui montent tranquillement la pente, le pouce sur l'accélérateur de leur motoneige. Derrière, je dois courir à côté du traîneau sur plus de 1 000 mètres de dénivelé. Trois heures de montée exténuantes mais qui en valent la peine car en haut, le spectacle est à couper le souffle. Des crêtes, nous dominons le paysage sur des centaines de kilomètres carrés. Des montagnes se succédant à l'infini forment au loin comme une forêt dont les arbres sont des cimes qui se hissent les unes contre les autres ; à nos pieds, plusieurs vallées creusées de fleuves gelés dont le ruban bleuté se dessine entre les forêts de sapins qui les bordent. Et aussi loin que porte le regard, pas une seule trace de vie humaine, rien que le blanc, les montagnes, les fleuves et les forêts jusqu'à l'horizon.

Encore une fois, la chance est de notre côté. Le soleil caresse les crêtes et le vent est quasi inexistant. Quand il souffle ici, sans aucun obstacle pour l'arrêter et donc rien pour se protéger, l'endroit peut devenir le plus mortel des pièges. D'ailleurs, on nous avait prévenus.

— Parfois, le vent souffle là-haut à plus de 150 km/heure pendant dix jours d'affilée !

Nous profitons de notre chance pour réaliser dans la journée une énorme étape. Au coucher du soleil, nous avons franchi les plaines d'Abraham et, après avoir récupéré sans nous attarder le dépôt de vivres et d'essence, nous commençons à redescendre par un étroit goulet.

Des blocs de rochers encastrés les uns dans les autres, d'énormes éboulis, des couloirs d'avalanches, des combes abruptes… la montagne nous fait payer le spectacle qu'elle nous a offert sur ses plus hauts gradins.

Les motoneiges grincent de douleur et mon traîneau se révolte en se tordant avec des bruits inquiétants lorsqu'il heurte trop violemment un caillou. Nous sommes tous les trois épuisés. Sur nos joues, nos paupières, nos cils, les cristaux nés de la condensation de notre haleine forment une couche si épaisse que nous apprécions mal les obstacles et accumulons les erreurs.

— J'en peux plus, Nicolas, j'en peux plus, se plaint Alain.

Et Bruce qui se laisse tomber dans la neige au pied de sa motoneige enlisée ne vaut guère mieux. Quant à moi, j'ai l'impression que mon corps ne m'appartient plus, que cette masse douloureuse que sont les muscles de mes jambes, de mes bras, de mon dos et qui ne répondent plus, obéit à un autre. Et pas un seul endroit où nous pourrions dresser le camp pour la nuit.

Le cauchemar dure deux heures, les machines s'enlisent, s'encastrent entre les rochers, le traîneau cahote, tombe, s'embourbe dans la neige, la glace et les cailloux. Et les trois fantômes givrés que nous sommes, ombres de nous-mêmes, véritables spectres vivants, avancent dans le noir, mètre par mètre. Lorsque nous arrivons en bas de la combe et débouchons enfin dans la vallée qu'il nous faudra suivre sur plusieurs dizaines de kilomètres, nous découvrons les restes d'un campement et dénichons au milieu de quelques cabanes écroulées un abri précaire que nous préférons à la tente. Dans quelques années, dévastées par les ours qui les visitent régulièrement, mangées par les écureuils, habitées par les porcs-épics et les martres, ces cabanes hâtivement bâties pendant la construction de la route n'existeront plus. Elles disparaîtront avec le chemin. Une fois encore, nous étudions les cartes pendant un long moment pour tenter de savoir à quelle sauce nous serons mangés demain et définir à l'avance des options nous permettant d'éviter les zones sensibles.

L'étude des cartes, avec une bonne expérience et un sens de l'observation bien affûté, permet en scrutant minutieusement les courbes de niveau, l'orientation, la forme des montagnes ou des rivières et en les comparant à ce que nous avons déjà traversé, de se représenter le paysage. Plus je regarde celle-ci, plus ma conviction est forte que nous échouerons en essayant de suivre la Canal Road. Le chemin a été tracé à flanc de montagne dans des pentes à plus de 30 degrés, et je suis certain que les éboulis et avalanches l'ont partiellement détruit sur de longs passages que nous ne pourrons pas contourner. Il faut s'en écarter et suivre la rivière jusqu'au bout. Les courbes de niveau indiquent une vallée assez large et donc de nombreuses possibilités d'éviter des zones ouvertes, d'overflow ou de slutch mais un resserrement des parois formant comme un petit canyon à une vingtaine de kilomètres d'ici m'inquiète. La carte indique aussi des rapides et des chutes sur plusieurs centaines de mètres. S'il n'y a pas même une seule petite portion gelée à cet endroit-là, il n'y aura pas d'échappatoire, les parois tombant à pic comme des murs à droite et à gauche, comprimant la rivière.

Un vrai piège. Notre chance, c'est le froid extrême qui a régné pendant une semaine. Une chute ne gèle jamais mais les gouttes d'eau qu'elle projette gèlent en retombant sur les parois et la goutte suivante se fige sur la glace ainsi formée... C'est ainsi que se forment des blocs de glace par lesquels on peut éventuellement passer.

Le temps s'est brusquement réchauffé et la neige se met à tomber, effaçant peu à peu nos traces. Le reste de l'équipe n'aura donc pas la possibilité de connaître l'option que nous choisirons : montagne ou rivière. Sans consulter Bruce et Alain, car je veux être seul à endosser la responsabilité de ce que je m'apprête à faire, je laisse aux autres une carte et un message : « Prendre la rivière d'ici jusqu'au mile 50. » Je prends un risque, mais j'ai la conviction que c'est par la rivière qu'il faut passer.

Nous ne nous faisons plus d'illusions sur « l'équipe de derrière », c'est le terme que nous employons. Normalement, Pierre, Bob, Raphaël et un Indien devraient venir à notre rencontre. Ils avaient même promis d'atteindre le mile 75. Nous y sommes. Ils ne doivent plus être très loin mais leur absence nous inquiète.

— S'ils ne sont pas là, c'est qu'il y a un gros problème quelque part. Ça fait cinq jours qu'ils sont censés être partis de Norman Wells, dit Bruce.

— Y'en a marre ! On a été lâchés par les autres derrière, devant ils n'arrivent pas et nous, on se démerde tout seuls ! grogne Alain.

— Maintenant, il faut avancer le plus vite possible. Il me reste trois jours de nourriture pour les chiens et à peu près autant pour nous. Essayons de rejoindre l'équipe de Norman Wells aujourd'hui ou demain, on aura alors des nouvelles des autres.

À 5 heures du matin, nous repartons. Les chiens sont en forme et jappent d'impatience. Ils nous encouragent et nous en avons besoin car nous arrivons au bout de nos limites physiques et souffrons du manque de sommeil. Nous avons pris vingt ans chacun et ressemblons à des vieillards.

La neige tombe et c'est pas de chance, elle m'empêche de

comprendre la rivière par manque de visibilité. C'est pourtant l'endroit où le choix entre les deux options, montagne ou rivière, doit se faire.

Bruce ne cache pas son scepticisme, ni ses inquiétudes.

— La montagne est plus sûre.

— Écoute, Bruce, je te promets que je connais bien la glace et les rivières, je passe devant et vous suivez dans ma trace.

— OK.

Pendant quatre heures, je slalome entre les îles, d'une berge à l'autre, contourne les obstacles, évite les zones de slutch et d'overflow, en empruntant de temps à autre les berges, et les kilomètres défilent.

Alain exulte et Bruce se détend.

Concentré, les yeux en larmes à force de les écarquiller pour deviner les pièges dans la tempête de neige, je refuse de crier victoire car le canyon nous attend.

Soudain, un bruit. Un ronflement qui grandit

— Un hélicoptère !

Il est sur nous en quelques secondes et se pose sur la glace de la rivière dans un gigantesque tourbillon de neige qui nous aveugle.

La sensation est étrange, l'émotion intense.

Pierre ouvre la porte et court vers moi. On tombe dans les bras l'un de l'autre comme deux frères longtemps séparés.

Il nous explique :

— Un avion a survolé les montagnes hier et vous a aperçus de loin, ils ont cherché les autres mais ne les ont pas trouvés. Axa a affrété cet hélicoptère pour que je puisse aller à leur recherche.

— Tu n'as pas de nouvelles ? Ils ont pourtant le téléphone !

— Rien, pas un appel depuis une semaine.

— Et Bob ?

— Il est parti à votre rencontre depuis deux jours, avec deux types. Ils ont été retardés par des motoneiges en panne.

Derrière lui, Raphaël est blême.

— Si vous voyiez vos têtes ! C'est dur ?

— C'est très dur.

— C'est fabuleux ce que vous êtes en train de faire. Tout Norman Wells est en ébullition et suit votre progression. Quand l'avion a rapporté la nouvelle de là où vous étiez hier, c'était du délire. On ne parle plus que de vous !

De savoir que nous sommes suivis, que des gens pensent à nous, croient en nous, nous donne du courage et, lorsque l'hélicoptère repart, emmenant Pierre et Raphaël bouleversés, en larmes, le moral est remonté. Nous y croyons. Norman Wells n'est plus loin, on y arrivera, coûte que coûte.

La neige cesse de tomber et nous repartons vers le canyon qui me fait si peur.

Le voilà ! Et c'est impressionnant.

La montagne se resserre tout à coup. La rivière n'est plus qu'un étroit goulet qui se jette entre d'énormes rochers qui en bloquent l'entrée.

— Merde !

Bruce arrive à ma hauteur et hoche la tête tristement, un peu désabusé.

— C'est foutu, il faut faire demi-tour et ce que j'ai vu de la montagne n'augure rien de bon.

Bloqués, si près du but.

— Écoute, Bruce, on s'encorde tous les deux et je passe devant. On va descendre voir ce qu'il y a après le canyon. Si c'est le seul passage dur, on portera le traîneau et les machines. On installera des cordes, on fabriquera un pont s'il le faut.

— Non !

Et Bruce s'emporte. Des risques, il veut bien en prendre mais aller là-dedans c'est, pour lui, pire que le suicide.

— De toute façon, les machines ne passeront jamais par là.

— Il faut aller voir.

— Non !

Je sais qu'Alain m'accompagnerait sans hésiter bien qu'il ait horreur de ce genre de passage délicat sur la glace traîtresse. Mais je suis persuadé que Bruce, s'il reste ici, n'acceptera jamais ensuite de nous suivre au cas, certes improbable, où le passage par le canyon mérite d'être tenté.

— J'y vais, seul !

Bruce, piégé, enrage et baragouine dans sa langue des choses que je préfère ne pas comprendre. Il attrape nerveusement un bout de la corde et la noue autour de sa taille. Le canyon est effectivement un peu effrayant avec ses murs verticaux, ses zones ouvertes d'où l'eau s'échappe en rugissant et en fumant, ses rochers hauts comme des maisons, qui se sont décrochés des parois.

Pour réussir, il ne faut pas appréhender le canyon dans son ensemble mais raisonner mètre par mètre et je m'applique à cette tâche. Dix fois, Bruce s'arrête et me tire en arrière par la corde qui nous relie. Dix fois, je menace de me détacher, alors que les risques de passer au travers de la glace sont énormes par endroits. Et lorsqu'un éboulis apparaît qui semble infranchissable, le visage de Bruce s'éclaire d'une lueur joyeuse car il se dit : « Enfin, il va s'arrêter, faire demi-tour ! »

Mais ça passe toujours. Parfois sur une gangue de glace d'un mètre de large avec la paroi à gauche et l'eau bouillonnante à droite, mais ça passe. Bruce est blême. Il vit un cauchemar.

— Bruce, fais-moi confiance, j'ai déjà vu des endroits comme ça et je n'avancerais pas si ce n'était pas bon. Je connais la glace, fais-moi confiance.

Je me suis arrêté pour lui parler, yeux dans les yeux et j'y ai lu une peur immense. Je lui reconnais du courage à me suivre car lui ne connaît pas, et sa vie tient à un fil, celui qui nous relie. En me suivant, malgré sa peur, il me confie sa vie et me gratifie ainsi de la plus grande marque d'amitié et de respect que l'on puisse imaginer.

Bruce se calme. Il me fixe de ses yeux bruns et me dit en appuyant ses mots :

— On y va !

Et nous allons jusqu'au bout. C'est périlleux mais jouable. Il faudra porter plusieurs fois les motoneiges, construire une sorte de pont sur des rochers, encorder le traîneau et les machines à deux ou trois passages, et veiller surtout à ce que les chiens de tête, effrayés par des chutes, n'accélèrent pas pour sortir d'un mauvais passage en entraînant dans le trou ce qu'il y a derrière eux, chiens et traîneau.

— Bon, on a vu, c'est impossible

— Bruce, on remonte et on étudie chaque passage, l'un après l'autre.

— ...

Alain nous attend en haut, au bord d'un feu.

Les chiens couchés en boule dans la neige rechargent leurs batteries. Ils lèvent la tête lorsque nous arrivons. Je leur envie ce détachement devant les difficultés, leur indifférence au stress. Ce n'est pas le cas d'Alain.

— Alors ?

— Ça peut passer.

— Ça ne passe pas, je vais voir la montagne, dit Bruce.

Il enfourche sa motoneige et s'en va. Je suis bien décidé, à son retour, à lui tenir tête pour imposer mon point de vue. Je suis certain qu'un demi-tour puis une tentative par ces montagnes escarpées se solderait par une galère de plusieurs jours, voire un échec. Alors qu'au-delà du canyon, la rivière s'élargit de nouveau et nous conduit tout droit jusqu'à la cabane indiquée au mile 50 à partir duquel il ne restera plus qu'un col à franchir avant d'atteindre Dodo Canyon. Dodo Canyon, la dernière porte avant la victoire.

Un quart d'heure plus tard, Bruce revient, il a recherché un passage pour rejoindre le chemin de la Canal Road en coupant à travers la forêt, afin d'éviter de retourner en arrière mais la pente était trop forte, la neige trop profonde, la forêt trop dense. Il s'est enlisé et a fait demi-tour.

— On y va.

— ...

— Écoute Bruce, on va y arriver, dans une heure on est sortis de là.

Une heure pour rendre possible l'impossible : faire passer un traîneau, dix chiens et deux motoneiges dans ce dédale de chutes, de rochers et de ponts de glace suspendus. Une heure durant laquelle nous unissons nos efforts et formons un trio formidable. Nous passons une seule fois très près de l'accident fatal lorsque le traîneau se renverse dans un trou recouvert d'une mince pellicule de glace qui se fendille sans céder.

Puis nous passons le dernier obstacle, une langue de glace d'à peine 50 centimètres de large, pour éviter une chute d'eau en longeant un énorme rocher et débouchons sur la rivière large, voie royale.

— Nicolas, je n'aurais jamais cru cela possible, bravo et excuse-moi d'avoir douté !

— Bruce, n'oublie pas que c'est toi qui as ouvert 99 % de la piste jusqu'ici, je t'assure que, dans les montagnes, je n'aurais pas été capable de faire ce que tu as fait. C'est à nous trois qu'il faut dire bravo.

— Ouais, on fait une bonne équipe !

Une équipe fière.

19.

Dodo Canyon, −41 °C, 1 230 km

Il en a de bonnes, Pierre. Au retour de sa reconnaissance en hélicoptère, il s'est posé près de nous pour nous informer qu'il avait retrouvé les autres.

— Ils ne sont pas loin! Ils en ont marre de courir après vous sans jamais vous rattraper. Ils sont au bord de la rupture. Ils ont eu des tas de galères successives, des pannes et ils ont manqué d'essence. Il faut absolument que vous les attendiez.

— Mais ils sont où?

— Pas loin.

— Mais ça ne veut rien dire pas loin en hélicoptère!

— Mais pas loin du tout, je sais pas moi, à 20, 40 kilomètres peut-être!

Lorsqu'il repart, nous avons la désagréable sensation d'avoir été considérés comme des lâcheurs qui avaient prémédité le coup pour filer devant. D'ailleurs, Pierre ne nous a pas caché que «certains» éléments de l'équipe avaient eu des mots très durs.

— C'est quand même fort ça!

Bruce ne veut pas les attendre, Alain y tient et moi je suis partagé car les chiens n'auront alors que demi-ration et surtout parce que le retard s'accumule et je sais que les jours perdus ici me coûteront très cher un peu plus tard.

Nous décidons ensemble d'attendre deux nuits, soit plus de

trente heures, pour leur permettre de nous rejoindre, mais notre frustration est grande de nous sentir si près du but sans pouvoir l'atteindre. Il s'agit pour nous d'un énorme sacrifice dont personne ne mesurera jamais l'importance. À cette frustration s'oppose notre joie de les savoir sains et saufs, pas loin, en route, eux aussi, pour une si belle victoire.

— Je suis fier d'eux, dit Alain.

Le lendemain, Bruce et moi profitons de la journée pour aller damer la piste jusqu'au col avec les motoneiges.

La neige est très profonde et nous nous enlisons plusieurs fois avant d'atteindre le col où un spectaculaire lever de soleil et quelques caribous nous accueillent.

Nous avions convenu de faire demi-tour ici mais la tentation est trop forte. Sans même nous concerter, d'un seul regard de connivence, nous décidons de pousser jusqu'à l'entrée du Dodo Canyon, à 10 kilomètres du col.

À partir de là, nous saurons que c'est terminé, à moins que l'overflow tant redouté n'ait déjà comblé le canyon.

Nous descendons par une petite combe assez raide et franchissons plusieurs passages acrobatiques dont un où une motoneige s'enlise dans la slutch qui gèle totalement le système de direction, nous obligeant à faire un feu pour la débloquer.

Enfin, nous traçons une piste dans la forêt, puis suivons un petit ruisseau et, tout à coup, débouchons sur la rivière Carcajou, à l'endroit où elle entre dans le canyon dont les murs s'élèvent doucement au-dessus d'elle.

Bruce, devant, lève les bras au ciel et se laisse glisser, emporté par son élan, jusqu'au centre de la rivière bien dure, sans overflow.

Ma motoneige s'arrête quelques mètres derrière lui, distance que je franchis en courant. Je trébuche sur la neige et m'étale de tout mon long. Bruce se jette sur moi et nous formons une belle boule de bonheur.

— We made it, we made it, répète, Bruce, saoulé par la joie et l'émotion.

On reste là un bon moment à se griser de réussite.

— Demain ça va filer, avec un aller-retour plus la nuit, la

piste va être bien dure, superbe, ça fait longtemps que les chiens n'ont pas eu ça !

Je suis heureux de leur offrir cette belle course d'autant plus que la suite risque d'être aussi bonne car l'overflow gelé dans le canyon offrira lui aussi une bonne surface.

— Pourvu que les autres soient arrivés, quelle belle soirée ça va être !

Je le souhaite de tout mon cœur. Ils l'ont bien mérité et nous aussi. J'imagine déjà notre arrivée en ligne à Norman Wells. Quelle émotion partagée !

Mais Alain est seul avec tout ce qu'il leur a préparé, les piquets pour monter la tente, le bois de chauffage, des litres de thé et surtout un immense besoin de les voir.

La nuit tombe et avec elle disparaissent les espoirs.

— Mais non, c'est pas possible, ils vont arriver, répète Alain, ils savent qu'on les attend, ils vont pousser jusqu'ici !

Une fois de plus, nous ne comprenons pas. Et encore moins le lendemain matin lorsque Bruce et Alain retournent sur nos pas jusqu'au début du canyon sans les rencontrer. Nous calculons alors qu'ils ont plus de deux jours de retard puisque nous sommes passés au même endroit il y a plus de 48 heures.

— Je ne comprends pas, répète Alain indéfiniment.

Pendant ce temps-là, parti avec les chiens vers 4 heures du matin, j'arrive à Dodo Canyon, où je retrouve Bob, seul, qui a laissé ses « Indiens » faire la grasse matinée.

La jonction est faite. Il n'y a plus qu'à suivre la piste jusqu'à Norman Wells. Bob danse de joie sur sa motoneige même s'il regrette amèrement de ne pas avoir pu nous aider.

— Ces types sont infernaux, il leur a fallu trois jours pour se préparer. Avant-hier, on devait partir à 5 heures du matin, on a quitté Norman Wells à 15 heures. On n'est arrivés ici qu'hier soir ! Et ce matin, ils dorment !

— Trois jours pour venir de Norman Wells jusqu'ici en motoneige !

— C'est à pleurer !

— Avec les chiens, j'y serai ce soir et on vient déjà de faire 30 kilomètres…

Lorsqu'on arrive à la cabane où ils se sont arrêtés au milieu de Dodo Canyon, l'Indien et le Canadien qui l'accompagne se lèvent tout juste. En un seul regard, je les ai jaugés, ces deux-là !

— Tu viens d'où ?

— De la cabane située de l'autre côté du col.

— Ce matin, incroyable ! Tu peux dormir ici, les chiens seront bien et demain on t'emmènera vers Norman Wells. On y sera en deux jours et il y a une cabane où on pourra s'arrêter pour la nuit.

— J'ai pas besoin qu'on m'emmène et de toute façon, je repars tout à l'heure.

— Mais tu vas aller où ?

— À Norman Wells, directement.

Les deux types se regardent, ahuris, et je ne résiste pas à la tentation.

— Il n'y a que 80 kilomètres, c'est rien ! En motoneige, vous avez mis combien de temps ?

Ils se regardent encore, mal à l'aise, penauds.

— Bon, c'est que, euh, on a eu des problèmes, il fallait qu'on s'arrête à la cabane et puis on est parti un peu tard...

— Je vois, mais c'est dommage, ça nous aurait aidés que vous fassiez la piste sur le col.

Deux heures plus tard, Bruce et Alain nous ont rejoints et, pendant qu'ils se rassasient, je reprends la route en profitant de l'époustouflant spectacle qu'offre ce canyon, véritable décor d'un film de science-fiction.

Les parois montent à plus de 200 mètres de haut, desquelles pendent des cascades gelées qui brillent dans la lumière piégée par le canyon et réverbérée par la glace bleue qui en tapisse le fond. C'est tellement grandiose comme paysage qu'il paraît artificiel. Je laisse faire les chiens qui évitent d'eux-mêmes les zones d'overflow en formation. Des mares s'agrandissent et, de la cabane, j'ai pu observer à quel rythme elles s'étendent. Il ne fait que −30 °C et le gel n'est pas assez fort pour figer l'eau au fur et à mesure qu'elle sourd. Pourvu que les autres passent avant que le piège ne soit définitivement en place. À la

153

sortie du canyon, un autre spectacle nous attend, saisissant, le passage brusque de la montagne à la plaine. C'est incroyable ! En quelques mètres, les Rocheuses s'affaissent presque verticalement et, comme une mer, débute une forêt qui s'étend jusqu'à l'infini.

C'est terminé. Les Rocheuses sont derrière nous. La prochaine destination importante, c'est la banquise, à 3 000 kilomètres d'ici.

Nous pénétrons dans la forêt en même temps que le jour décline et que s'allument dans le ciel redevenu clair des myriades d'étoiles.

Jamais un chemin ne parut si long. Je suis épuisé. J'ai froid. J'ai faim. Je donnerais tout pour arriver, arriver enfin, mais on n'arrive jamais.

Des siècles plus tard, le Mackenzie apparaît enfin au bord duquel Bob, Alain et Bruce m'attendent autour d'un feu. Que cette attente a dû leur paraître interminable, eux qui depuis des heures voient les lumières de la ville, si proche.

Nous traversons le fleuve que le vent balaie, en grelottant de fatigue et de froid. À l'entrée de la ville, nous sommes accueillis par Pierre et Raphaël prévenus que nous approchions par la radio de deux « agents de la conservation de la faune » que nous avons croisés dans Dodo Canyon l'équipe de derrière.

Le reste est un tourbillon de chaleur, de sourire, d'accolades, de bravos, de bières, et surtout cette nouvelle qui arrive par la radio.

— Votre équipe sera là vers 1 heure du matin !

Alain, silencieux, reçoit la nouvelle avec un mélange de joie et d'appréhension.

— Ils ne nous pardonneront jamais !

— Tu te sens coupable de quelque chose ?

— Non, mais eux ne voient pas les choses comme nous. Ils ne comprennent pas.

— Si nous on les comprend (quoiqu'il me faudra certaines explications), pourquoi eux ne nous comprendraient-ils pas ?

154

Alain, sceptique tout autant que Pierre, qui en rajoute un peu trop à mon goût, retourne les arguments dans sa tête.

— Je vais te dire, Alain, moi je me sens coupable d'une seule chose et je le leur dirai, c'est d'avoir douté d'eux, or ils arrivent.

20.

Norman Wells, − 30 °C, 1 280 km

Leur trot est régulier, ample, et mes dix chiens tirent bien en ligne, en rythme, avec une formidable énergie que l'arrêt de deux jours à Norman Wells a décuplée. Il faut dire que la piste est belle, large, dure et sans surprise. Inutilisé l'été, cette sorte de chemin est aménagé au cours de l'hiver avec des bulldozers qui aspergent la neige d'eau bouillante avant de la tasser puis de l'égaliser. Ils fabriquent ainsi un revêtement de glace parfaitement lisse et suffisamment solide pour que des camions chargés de vivres et de matériel puissent l'emprunter et ravitailler les différents villages se trouvant le long du Mackenzie. Cette route, l'« ice-road », est généralement ouverte un à deux mois par an à partir de la mi-janvier.

D'après les renseignements que nous avons obtenus, elle ne devrait pas être ouverte à la circulation avant une quinzaine de jours ; les bulldozers sont en train d'achever le travail sur certaines portions difficiles, mais où la piste est déjà tracée par des motoneiges. Une voie royale pour conducteurs de chiens de traîneau, sur laquelle j'espère bien rattraper une partie du retard accumulé durant la traversée des Rocheuses : nous sommes le 12 janvier (soit 30 jours de course), or j'avais prévu initialement de quitter Norman Wells le 5 janvier. Soit une bonne semaine de retard. C'est beaucoup.

Les motoneiges sont donc inutiles et ça tombe bien car elles sont toutes inutilisables. Ce ne sont pas des motoneiges qui sont arrivées à Norman Wells mais des épaves-de-neige. J'ai tout de même insisté pour qu'Alain et Raphaël partent aujourd'hui avec deux d'entre elles prioritairement réparées, étant entendu que le reste de l'équipe nous rejoindra dès que les pièces de rechange seront arrivées et montées.

— Ça sert à rien, m'a-t-on dit, la route est ouverte sur plus de mille kilomètres, tu n'as pas besoin de motoneiges.
— On ne sait jamais ! On n'a plus le droit à l'erreur. Si une tempête recouvre l'ice-road de 30 centimètres de neige fraîche, je préfère avoir les machines devant plutôt que derrière. Comme de toute façon il faut faire la route…

Notre première idée était de rejoindre le Grand Lac de l'Ours puis de redescendre vers le Grand Lac des Esclaves par une succession de lacs et de rivières où une piste est généralement tracée par des trappeurs de castors. Mais l'ice-road est une aubaine dont nous ne pouvions pas ne pas profiter, même si cette option n'est pas pour me plaire car on s'ennuie ferme sur ce genre de route traversant un paysage assez banal.

J'ai donc décidé de foncer à raison de 120 à 150 kilomètres par 24 heures selon le rythme suivant : 5 heures de « run », 3 heures d'arrêt, 5 heures de « run », 8 heures d'arrêt puis de nouveau 5-3-5-8 et ainsi de suite. Plus des arrêts de douze à trente heures, en fonction de la forme des chiens, dans les quatre villages où je dois récupérer de la nourriture. C'est Raphaël qui a organisé l'échelonnement de ces dépôts, une tonne et demie de colis à envoyer par la poste dans les vingt et un villages que nous traverserons jusqu'à Québec !

Les chiens sont en forme, la température à −30 °C est idéale, la piste parfaite, et nous fonçons d'une seule traite, soit 80 kilomètres jusqu'à Fort Norman, où un officier de la police montée prévenu de mon arrivée par la radio m'accueille, complètement stupéfait de la vitesse avec laquelle les chiens ont réalisé l'étape

Alain et Raphaël me rejoignent et repartent aussitôt pendant que je laisse les chiens se reposer. Vers 10 heures du soir, ils sont prêts, mais pas moi. J'ai des bouffées de chaleur qui me font transpirer et une envie de vomir aussi forte qu'une envie de pisser après avoir bu 2 litres de bière. C'est à peine si je tiens debout. Mes jambes sont flageolantes, la tête me tourne et j'ai l'impression qu'on me tape à coups de marteau sur les tempes. Je suis blanc comme un linge et le policier s'en aperçoit. Lui qui me traitait de fou lorsque je lui ai dit vouloir repartir dans la nuit me prend carrément pour un dingue à enfermer lorsqu'il me voit persister malgré mon état, d'autant plus que le thermomètre a chuté à −45 °C.

— Reste ici, j'ai un bon lit pour toi, tu partiras tôt demain matin.

Une vraie torture que cette proposition. Un calvaire d'endurer son insistance car je suis en train de me faire mal, très mal et je serais prêt à égorger cette partie de moi-même qui m'impose ce supplice.

— Écoute, Nicolas, si tu commences à flancher maintenant alors que tu as du retard, qu'il te reste les trois quarts du parcours à effectuer, autant abandonner tout de suite. Après ce sera une heure de plus dans le sac de couchage chaque fois que tu te coucheras, puis des repos de plus en plus longs et de fil en aiguille…

— Ça va, ça va, je pars.

Dans ces moments-là, je pense souvent à ma mère et j'imagine qu'elle aurait imposé silence à cette partie de moi-même qui, trop souvent, gagne la partie.

— Enfin, Nicolas, c'est ridicule. Tu as vu dans quel état tu es ? Il faut te soigner, te reposer. Reste au moins jusqu'à demain matin. Tu es complètement fou.

J'aurais dû emmener maman avec moi. Elle m'aurait cloué ici. Car le fou trinque. En quelques minutes le froid et le vent m'habillent de glace. Je ne tiens pas debout tellement j'ai mal au ventre et la tête me tourne, alors je me penche sur mon guidon et j'essaie de respirer mieux pour retrouver un peu d'équilibre. Tous les kilomètres, pour tenir, je me dis encore un kilomètre mais au fond de moi, je sais très bien que j'irai jusqu'au bout : 60 kilomètres, c'est ce que je me suis fixé et je n'en démordrai pas. C'est stupide, je le sais, mais je n'avais qu'à pas me lancer dans ce défi stupide.

— Maintenant, mon vieux, il faut avancer.

La nuit est noire et je me sens seul, un marin perdu dans la mer, et j'ai un peu peur. Une peur qui grandit car je suis si faible que je pourrais tomber, et par ce froid s'évanouir un petit moment c'est mourir pour longtemps. Plusieurs fois, avant de partir, j'ai essayé de vomir sans y réussir vraiment. Je sentais bien que le gros du paquet ne sortait pas. Et maintenant ça vient d'un coup, sans prévenir, la glace me fait un masque que je ne parviens pas à arracher et la bouillie s'écrase dans mon scaphandre givré, me coule dans le cou et me rentre dans le nez. En tombant, je m'agrippe au traîneau pour l'entraîner et arrêter les chiens car je ne peux même pas crier. Je titube sur le sol, la face contre la neige, la vomissure s'écoule par la fente qui me permet de voir et que j'élargis avec les mains en arrachant la glace. Je suis pitoyable. Je voudrais qu'on me voie, qu'on m'aide, que l'on comprenne pourquoi je pleure de désespoir et c'est Voulk et Nanook puis les autres qui s'approchent et mes larmes de souffrance se transforment en larmes de reconnaissance. Mais les chiens ne sont pas venus pour m'aider. Attirés par l'odeur, ils mangent ce que j'ai déversé sur la route, et se battent maintenant pour s'approprier les restes.

— Non !

Ils s'emmêlent et il faut que je les sépare au plus vite. Je le fais en insultant la terre entière et lorsque je tombe dans la neige auprès de Voulk je le laisse me lécher le visage car ça me fait du bien de sentir cette langue comparse qui me touche, et ça me fait du bien de pleurer dans sa fourrure.

— J'en peux plus, Voulk. J'en peux plus !

Les chiens ne bronchent plus. Ils ont compris que je n'allais pas bien et ils voudraient m'aider. J'allume un petit feu pour dégeler mon scaphandre de glace et réussir à l'enlever car les relents de vomissure sont irrespirables. Je me nettoie avec de la neige du mieux que je peux, change de cagoule et je repars. Je n'ai plus mal au ventre. Tout le mal est monté dans la tête. J'arrive vers 2 heures du matin, plus mort que vivant, à l'endroit où Alain et Raphaël se sont arrêtés. Ils se sont trompés de route. Il y avait une bifurcation à la sortie du village et ils ont pris la mauvaise branche. Heureusement, un trappeur indien les a remis sur le bon chemin mais ils ont perdu trois heures.

Lorsque j'arrive, Raphaël se propose de m'aider à dételer les chiens et je lui réponds :

— Ça va aller !

Qu'est-ce que je peux être con dans ces cas-là ! Cette espèce de fierté imbécile qui me pousse à refuser l'aide dont j'ai tellement besoin et que Raphaël serait si content de me donner. Mais Raphaël est moins con que moi et s'est rendu compte de l'état dans lequel j'étais : nous dételons ensemble.

Alain s'est trompé de tente. Il a pris celle de deux places déjà trop étroite pour abriter deux gabarits comme Raphaël et lui, mais ça n'a pas d'importance. Au point où j'en suis, se coucher, dormir est une jouissance qui dépasse l'entendement.

21.

Wrigley, −51 °C, 1 500 km

Depuis le départ, je n'ai jamais été de si mauvaise humeur. La route s'est transformée en chemin, le chemin en sentier de motoneige recouvert de 20 centimètres de neige poudreuse, et maintenant, c'est le grand blanc, plus de traces, plus rien. C'est tout juste si l'on devine l'emplacement de la route dans la forêt et les collines où elle se taille un passage. Les chiens s'enfoncent jusqu'au poitrail dans la neige fraîchement foulée par les deux motoneiges que je rattrape bientôt car dans cette poudreuse elles s'enlisent sans arrêt.

Alain est rouge de colère. Je l'ai rarement vu dans cet état.

— Si je chope celui qui a dit que cette route était un boulevard, je lui casse la gueule.

Pour un coup dur, c'en est un, car nous nous étions préparés à une étape facile dont nous avions réellement besoin après cette héroïque traversée des Rocheuses. Nous espérions rattraper notre retard et nous allons en reprendre. C'est à hurler et c'est ce que nous faisons à tour de rôle, même si ça ne sert à rien. En traversant les Rocheuses, nous avions l'impression de galérer « efficacement » pour quelque chose qui en valait la peine, mais ici, c'est totalement gratuit. Avec des renseignements plus fiables, en vérifiant les informations, nous aurions pu nous organiser, envoyer toutes les motoneiges devant préparer la piste. Au lieu de ça, les chiens se retrouvent bloqués une fois de plus. C'est la goutte d'eau qui fait déborder le vase. Je n'en peux plus de cette organisation de merde !

— On n'aura pas assez d'essence, s'aperçoit Alain, dans cette neige on en bouffe trois fois plus. J'avais calculé pour aller jusqu'au village sur du dur, pas là-dedans !

Il manquait plus que ça ! Heureusement, nous avons le téléphone satellite. Nous laissons un message sur un répondeur à Norman Wells et demandons de l'aide.

Elle arrive 30 heures plus tard. Pendant ce temps, nous n'avons avancé que de 40 kilomètres, jusqu'à épuisement de l'essence. Pour arriver jusqu'à nous, le reste de l'équipe a effectué la route d'une seule traite, soit 12 heures de motoneige et ils arrivent dans un sale état.

Il est minuit et je demande à Marc, qui est arrivé le premier ici, de continuer jusqu'à Wrigley avec Alain. Après un rapide casse-croûte, ils s'enfoncent dans la nuit pour une ouverture de piste qui leur prendra 10 heures avec de nombreux enlisements, des traversées de rivières et des colères qui ressemblent à des ras-le-bol. Marc aura cumulé plus de 28 heures de motoneige presque non-stop ! Il faut le faire.

Je quitte le campement endormi vers 4 heures du matin et les chiens trottent à leur poursuite sur une piste imparfaitement gelée mais qui s'améliore au fil des heures. Vers 16 heures, j'arrive au campement roulant établi par les constructeurs de la route là où ils travaillent actuellement.

Ils sont en train de prendre leur breakfast dans leur roulotte lorsque je fais irruption dans la pièce tel un Frankenstein des neiges, entièrement blanchi par le givre et la glace. Avec le poêle qui ronfle bruyamment, ils ne m'ont pas entendu arriver et ils sursautent. Ici il n'y a personne, pas de trappeur, pas d'Indien, rien. Après un moment de stupeur, ils se ressaisissent et comprennent qui je suis — d'autant qu'ils ont vu les traces laissées cette nuit par Marc et Alain.

— You are the crazy French !

— Eh oui…

Ils m'offrent un repas gargantuesque et je repars vers 21 heures pour filer bon train jusqu'à Wrigley dans lequel je pénètre à 1 heure du matin. Les chiens ont fait 155 kilomètres dans la journée.

À partir de Wrigley, l'ice-road, empruntée par les camions, est donc inutilisable. Nous choisissons de suivre le fleuve Mackenzie, gelé sur une épaisseur assez homogène. Le problème des grands fleuves, c'est le pack : de la glace qui se forme au début de l'hiver et s'accumule dans les zones de hauts fonds, charriée par le fleuve qui n'est définitivement gelé que plus tard, au mois de novembre. Ces blocs enchevêtrés les uns dans les autres forment un chaos indescriptible à travers lequel se frayer un chemin relève de l'exploit. Le pack peut s'étendre sur des dizaines de kilomètres et les informations que nous obtenons à propos du Mackenzie vont dans ce sens. Heureusement, sa largeur oscille entre un et quatre kilomètres et je sais qu'un passage étroit existe toujours le long des berges. En effet, un fleuve gèle en plusieurs temps. Dans les zones droites, la glace se forme d'abord le long des berges, sur une bande généralement dépourvue de pack mais qui présente l'inconvénient d'être en dévers et comporte de nombreuses fractures, ou même des crevasses, que la neige dissimule. Il reste au centre du fleuve un couloir d'eau libre qui peut charrier de la glace qui s'accumulera plus loin. Dans les virages, l'eau gèle à l'intérieur des courbes. Au fil des semaines, le débit du fleuve diminue beaucoup, le niveau de l'eau baisse considérablement, et la glace va plier ou casser puisqu'il se crée entre elle et l'eau un vide qui peut atteindre plusieurs mètres. C'est un piège dans lequel je suis tombé une fois en Alaska, avec les chiens. Heureusement nous avions atterri sur les galets et non dans l'eau. On imagine la frayeur. Il m'avait fallu plus de trois heures d'efforts pour sortir de cette caverne en construisant une échelle de glace, puis en hissant les chiens un à un, le matériel et enfin le traîneau. Une belle expérience !

Alain et Marc profitent du repos de 24 heures que je donne aux chiens pour prendre enfin de l'avance et créer la piste sur le fleuve. Pendant ce temps, le reste de l'équipe arrive à Wrigley. Pierre et Raphaël repartent aussitôt pour Fort Simpson afin d'y collecter le maximum d'informations sur les pistes praticables à partir de ce village et jusqu'au Grand Lac des Esclaves. Thomas, Emmanuel et Didier vont rester entre l'équipe de pisteurs et moi pour filmer. Ce début d'organisation me rend optimiste.

Trois jours plus tard, je déchante. C'est de nouveau la Berezina. Les 180 premiers kilomètres sur le fleuve étaient relativement bons. Ce n'était pas une piste idéale mais après ce que nous avions connu, les chiens et moi, nous nous en contentions largement. Il fallait beaucoup travailler au traîneau, notamment pour le maintenir bien en ligne dans les dévers et jouer des carres dans les zones de pack que nous traversions parfois, mais rien de surhumain. Et j'étais rassuré par la proposition d'une équipe de motoneigistes de Fort Simpson, qui s'était portée volontaire pour venir à la rencontre des pisteurs et les aider.

Tout le monde est maintenant au courant de l'expédition, car de nombreuses émissions de radio lui sont consacrées depuis notre traversée des Rocheuses qui a fait du bruit. L'aide que nous obtenons dans les villages pour l'hébergement, la réparation des motoneiges, la collecte d'informations sur l'existence et l'état des pistes s'en trouve améliorée. Le revers de la médaille, c'est le temps que je dois consacrer aux médias dès que je rejoins un village à partir duquel des liaisons téléphoniques s'organisent à n'importe quelle heure du jour ou de la nuit. L'équipe de Fort Simpson, donc, était censée ouvrir une piste dans la forêt qui rejoindrait le Mackenzie à environ 80 kilomètres du village et éviterait ainsi une zone prétendue impraticable. Résultat des courses : cette équipe se perd dans la forêt, rejoint le fleuve pour retrouver Alain et Marc qu'ils entraînent dans une nouvelle tentative à dormir debout, puisqu'ils se perdent de nouveau. Comme nous arrivons, Alain et Marc repartent de nuit avec leurs guides sur le fleuve qu'ils traversent au mauvais endroit en voulant récupérer un chemin qu'ils ne trouvent pas ! Marc est à deux doigts de les égorger et si Alain avait un fusil, il en aurait déjà fusillé deux ou trois ! Ils tournent en rond sur le fleuve, longent la berge de droite avant de choisir finalement celle de gauche et oublient d'indiquer une bifurcation, si bien qu'en arrivant derrière, de nuit, je me paume et en suis quitte pour une étape de 60 kilomètres dans la neige profonde jusqu'à Fort Simpson où j'arrive totalement épuisé et découragé.

— Ça ne peut plus durer !

Tout le monde est d'accord et nous jurons qu'à partir de maintenant, l'équipe va faire un sans-faute, celui dont nous avons impérativement besoin pour rattraper le retard. L'incapacité de l'équipe à réussir commence à créer des tensions, chacun reportant sur l'autre la responsabilité des échecs répétés. À tour de rôle, les uns et les autres viennent sur le ton de la confession m'expliquer pourquoi ça déraille, accusant toujours un autre d'avoir ou de ne pas avoir fait ceci ou cela ! Chacun voit midi à sa porte et c'est très étonnant de constater à quel point les opinions, avis et états d'âme sont différents. Il n'y a aucune tendance générale mais neuf cas particuliers.

— Les renseignements que nous fournissent Pierre et Raphaël ne sont pas fiables, explique Alain, et je ne parle pas des guides locaux !

— Avec l'expérience, on va s'améliorer. On va se méfier, récupérer les renseignements mais il nous faut aussi de l'avance, constate Pierre, vous ne vous rendez pas compte du boulot qu'il y a à faire dans les villages.

Je regarde Alain.

— Écoute Alain. Tu files avec Marc et je ne veux plus vous revoir avant Churchill. Je vous laisse 48 heures, ça vous laisse largement le temps de gagner deux jours sur moi, et vous la gardez, cette saloperie d'avance !

— On demande pas mieux, dit Marc…

22.

Fort Simpson, −38 °C, 1 800 km

Après une journée de repos, les chiens partent comme un boulet de canon malgré le blizzard qui les aveugle. En quelques secondes, la tourmente me soustrait aux regards du petit groupe rassemblé pour le départ.

À la sortie du village, nous quittons la route pour emprunter une piste de motoneige qui la longe. Je ne vois même plus Voulk et Baïkal en tête, noyés dans le blanc. On appelle ça le « White out », cette sensation d'être en immersion dans une mer de neige en furie. Des hommes sont morts dans le « White out » en sortant pisser mal habillés à quelques mètres de leur tente ou de leur cabane. En se retournant, ils ne voyaient plus rien mais ils croyaient connaître l'emplacement de leur abri, là à quelques mètres d'eux, alors ils faisaient quelques pas et non ! ça devait être plus à droite, non, à gauche, et ils s'éloignaient, réduisant à chaque pas les chances de retourner à leur abri. On les retrouvait morts, durs comme du bois gelé, à quelques dizaines ou centaines de mètres. Pour éviter cela, tous les explorateurs du Grand Nord connaissent le truc : quand on doit sortir, on s'attache avec une corde. Ce qui m'embête le plus avec cette tempête, c'est qu'elle va combler la piste que les motoneiges ont enfin tracée.

Les chiens galopent toujours et je ne vois pas l'obstacle. Une énorme congère qu'un bulldozer a vraisemblablement poussée ici et que les chiens évitent en la contournant, pas le traîneau. Je m'envole et retombe plusieurs mètres plus loin, complètement sonné mais indemne sur le bord de la piste. J'ai évité de justesse un arbre contre lequel j'aurais pu me fracasser. Je relève la tête, juste à temps pour apercevoir le traîneau qui, miraculeusement retombé sur ses pattes, disparaît dans le blizzard.

— Vouuuuuulk !...

Peine perdue. Même avec un porte-voix, il ne m'entendrait pas. Le vent est contre moi. Je me relève immédiatement et pique un sprint pour essayer de rattraper le traîneau. Mais je ne suis pas Carl Lewis qui n'aurait lui-même aucune chance contre les chiens au galop.

— Et merde !

Les chiens peuvent mettre des heures avant de s'apercevoir que je ne suis plus derrière le traîneau. Sur cette surface dure et facile, la différence de poids est insignifiante et ils ne s'étonneront pas de ne recevoir aucun ordre.

Je suis déjà loin du village mais j'hésite à revenir sur mes pas pour demander une motoneige. Cela me prendrait une bonne heure durant laquelle les chiens vont vraisemblablement s'arrêter. Tant de choses peuvent arriver : une bagarre, un chien mal emmêlé dans le trait, une descente où le traîneau non freiné passerait sur les chiens... Je préfère les suivre, d'autant plus que la piste surplombe la route et que j'ai de bonnes chances d'intercepter une voiture pour les rattraper. Mais une demi-heure plus tard, je n'ai vu ni chiens ni voiture et à mon grand désespoir, arrivé à une bifurcation, je me rends compte qu'ils ont pris à gauche vers le Mackenzie plutôt que de suivre la trace principale parallèle à la route.

Ma chance est qu'un pick-up arrive à ce moment-là. J'aperçois ses phares jaunes dans le blizzard, juste à temps pour l'arrêter. J'explique la situation au type qui me dit connaître un chemin permettant de rejoindre le Mackenzie, 10 kilomètres plus loin.

— OK, on file.

Mais la tempête a déjà comblé le chemin et le pick-up s'enlise à 200 mètres du fleuve dans une congère. Je l'aide à en sortir et continue en courant. J'arrive au bord du fleuve en nage, absolument certain que les chiens n'y sont pas. Je sais que de multiples pistes se croisent aux alentours du village et ils pourraient avoir bifurqué vers l'amont plutôt que vers l'aval en débouchant sur le Mackenzie. Les chiens ne lisent pas les cartes.

En plus, je n'y vois rien et une armée de traîneaux à chiens pourrait envahir le fleuve sans que je l'aperçoive. Je suis désespéré. J'ai perdu mes chiens et je me sens totalement ridicule.

Une ombre ! Une ombre qui s'allonge et ressemble à des chiens !

— Voulk, Voulk !

Je hurle à me décrocher les cordes vocales. Cette fois le vent porte ma voix, ils m'ont tous entendu et galopent vers moi. Ils ont l'air surpris de me voir là : «Comment a-t-il pu réaliser cet étonnant tour de magie ?»

Je m'agenouille dans la neige et les chiens m'entourent. Je les embrasse un à un comme si je ne les avais pas vus depuis vingt ans. Je n'en reviens pas de les avoir retrouvés. Ils auraient pu suivre d'autres pistes, passer ici avant moi, s'arrêter…

Il y a un Dieu pour les mushers.

Le type du pick-up était vraiment sympa. Il a prévenu par radio une de ses connaissances, un trappeur nommé Bill qui a un camp pas loin d'ici et qui arrive en motoneige quelques minutes après que j'ai retrouvé les chiens.

— Une chance ! Avec ce blizzard j'étais à la cabane. Il y a qu'un fou de Français pour voyager par un temps pareil.

Je lui explique que je ne voyage pas vraiment. Que je suis engagé dans une sorte de course un peu débile et que d'ailleurs je commence à en avoir ma claque de courir et ça le fait bien rire, Bill.

— J'ai suivi ton expédition depuis le début par la radio. C'est fabuleux ce que tu fais avec tes chiens, il ne faut pas que tu te décourages.

— Où est ton camp ?

— À 6 kilomètres d'ici.

— Quelle direction ?

— La tienne.

— On y va.

J'ai besoin de réfléchir. Son camp — un bien grand mot — est une cabane de 4 mètres sur 3 dans laquelle règne un bordel indescriptible. Peaux et pièges cohabitent avec boîtes de conserve vides et revues pornographiques dont les posters tapissent les murs.

— Je te présente mes copines.

Elles sont nombreuses, belles et pas farouches. Apparemment assez porté sur la chose, le Bill a fait installer une télévision et un magnétoscope reliés à un groupe électrogène, qui lui permettent de visionner des cassettes « de charme » pendant les heures creuses. Une façon comme une autre de meubler sa solitude.

Il me parle de son métier qui ne paie plus, du gouvernement qu'il enverrait bien en enfer, et surtout de l'alcool auquel il ne touche plus et qui selon lui est le cancer du Grand Nord.

Ensuite, nous sortons les cartes et étudions l'itinéraire.

— Pour Hay River, tu as deux options. La route constamment déneigée et éventuellement la piste que tes copains ont tracée à côté mais qui doit être complètement comblée à présent, ou alors le Mackenzie jusqu'à Mills Camp. Ensuite il est impraticable.

— Pourquoi ?

— Du pack à perte de vue, des zones ouvertes, je te l'interdis ! Par contre si tu vas jusqu'à Mills Camp par le fleuve, il y a un bon chemin enneigé pour rejoindre la route. Et d'ici jusqu'à Mills Camp, ça devrait pas être si mauvais que ça, car le vent pousse dans le sens du fleuve. Tu n'auras pas de neige profonde.

J'hésite.

— Et je vais t'aider. Je dois aller à Mills Camp de toute façon, un copain à voir et des pièges à relever, je vais t'ouvrir la piste.

Je n'hésite plus.

— Le problème c'est que je dois repartir maintenant. Je viens de donner un long repos aux chiens et j'ai du retard. Il faut que je fonce.

— Je suis prêt ! J'embrasse les filles, je prépare ma luge et on y va.

— Est-ce que tu peux prévenir Fort Simpson avec ta radio que je change d'itinéraire ?

— C'est comme si c'était fait.

Dehors, le blizzard se calme un peu. Les chiens piaffent d'impatience et j'espère avoir choisi la bonne option. Bill a l'air de bien connaître son affaire mais je reste méfiant. Nous avons eu tant de mauvaises informations.

Il avait raison pour le fleuve. La piste régulièrement empruntée par des motoneiges, notamment par Bill et son copain de Mills Camp, est bonne. Le vent a chassé la neige non tassée de part et d'autre de la piste si bien qu'elle est légèrement sur-élevée.

Pendant deux heures, Bill reste juste devant moi, observant les chiens avec une grande attention puis il prend de l'avance pour aller remettre en place ses pièges que la neige a dissimulés.

Il m'attend vers 16 heures au bord d'un grand feu. La neige a cessé de tomber mais le vent s'est levé.

— On a déjà fait 80 kilomètres, c'est incroyable ce qu'ils vont vite tes chiens. Tu voudrais camper où ce soir ?

— Tu sais, je ne campe pas. Je dors quelques heures dans la neige lorsque les chiens commencent à relâcher un peu et puis je repars. Mills Camp est à combien de kilomètres d'ici ?

— C'est loin encore, on est à peine à mi-chemin.

— C'est parfait ! C'est exactement la distance qu'il nous faut.

— Non !

— Je vais rester ici 4 heures puis je file là-bas d'une seule traite. J'y serais vers 3 heures du matin.

— C'est dingue ! Je suis content de t'avoir accompagné et de voir ça.

Nous nous mettons d'accord sur un système de balisage avec des bâtons et le ruban qu'il utilise pour identifier ses pièges.

— J'en aurai surtout besoin quand on ne sera pas loin de Mills Camp, il doit y avoir des pistes dans tous les sens.

— C'est facile. Il y a une piste principale et une bifurcation vers le bois à l'endroit où un grand bateau est échoué sur la berge.

— Ça te paraît facile parce que tu connais, n'hésite pas à me laisser beaucoup de marques.

— T'inquiète pas.

— Bill, t'es vraiment un chic type.

Bill qui effectuait son plein d'essence se relève tout à coup, crispé, très en colère.

— Ne dis pas n'importe quoi ! Je suis ici pour moi et tu ne me connais pas ! J'ai fait quatre ans de tôle pour avoir tué un mec. Je ne suis pas du tout un chic type.

— Ça ne me gêne pas. Tu devais avoir tes raisons et si tu n'as fait que quatre ans pour ça, c'est que...

Bill s'est approché et m'attrape par le col de la veste.

— Maintenant on arrête de parler de ça, d'accord.

Je me dégage assez violemment et sans rien dire, je vais voir les chiens, distribuant quelques caresses et examinant leurs pieds.

Bill range ses affaires et s'en va sans un mot. C'est vraiment un drôle de type.

Vers 20 heures, après une courte sieste à côté de Torok qui m'a prêté son dos pour dormir, je lance les chiens sur la piste du tueur ! Pourvu qu'il ne m'ait pas laissé tomber... Mon appréhension est vite oubliée, à peine deux kilomètres plus loin, Bill a planté une première tige de saule avec un grand ruban jaune qui flotte dans le vent et au bout duquel un morceau de carton est attaché. Je le décroche au passage. Au dos un message : « Le type que j'ai tué avait violé ma sœur. Excuse-moi. Bill. »

Quel étrange personnage.

Si son histoire est vraie, je lui donne raison. Je suis assez partisan, dans certains cas, de faire justice soi-même. Je regrette un peu l'époque où l'on pouvait provoquer, en toute légalité et devant témoin, quelqu'un en duel. Si quelqu'un, un jour, touche à mes enfants, je n'hésiterai pas une seule seconde à lui régler son compte moi-même.

Le vent se calme et la neige se remet à tomber. Les chiens trottent joyeusement sur la piste et je suis bien, seul, dans la nuit qui nous enveloppe. Je ne me doute pas un seul instant de ce qui se trame en France, où l'AFP vient de diffuser ce communiqué :

« Nicolas Vanier, qui tente de traverser le Grand Nord canadien en moins de cent jours avec ses chiens de traîneau, est actuellement porté disparu. Il aurait perdu son attelage dans un furieux blizzard et son équipe est sans nouvelles de lui. La police montée canadienne estime qu'en raison de la température à laquelle s'ajoute le blizzard, ses chances de survie diminuent d'heure en heure. »

23.

Mills camp, −25 °C, 2 100 km

Je ne risque pas de me perdre. Bill a dû passer une bonne partie de la nuit à couper des tiges de saule et à les planter au bord de la piste.

La couche de neige s'épaissit d'heure en heure, dissimulant peu à peu les rubans, mais Voulk et Chip placés en tête trottent à bonne allure et entraînent sans hésitation l'attelage sur le bon chemin, d'une marque à une autre. J'ignore comment ils font, je suppose que la neige est imprégnée par l'odeur de la motoneige de Bill. Vers minuit la neige cesse de tomber, mais le ciel reste obstinément bouché et il fait très doux, à peine −25 °C. Je patine sans arrêt pour aider les chiens — vingt pas sur le pied droit puis vingt sur le pied gauche — deux minutes de repos et je recommence. Comme du ski de fond. Les dernières heures ressemblent à des jours. Je m'endors sur le traîneau lorsque j'aperçois enfin une lueur. Les chiens prennent immédiatement le grand galop, mais la nuit la lumière est trompeuse. Plus de 5 kilomètres nous en séparent.

Elle nous sauve cependant, car sans elle les chiens n'auraient sans doute pas eu le courage de nous sortir de la slutch. De l'eau jusqu'aux genoux, je les aide de toutes mes forces en poussant le traîneau. Dans ces cas-là, c'est incroyable la puissance que Torok peut développer. Il plonge dans son harnais, grogne en tirant de toutes ses forces comme pour encourager les autres et parfois avance de plusieurs mètres sur les deux pattes de derrière, comme un tracteur dont l'avant se lève lorsque la charrue accroche. À côté de lui, Oumiak, noyée dans la boue liquide, tente seulement de suivre, tout comme le pauvre Oukiok qui reçoit une belle correction lorsqu'on reprend pied : Nanook placé à côté de lui ne supporte pas les tire-au-flanc, surtout dans les coups durs.

— Arrête Nanook ! Arrête !

Je les sépare et les caresse tous les deux. Nanook ne comprend pas que je félicite le pauvre Oukiok qui a pourtant fait son possible. Nanook et Oukiok sur ce coup-là ressemblent à Alain et moi lorsqu'on tirait la luge. Mais nous les humains pardonnons les faiblesses, pas les chiens.

La lueur est une lampe que mon copain Bill a eu la bonne idée de placer à l'entrée du bois, là où une piste bifurque vers la cabane de son ami Louis. Je l'attrape au passage. Les chiens sont devenus fous car ils sentent la cabane et nous ne passons pas loin d'un grave accident lorsque dans un virage nous heurtons Bill qui, à toute vitesse, revenait vers nous. Il évite les deux chiens de tête de justesse en donnant un grand coup de guidon pour sortir de la piste et atterrir entre deux sapins !

— Je ne t'attendais pas si tôt. Je suis revenu parce que j'avais peur que tu te perdes avec la neige qui est tombée.

— Je t'ai dit que t'étais un chic type.

Bill le tueur me regarde avec de drôles d'yeux. Je n'ai aucune idée de ce qui lui passe par la tête. Je crois qu'il hésite entre me casser la gueule ou éclater de rire.

La motoneige est encastrée dans un buisson de saules, profondément enlisée dans la neige, et nous n'arrivons pas à la sortir.

— Je reviendrai avec Louis.

Ça me va très bien, car je n'en peux plus. J'ai faim, sommeil et surtout j'ai hâte de dételer les chiens et de les nourrir après cette formidable étape de 160 kilomètres qu'ils m'ont fait. Bill monte sur le patin et trois gamelles plus tard, nous arrivons à la cabane où le chien de Louis échappe de justesse à la meute hurlante en allant se réfugier dans sa niche. Lorsque Louis sort, il voit dix chiens en tas qui tentent de rentrer dans cette niche de un mètre carré, et un drôle de musher qui distribue des coups en hurlant alors que le traîneau, couché, a renversé un Bill grimaçant de douleur, parce qu'il a percuté son genou. Belle arrivée !

Tout rentre dans l'ordre sauf Bill dont le genou a doublé de volume.

— Désolé...

— Je ne pensais pas que c'était si dangereux le traîneau.

Il explique à Louis, hilare, comment se sont passés nos 3 kilomètres de bobsleigh pour venir jusqu'ici.

— Ses chiens sont incroyables. Une puissance !

Heureusement pour le genou de Bill, la glace est facile à trouver dans le Grand Nord et ce traitement agit efficacement. Au petit matin, il ne reste qu'un énorme hématome.

Louis est aussi peu bavard que Bill peut l'être. Ils se sont rencontrés à l'école, il y a 25 ans, et depuis ne se quittent plus, formant un drôle de couple.

Je pars de la cabane vers 11 heures, après quelques heures de sommeil. Bill m'ouvre la piste. Le chemin, qui a servi à débarder du bois pendant l'automne, est terrible. Ce ne sont que des ornières et les chiens souffrent autant que moi. Heureusement, sur les derniers quarante kilomètres, une piste parallèle a été tracée et vers 16 heures je retrouve la route que j'avais quittée après ma rencontre avec Bill. Celui-ci a disparu. Le reverrai-je jamais ?

Merci, Bill.

La neige me réveille à 20 heures. C'est ma chance. Une pellicule de 3-4 centimètres recouvre la route sur laquelle un peu plus tard les chiens trottent à vive allure, comme au stade, vers Hay River.

À 15 kilomètres par heure, les chiens de « seconde catégorie » comme Buck, Charlie, Oukiok, Amarok et Oumiak doivent être surveillés de près car le rythme imposé est un peu trop élevé pour eux. Je m'arrête quelques minutes toutes les heures pour leur laisser le temps de souffler, mais ces pauses paraissent superflues, sauf pour Buck, qui décroche assez rapidement. Dans une classe il y a toujours un cancre. C'est Buck. Lorsqu'il y a une bêtise à faire, c'est Buck. Un chien qui grogne alors que tout est calme, c'est Buck. Un chien qui s'emmêle au moment où il ne fallait surtout pas, c'est encore Buck. Un obstacle que tout l'attelage évite sauf un, c'est toujours Buck. C'est mon Rantanplan. Un musher «normal» s'en serait débarrassé depuis longtemps, mais je ne peux m'y résoudre. Il fait partie de la classe et à l'école, j'étais toujours avec les cancres. Je n'aime pas les gens qui sont trop sages. Mais cette nuit Buck n'a pas du tout envie de faire le mariolle. La queue basse, il fait semblant de tirer car Torok placé à côté de lui le surveille et grogne dès qu'il détend son trait. Au 60ᵉ kilomètre, je le dételle et lui aménage une place à l'arrière du traîneau.

La déception de ce voyage s'appelle Carmack. Je savais que c'était un glandeur, mais j'espérais que mis en situation il deviendrait un grand chien. Or, pour profiter du voyage, il en profite. Un enfant perpétuellement collé à la vitre de la voiture ! Il ne perd pas une miette du spectacle, mais il ne tire pas, ou alors tout à fait sporadiquement pour s'amuser ou aller plus rapidement observer quelque chose qui l'intrigue un peu plus loin.

— Carmack !

Obéissant, il s'enfonce dans son harnais et tire pendant cinq minutes. L'élastique individuel, amortisseur de choc, permet aussi de mesurer la force de traction de chaque chien. Avec les simulateurs aussi talentueux que Carmack, c'est un outil formidable. Comparé à ceux de Torok, Nanook ou Baïkal, l'élastique de Carmack, exagérément court, le trahit.

J'aime ce chien, parce qu'il est beau, joueur ; parce qu'il ressemble à Otchum ; parce qu'il est toujours de bonne humeur ; parce que c'est Carmack. Mais cette nuit, il m'énerve.

— On est en course, Carmack ! Tire, nom de Dieu !

Tout à coup, l'ampoule de ma lampe frontale grille, me plongeant dans le noir le plus complet. Sur une route l'incident est minime. J'ai toujours à portée de la main une deuxième frontale, avec pile et ampoule neuve et même, au cas où celle-ci ne fonctionnerait pas, une troisième frontale de secours. Je me suis retrouvé une fois à court d'ampoule, plongé pendant des heures dans une nuit d'encre et depuis je suis devenu un maniaque de la lumière. Même chose pour le feu. Un jour par −40 °C, j'ai été obligé d'allumer un feu sans allumettes (elles étaient mouillées). Le principe est connu, avec une tige et une ficelle on fabrique un arc avec lequel on fait tourner à grande vitesse une baguette bien sèche, taillée en pointe, au milieu de copeaux disposés au creux d'une encoche faite dans une bûche. Avec de l'expérience, on arrive à produire de minuscules tisons, puis, en disposant dessus des herbes sèches et en les attisant, une flamme.

Lorsque l'on m'avait demandé de donner un cours de survie à des jeunes s'apprêtant à vivre une expérience canadienne, je leur avais montré comment faire un feu puis, par groupes de deux, ils s'y étaient essayé pendant des heures avant qu'un seul groupe réussisse.

— Je ne vous ai pas montré cela pour que vous sachiez faire un feu, mais pour que vous n'oubliiez jamais de porter sur vous des allumettes protégées de l'humidité.

J'espère que la leçon leur a été aussi profitable qu'à moi. Je ne suis plus jamais à court d'allumettes sèches. À l'arrière du traîneau, je change la pile et l'ampoule de ma lampe frontale, que je replace sur ma tête pour l'essayer. Ce que je vois est sidérant. Je n'ai plus que quatre chiens ! C'est pas possible, je suis en train de rêver. Je m'arrête et les chiens qu'il me reste me regardent avec un air contrit : « C'est pas nous, on y est pour rien. » La ligne de trait a cédé. C'est de ma faute. J'aurais dû la vérifier après l'accident de l'arrivée à Mills Camp. Il y avait des morceaux de ferraille partout et Oumiak s'était un peu coupé la cuisse sur l'un d'eux. Je n'ai aucune idée de ce que les six chiens vont faire, ce qu'il y a de certain c'est qu'ils ont continué et je lance mon petit attelage à leur poursuite.

Admirable. Deux kilomètres plus loin, ils sont là, tous les six, assis ou couchés, bien sagement sur la route, en ordre. Pour un peu, ils me feraient un salut militaire en claquant leurs pattes.

— À vos ordres, mon colonel.

— C'est bien les chiens, c'est très bien.

Ils remuent la queue parce qu'ils sont contents d'eux et surtout parce qu'ils avaient peur de se faire engueuler.

— Allez, on va en profiter pour faire la pause.

Un feu, quelques caresses et deux ou trois snacks plus tard, nous repartons. Je croise deux camions vers 4 heures du matin et le second s'arrête à ma hauteur.

— Are you the french musher ?

— My name is Nicolas

Je lui tends la main et il m'échange un café et des gâteaux contre un autographe signé sur le journal du coin qui parle de l'odyssée blanche. C'est pas cher.

À 5 h 30, les chasse-neige entrent en action. La route devient inutilisable et la piste qu'Alain et Marc ont tracée sur le bas-côté est totalement comblée par la tempête. De toute façon, les chiens viennent de courir une distance de 360 kilomètres en 48 heures et méritent un repos d'au moins 8 heures. Moi aussi. On fera notre entrée à Hay River plus tard. Je laisse mon traîneau bien en vue sur une congère et je suis en train de refermer avec soulagement le zip de mon sac de couchage lorsque Pierre débarque, complètement survolté. Il me cherche depuis plus de trente heures, n'ayant jamais reçu le message radio par lequel je l'informais du changement d'itinéraire ! Sa seule piste était l'appel, assez inquiétant, de l'automobiliste au pick-up, selon lequel j'aurais perdu mes chiens et courrais à leur poursuite dans le blizzard, sur le Mackenzie !

En France, la nouvelle, diffusée tous les quarts d'heure sur France Info, et bientôt reprise par toutes les radios et télés, a fait… boule de neige, et «je suis porté disparu avec de très faibles chances qu'on me retrouve vivant».

Je suis vivant mais fatigué et Pierre me laisse m'endormir. Les chiens eux dorment depuis deux heures, le ventre plein, les pattes pommadées et les muscles longuement massés.

24.

Fort Smith, −40 °C, 2 950 km

Hay River-Fort Smith est une sale étape, inintéressante, fatigante, lassante, décourageante. Pour aller vite, pas d'autre solution que d'utiliser le bas-côté de la route constamment en dévers, truffé de cailloux, coupé par de nombreux ruisseaux et surtout terriblement ennuyeux. Deux motoneiges ne sont pas suffisantes pour « travailler » la piste comme il conviendrait : la première trace n'est pas assez large et la deuxième, faite à côté, crée un bourrelet qu'il faudrait écraser avec une troisième machine. Or, à Hay River, deux motoneiges seulement étaient en état de repartir avant moi, les quatres autres, immobilisées dans le garage, attendaient des pièces de rechange, chenille, ski, carburateur ou démarreur. Ces pannes perpétuelles explosent notre budget (d'autant plus que malgré nos multiples appels au secours, Yamaha refuse de nous aider) et surtout compromettent la réussite de l'expédition.

J'en bave pour rien, et je m'énerve. Arriverons-nous un jour à ce que les six motoneiges préparent une belle piste ?

Elle arrive enfin cette piste de rêve dans le « Buffalo Pack » que nous traversons 3 jours plus tard, après 24 heures de repos à Fort Smith. Une piste merveilleuse car des trappeurs l'empruntent régulièrement et par −40 °C, c'est le paradis, dure à souhait, idéale pour les chiens. Nous croisons des multitudes de pistes de lièvres, élans et bisons et les chiens s'éclatent comme des élèves en récréation. Les étendues sauvages que nous traversons sont féeriques avec une multitude de lacs, de clairières, de rivières et de marais et de belles forêts de pins, de bouleaux et de trembles.

C'est avec émerveillement que je découvre ces paysages qui se révèlent au fur et à mesure que le jour se lève. Une journée parfaite, froide, sans vent et que réchauffe bientôt un soleil généreux dans un ciel bleu d'une étonnante limpidité.

Je m'arrête quelques heures en milieu de journée puis repars vers Fort Chipewyan, réalisant une étape de 145 kilomètres. Didier et Raphaël me rejoignent une dizaine de kilomètres avant le village et m'escortent comme le font en mer les « abeilles » qui prennent en charge les navires pour les diriger vers le port et les aider à accoster.

Notre accostage est parfait. J'avais vraiment besoin de cette journée pour me réconcilier avec cette expédition.

Ce détour par Fort Chipewyan pour aller chercher le lac Athabasca à son extrémité sud n'était pas prévu et nous coûte 150 kilomètres, mais le raccourci que nous espérions prendre nous a été fortement déconseillé par le trappeur opérant dans cet endroit. Un feu de forêt a ravagé la zone et le bois ressemble à un mikado géant à travers lequel il est difficilement possible de voyager à plus d'un kilomètre à... l'heure.

Les 3 jours que j'avais si durement repris sur ma semaine de retard par rapport à mon programme initial se réduisent donc à 2. Je commence à sérieusement douter qu'il soit possible d'atteindre Québec en moins de 100 jours. Pour ce faire, il me faudrait atteindre Churchill à la date prévue le 15 février, soit plus de 1 200 kilomètres à effectuer en 12 jours car les distances journalières à franchir ensuite sont démentielles.

Repartir de Churchill avec un handicap reviendrait à prendre le départ d'un marathon avec une heure de retard. En consultant les cartes et surtout en calculant les distances, je suis effrayé par l'énormité de ce qu'il reste à accomplir alors que j'ai l'impression d'avoir déjà fait trois fois le tour du Canada !

Nous avons fait 3 500 kilomètres en 40 jours. Il en reste 5 000 pour Québec... Il ne faut pas y penser mais seulement se concentrer sur le lac Athabasca, l'étape du jour. C'est amplement suffisant. Raphaël, qui l'a reconnu en motoneige, me l'a promis :

— Une étape sans histoires. C'est plat, c'est tout droit, c'est dur, c'est du gâteau.

Mais le lendemain, quand nous partons vers 4 heures du matin, le vent s'est levé et transforme peu à peu la surface idéale du lac en une mer dont les vagues sont des congères.

Une dizaine de mètres sur la glace bleue et plouf, une congère dans laquelle les chiens plongent en brassant parfois jusqu'au poitrail, et le traîneau se bloque comme une voiture dans le sable. Puis de nouveau la glace sur laquelle nous reprenons de la vitesse et replouf, et ainsi de suite des milliers de fois. Pour conserver au mieux le rythme, je saute du traîneau un mètre avant chaque congère et la traverse en le poussant jusqu'à la glace où je remonte sur les patins pour quelques mètres. C'est épuisant et très démoralisant d'autant plus que sur cette mer de neige on n'a pas la sensation d'avancer sauf lorsque l'on dépasse un repère : une île ou une avancée de terre. Deux jours comme ça. Le second pire que le premier, avec un vent terrible qui me fouette le visage et bouscule les chiens. Heureusement, après 200 kilomètres plein nord, nous atteignons une zone du lac au relief très accidenté. Les berges complètement déchiquetées forment une myriade de presqu'îles et de criques où les poissons pullulent. Deux villages minuscules abritant quelques familles de pêcheurs complètement isolés du reste du monde sont reliés en hiver par un sentier qui passe d'une crique à l'autre à travers bois. C'est magnifique et surtout extrêmement varié. Il était temps car les chiens s'ennuyaient ferme sur ce lac.

Pour une fois, sinon la première, notre organisation fonctionne à peu près. Pierre, Raphaël et Didier ont repris la charge de pisteurs d'Alain et Marc, lesquels vont se rendre à Wollas-

181

ton en camion, par des ice-roads, après un grand détour par le sud. Wollaston est le dernier village accessible par la route sur notre itinéraire avant le Québec. Le camion confié à Bob effectuera ensuite un grand voyage de 3 000 kilomètres jusqu'au Québec.

Le reste de l'équipe, Thomas, Emmanuel et Alvaro, voyage à son rythme, en utilisant les motoneiges pour filmer et photographier tout ce que ce lac renferme de trésors, comme ces truites d'un mètre de long qu'un pêcheur sort de son filet le matin où je quitte son village.

— Cette truite n'est pas grosse, elle pèse à peine 12 kilos ! Une grosse truite est une truite de 25 kilos, m'explique ce pêcheur qui en offre aux chiens une bonne cinquantaine de kilos.

— Je n'en ai jamais vu d'aussi grosses, en aussi grande quantité, lui dis-je.

— Reviens au printemps, lorsque la glace fond. On en prend minimum 200 kilos par personne et par jour à la ligne.

Le rendez-vous est pris. C'est un genre de pêche que j'aime d'autant plus que ce paysage dentelé, constitué d'une multitude de promontoires rocheux habillés d'arbres qui s'avancent dans l'eau, doit être, en été, absolument sublime.

« Fond du lac », c'est le nom du village qui se trouve au... fond du lac Athabasca et dans lequel Bob et moi échouons un soir. Bob était venu à ma rencontre pour m'aider à négocier ce village difficile car littéralement envahi par les chiens errants. Lorsqu'il me conseille d'attacher la meute à une corde pour les retenir en cas de coup dur, il est trop tard. Les chiens ont déjà mis le turbo et nous pénétrons en trombe dans le village où quelques dizaines d'Indiens ahuris nous regardent passer. S'il existe un record du monde de la traversée de Fond du lac en traîneau, nous l'avons explosé. La fin de l'histoire est bien celle que je redoutais. La meute prend pour cible un pauvre chien qui se trouvait là par hasard et c'est la curée. Heureusement, Thomas, qui filmait l'arrivée, intervient énergiquement avec Bob et nous réussissons à sauver la vie du chien.

Dans la nuit le vent se lève et efface totalement la piste si bien que nous brassons toute la journée du lendemain dans la neige fraîche pour atteindre Stony Rapid d'où je repars vers 4 heures du matin en direction de Black Lake mais cette fois sur une piste parfaite, régulièrement empruntée par les Indiens.

Plus de 320 kilomètres me séparent alors de Wollaston que j'espère atteindre en moins de 3 jours. La température à – 35 °C est bonne et les chiens m'impressionnent chaque jour davantage. J'ai aujourd'hui l'intime conviction qu'ils ont compris l'expédition, qu'ils ont intégré le rythme et s'y sont adaptés en dosant leurs efforts, en gérant au mieux leurs périodes de repos et en ingurgitant autant de calories qu'ils le peuvent, quitte à manger de temps à autre sans appétit. S'il est besoin de prouver la qualité de la nourriture préparée par les ingénieurs de Pedigree, c'est aujourd'hui chose faite. Malgré le rythme insensé, le froid, le nombre de kilomètres déjà effectués et les difficultés, les chiens n'ont pas maigri. Ils sont magnifiquement en forme. Les muscles saillants sous un poil superbe, épais et brillant, mes athlètes deviennent de village en village les héros qu'on attend, qu'on admire, qu'on prend en photo. Leur cote grimpe en flèche et pour posséder un reproducteur dont tout le village profitera, plusieurs personnes se cotisent et me proposent des sommes énormes. Mais ils ne sont pas à vendre, même pour leur poids en or, car mes chiens valent plus que de l'or dans mon cœur. Je connais tout d'eux, leur respiration et leur haleine. Je peux reconnaître chacun les yeux fermés, rien qu'en massant son dos. La nuit, un seul aboiement me suffit pour identifier celui qui l'a lancé. Toutes ces heures que nous passons ensemble à courir et glisser en silence dans des solitudes blanches sont comme un dialogue silencieux qui renforce notre complicité. C'est elle qui me porte car je suis fatigué. Une vraie fatigue, résultant d'un surmenage quotidien auquel s'ajoute une carence de sommeil trop importante. Mes forces diminuent peu à peu et je sens mon corps se vider comme une bouteille. Mais je n'ai pas le choix, pas d'autres possibilités que de continuer ou d'abandonner car baisser un peu le rythme c'est signer l'échec dès aujourd'hui. Alors chaque jour je continue un jour de plus mais la souffrance grandit.

Après une étape exténuante de 120 kilomètres à travers un paysage de collines que j'ai gravies les unes après les autres en courant derrière le traîneau, je suis enfin couché, douillettement installé dans mon sac de couchage, lorsque le réveil sonne. J'ai l'impression que je viens de fermer les yeux, mais je dors depuis quatre heures et il faut repartir. S'extraire du sac de couchage bien chaud pour se replonger dans la nuit, le froid et la course est un supplice. Alors il ne faut surtout pas hésiter. Pas une seule seconde. Aussitôt que le réveil sonne, encore étourdi, les yeux fermés de sommeil, le corps courbaturé, je me lève et le froid me bouscule. Il faut faire vite, allumer le feu préparé à l'avance puis s'habiller. Le seul plaisir vient après. C'est le café chaud. Les chiens s'ébrouent et certains manifestent par des gémissements plus ou moins étouffés leur envie de repartir.

— On y va les chiens ! On y va bientôt.

Leur excitation crée une émulation qui me gagne.

Et dans la nuit nous repartons. Sur le traîneau mes yeux se ferment et mes muscles se plaignent mais je tiens bon. Jusqu'à quand ? Je me rends bien compte aujourd'hui de la folie de ce rythme. Je sais que je n'irai pas jusqu'au bout.

Il reste 800 kilomètres pour Churchill. Il faut tenir jusque là. Tenir. Tenir.

25.

Saskatchewan, Wollaston, −45 °C, 3 900 km

C'est une arrivée d'étape qui ressemble à un générique de fin de film. Il fait −45 °C et le soleil en feu se couche lorsque j'arrive, allumant comme des torches au-dessus des chiens dont la respiration se fige dans l'air glacial. Une route est balisée sur la glace du lac, et les Indiens du village de Wollaston qui m'ont vu apparaître au loin arrivent en véhicule 4×4, formant une belle escorte à laquelle s'ajoutent bientôt quelques dizaines de moto-neiges. Ils ne me regardent pas. Ils sont curieux des chiens et ce sont eux qu'ils admirent. Voulk et Chip, placés en tête, ont vu les premiers le village et ont pris le galop. Aussitôt, le reste de la meute a relevé la tête. Ils aperçoivent les fumées montant en rougissant au-dessus des petites maisons en bois, et ils bombent le torse, fiers et conquérants. Ce n'est pas une meute de chiens, c'est une meute de loubards frimeurs et orgueilleux qui entre dans le village. Ils m'amusent mes athlètes qui affichent leur supériorité avec une telle arrogance. Le port de tête altier, cette façon qu'ils ont de trotter en remontant haut les pattes comme des chevaux à l'exercice, ce poil qu'ils gonflent à l'excès sur le dos m'allument des étoiles de fierté dans les yeux car je vois briller de convoitise ceux des Indiens. Ils s'attendaient à voir arriver un attelage éreinté, des chiens maigres et effrayés, le regard vide. Ils savent d'où je suis parti le matin. Un trappeur leur a radiotéléphoné ma position à 135 kilomètres du village et ils n'en reviennent pas de me voir si tôt, si vite et surtout avec des chiens affichant une telle forme. Lorsque je m'arrête devant l'école, une foule m'attend et encercle aussitôt l'attelage. On veut toucher, caresser, féliciter. C'est une fête et les chiens goûtent les honneurs avec une condescendance remarquable. Je dételle rapidement et m'effondre. Je suis au bout et Pierre s'en rend compte.

— Ça va pas ?

— J'en peux plus

— Il ne reste plus que dix jours pour Churchill, il faut tenir. Tout est bien organisé, la piste devrait être bonne.

— On me dit ça depuis le départ et à chaque fois, il y a quelque chose qui cloche.

Depuis que nous sommes entrés en territoire exclusivement indien, ceux-ci accompagnent les pisteurs depuis leur village jusqu'au suivant et ainsi de suite, formant une chaîne dont on dit « qu'elle n'a jamais que la force de son maillon le plus faible ». Généralement les guides indiens qui se proposent spontanément et bénévolement pour accompagner les motoneigistes le font pour apporter leur contribution à une expédition qui les passionne car elle fait partie de leur culture.

— Mon père avait des chiens et il a fait ce voyage en quatre jours, disent-ils.

— Je le ferai en un jour

Et ils veulent voir ça. Ils n'y croient pas mais sont intrigués car la réputation de l'attelage arrive maintenant bien avant nous dans les villages. Les distances dont on parle à la radio, les exploits relatés restent très abstraits, Skagway-Wollaston soit plus de 4 500 kilomètres en 50 jours ne représente rien pour eux. En revanche Wollaston-Lac Brochet (135 kilomètres) en une seule journée, voilà qui éveille leur intérêt, attise leur curiosité.

En principe les mariages entre ces guides et nos motoneigistes pour une étape de un à quatre jours fonctionnent bien car le respect est mutuel et chacun trouve son compte dans cette expérience partagée. L'ingérable est l'Indien dans sa capacité à calculer, or dans notre course contre la montre pour arriver à Québec, il faut compter sans arrêt, les kilomètres et les heures. Autant demander à un poisson de monter sur un vélo.

— Demain départ à 4 heures.

L'Indien dit oui et à 9 heures lorsqu'on le trouve enfin en train de réparer un filet de pêche chez son cousin, il se moque du Blanc si pressé. Lui se rappelle seulement qu'il doit partir ce matin, si le vent ne souffle pas, s'il ne fait pas trop froid, si sa motoneige démarre, si son oncle lui prête un toboggan, si son frère a pu relever les pièges qu'il a posés et s'il en a toujours envie.

Une fois de plus, l'équipe réunie lave son linge sale et c'est étonnant de voir comment chacun peut vivre son aventure. Il y a Alain et Marc qui ont amené le camion jusqu'ici sur des routes de glace insensées, roulant dans vingt centimètres de neige profonde, bloqués dans la nuit sur un pont branlant. Il y a Pierre, Raphaël et Didier qui ont ouvert la piste et qui ayant peur d'être en retard ont pris trop d'avance ; enfin il y a Bob, Alvaro, Thomas et Emmanuel qui ont fait équipe devant moi pour filmer et confirmer la trace, et se sont retrouvés pisteurs car tout ce qu'avaient fait les autres était effacé. Derrière, il y a les chiens qui réalisent l'exploit insensé de courir des distances quotidiennes de plus de 100 kilomètres sur des mauvaises pistes et sont en train de grignoter le retard.

Et même si toute l'équipe veut les aider parce qu'ils méritent une belle piste, la plus dure possible et la plus courte possible, les résultats, quelles que soient l'énergie et la volonté déployées, sont décourageants.

Pourtant, sur le papier, hier, l'organisation était parfaite. Dès 2 heures du matin, Didier et Marc fileraient jusqu'au Lac Brochet d'où ils repartiraient dans l'après-midi pour ouvrir la piste jusqu'au village suivant, prenant plus de 24 heures d'avance. Entre eux et moi, Bob, Thomas et Emmanuel confirmeraient la piste au cas où le vent ou la neige l'aurait recouverte. Résultat des courses : Marc et Didier sont partis en retard et tout ce beau monde se retrouve sur un lac à tourner en rond dans le brouillard à la recherche d'une piste hypothétique que des Indiens auraient tracée la veille. La piste est effroyable — les chiens brassent dedans comme dans de la mousse. Pour les aider, je marche derrière le traîneau et m'épuise aussi.

Un classique du genre. Une journée type de l'Odyssée blanche.

Notre salut vient d'un Indien arrivant en sens inverse. Il a quitté le Lac Brochet le matin même pour Wollaston, en déroulant derrière lui une trace qu'il nous suffit de suivre. Elle est molle au début mais le froid travaille et deux heures plus tard, les chiens tiennent dessus. Alors, comme pour prouver ce dont ils sont capables lorsqu'on leur en donne les moyens, ils accélèrent, puis tiennent le rythme pendant 60 kilomètres.

Bob m'attend au bord d'un feu et cette petite pause dans la nuit tombante me fait le plus grand bien. Je m'allonge dans la neige et dort une demi-heure avant de reprendre la piste vers le Lac Brochet. C'est une belle nuit froide, avec des aurores boréales flamboyantes qui traversent le ciel. Si je n'étais pas si fatigué, je pourrais en profiter car la piste est parfaite, large et dure, et les chiens trottent joyeusement, comme des métronomes, bien en rythme, sans à-coups. Étoile filante dans la nuit, notre petit bateau des neiges traverse l'immensité.

Bob qui a filé devant après la pause m'avait promis de venir à ma rencontre pour m'escorter à l'arrivée dans le village, mais à 23 heures, lorsque apparaissent au loin les lumières, je ne vois personne. Alors, malgré la fatigue et l'envie irrésistible que les chiens et moi avons d'en finir avec cette longue étape, je m'arrête au bord d'une île pour attendre ; car j'ai peur des villages, des chiens errants, des rues verglacées, des virages à angle droit, de tout, et où aller ? Je n'en ai pas la moindre idée. Alain m'a seulement laissé un mot, attaché sur un bâton au milieu de la piste, pour me dire qu'un Indien rencontré sur la route lui a proposé de nous héberger pour la nuit. Au bout d'un quart d'heure, je craque. Les chiens piaffent d'impatience et moi aussi. C'est au grand galop malgré mes cris et le frein sur lequel je pèse de tout mon poids que nous entrons dans le village où des chiens se mettent à aboyer de toutes parts. L'horreur ! L'attelage devient fou, incontrôlable, et galope, cherchant un adversaire dans les rues désertes. Il en trouve un près d'un garage où le traîneau percute un 4×4 puis un autre dans une sorte de trou au fond duquel nous culbutons dans une belle pagaille. Je hurle, je tape mais les chiens, aussitôt démêlés, repartent de plus belle. Dans l'attelage, quelques-uns, Voulk, Nanook, Oukiok ou Chip, s'arrêteraient au commandement mais il y a les autres qui profitent de l'effet de masse pour s'offrir une charge digne d'une bande de Gaulois dans *Astérix*.

Alerté par les cris, un Indien passe enfin devant moi pour m'indiquer la maison de celui qui nous héberge et les chiens qui se sont un peu calmés le suivent. Je m'arrête, tremblant de peur et de fatigue.

26.

Manitoba, Lac Brochet, −40 °C, 4 400 km

Lac Brochet comme Tadoule Lake sont de minuscules villages indiens isolés au milieu de nulle part, dans l'immense no man's land qui s'étend sur des centaines de kilomètres carrés entre le lac Athabasca et la baie d'Hudson. C'est le royaume des lacs. Il y a plus d'eau que de terre et pour aller d'un point à un autre, on enchaîne les lacs, petits et grands, les uns après les autres, reliés entre eux par des sentiers de portage que les Indiens entretiennent et empruntent depuis des générations.

Autrefois, les Indiens chipewyan voyageaient dans des canoës faits en écorce de bouleau qu'ils transportaient sur leur dos d'un lac à l'autre. En hiver, ils utilisaient ces sentiers avec leurs chiens attelés par 4 ou 5 à la queue leu leu devant une petite luge en bois chargée de leur matériel. Eux marchaient en raquette, devant l'attelage dans la neige vierge pour damer la piste, ou derrière lui si la trace était dure.

Les Indiens chipewyan recherchent actuellement les hardes de caribous qui devraient venir prendre leurs quartiers d'hiver dans la région. Mais, cette année, à cause du manque de neige, les caribous sont en retard, les hardes ont prolongé leur séjour dans la toundra, le lichen restant accessible. C'est notre chance car de nombreux Indiens voyagent en motoneige à leur recherche, damant et entretenant une belle piste que j'emprunte sur plus de 250 kilomètres depuis Lac Brochet jusqu'à Tadoule Lake. Heureusement car une fois de plus l'avance des pisteurs n'était pas suffisante. Lorsqu'ils sont arrivés à Lac Brochet le magasin distribuant l'essence était fermé, le guide censé les emmener, introuvable, et ils n'avaient pas vraiment cherché à repartir le soir, persuadés que je n'effectuerais pas l'étape en une seule journée. Le départ finalement programmé le lendemain à l'aube s'est fait avec trois heures de retard... et je commence à craquer. J'ai été les voir les uns après les autres pour leur parler.

— Écoutez, Marc, Didier. Ça ne doit pas recommencer d'ici Churchill. J'en peux plus et les chiens vont finir par craquer aussi à brasser toute la journée sur des pistes molles. Ces kilomètres il faut que vous les fassiez de toute façon et ça ne change rien pour vous de les faire avec 24 heures d'avance plutôt que 2. Or, pour nous la différence est incalculable... Chaque jour, je perds des heures qui sont autant d'heures de repos en moins pour moi et les chiens. Je sais bien qu'il y a les pannes, l'essence, les Indiens, mais chacun ses problèmes. À vous de les gérer, d'anticiper. Il n'y a pas de « c'est la faute à ceci-cela ». Chacun est responsable de son truc. Est-ce qu'hier sous prétexte que vous vous êtes perdus, que vous étiez en retard, que j'étais fatigué, que ceci ou cela, je n'ai pas fait les 135 kilomètres prévus ?

Alain, qui écoute, insiste auprès de Marc et Didier :

— Il y a une seule chose qu'il faut garder en tête : les chiens, ce sont eux les derniers maillons de la chaîne et ce sont eux qui dérouillent lorsque ça cafouille.

Et c'est vrai. Depuis le départ, les chiens ont toujours respecté le programme, quoi qu'il arrive, et pour les motoneigistes c'est devenu une habitude que de les voir réaliser leur étape. Alors à quoi bon changer quelque chose ?

Les chiens aiment ce genre de paysage. Cette succession de lacs sur lesquels la progression est régulière et ces portages où le sentier serpente entre les arbres avec souvent une montée et une descente qui leur servent de récréation. Le thermomètre oscille entre −25 °C et −40 °C, idéal pour progresser.

Le meilleur investissement de l'expédition a été fait dans la région du lac Athabasca auprès d'un musher qui a fabriqué pour nous une cage de transport pour quatre chiens. Attelée derrière une motoneige, cette cage nous a fait réaliser d'énormes économies puisque nous envisagions de transporter les quatre chiens fatigués et/ou en convalescence par avion, notamment avec Pierre et Raphaël qui se sont directement rendus à Churchill pour organiser la suite. C'est Bob qui se charge de la cage et cette tâche lui sied bien car c'est un remarquable conducteur de motoneige, qui plus est amoureux des chiens. Il les conduit avec délicatesse et s'en occupe merveilleusement bien. Pawnee, atteint d'une pneumonie en début d'expédition, s'est ensuite coincé la patte dans une chaîne et malgré quelques tentatives ne peut plus réaliser de grandes étapes. Il est donc abonné à la cage à l'exception de petites distances où je l'attelle pour son plaisir. Les chiens les moins costauds tels que Oumiak, Charlie, Amarok, Oukiok et Buck se relaient. Ils peuvent ainsi suivre le rythme des grands en s'octroyant des phases de repos plus longues. Par contre, Torok, Voulk, Nanook et les autres ignorent la cage. Lorsque nous essayons d'y mettre Torok pour une étape car il s'est blessé légèrement à une patte, il hurle à la mort, gratte la porte en s'arrachant les ongles, mord les côtés, tant et si bien qu'il faut le ressortir au moment de partir pour qu'il réintègre l'attelage. Son regard mauvais me dit que je n'ai pas intérêt à renouveler l'expérience. Il est vexé de l'affront que je viens de lui faire.

— Moi, Torok, me mettre en cage avec les mioches !
Idem pour Baïkal. Ces chiens ont trop de fierté.

Lorsque nous arrivons dans les villages à l'endroit où Bob a attaché les quatre chiens, c'est assez émouvant de voir avec quelle joie l'attelage les retrouve. Ce sont des embrassades, des léchouilles, des ruades et des gémissements, parfois même une petite bagarre pour faire bonne mesure. C'est la cause d'un accident qui aurait pu mal tourner. Il était 2 heures du matin et j'arrivais enfin au terme des 110 kilomètres que je m'étais fixés pour me rendre jusqu'à une petite cabane de pêcheur indien située au bord d'un grand lac. Les chiens allaient à leur rythme et je luttais contre le sommeil en trottinant derrière le traîneau. Une petite colline séparait deux lacs à travers laquelle un sentier trouvait un chemin entre les arbres. Au sommet, la pente déclinait rapidement jusqu'au lac qu'on apercevait au loin ; grande, blanche, la lune illuminait la nuit. Les chiens accélérèrent tout à coup et s'engagèrent dans la pente comme des boulets de canon. Impossible de les freiner car dans le premier virage assez serré le traîneau aurait été se fracasser contre un arbre. Pour ne pas couper l'intérieur d'un virage, il faut utiliser l'inertie du traîneau, emporté sur sa lancée, pour chercher l'extérieur. Dans un virage à angle réduit on exerce une forte pression en poussant le traîneau pour créer un mou dans le trait (entre le traîneau et les deux premiers chiens) et le lancer dans le virage. Cette exercice doit être réalisé simultanément avec celui très périlleux consistant à sauter du ski intérieur (pour la prise de carre) au ski extérieur afin d'éviter au traîneau de se renverser lorsque le trait le ramènera brusquement vers l'intérieur de la courbe. Un dosage savant permet de négocier des virages difficiles à condition que les chiens aillent doucement puisque le traîneau doit aller plus vite qu'eux en rentrant dans les virages. Ce qui devient impossible à réaliser si les chiens vont au triple galop.

On comprendra dès lors le cauchemar que représente cette descente infernale au terme de 110 kilomètres de course, la vue brouillée par le masque de glace et de givre me recouvrant le visage, n'apercevant les arbres qu'au dernier moment dans le faisceau de ma lampe avec des chiens surexcités en plein galop !

Un virage, deux, trois... dix, certains miraculeux, d'autres assez joliment réalisés et c'est le crash, d'une violence inouïe. Je l'avais bien repéré ce gros sapin, quelques dixièmes de seconde avant que les chiens s'engagent autour de lui, et je pensais avoir le temps de passer le traîneau pour le contourner, mais à une telle vitesse mon **pied** qui cherchait l'appui a ripé et bong ! un choc effroyable et je m'envole au-dessus du traîneau, puis des chiens, et atterris une bonne quinzaine de mètres plus loin, complètement sonné, entre deux sapins qui ne se sont miraculeusement pas trouvés sur la trajectoire de mon vol plané ! Il me faut une bonne minute pour retrouver un peu de souffle, cinq de plus pour me rappeler où se trouve le bas et le haut et encore quelques minutes pour parvenir à me remettre debout. J'arrive en titubant près du traîneau dont l'avant est complètement explosé. Heureusement c'est le pare-chocs, très bien conçu, qui a pris le maximum. Il y a autre chose de bizarre ! une sensation étrange que quelque chose cloche sans parvenir à trouver de quoi il s'agit. Je tourne autour du traîneau un petit moment avant de comprendre.

— Les chiens !

Il n'y a plus de chiens ! Ça devient une manie... Le trait s'est rompu net. Ça pourrait être drôle si ce n'était pas tragique, car les chiens, livrés à eux-mêmes, vont continuer jusqu'à ce que les cordes de trait s'emmêlent autour d'eux et ils pourraient s'étrangler. Et puis je suis au bout physiquement et je ne sais pas combien de temps je vais pouvoir marcher. J'ai froid, très froid car la transpiration se fige autour de moi. J'hésite à allumer un feu mais je décide de me mettre en marche immédiatement. J'ai trop peur pour les chiens. J'espérais vaguement qu'ils s'apercevraient du problème et m'attendraient mais ils ont continué et ça peut durer longtemps. En arrivant en bas de la colline, j'aperçois une lueur ! Un feu. Celui de mes copains qui m'attendent près de la cabane. Ils ont récupéré les chiens et Alain rit encore.

— Tu aurais vu Thomas. Il a vu les chiens débouler autour du feu et il te cherchait partout en t'appelant. On ne comprenait pas.

Je raconte mon accident. Alain me conduit à la cabane où je m'effondre.

— Tu verrais ta gueule, mon vieux. T'as pris vingt ans, tu as des valises sous les yeux, des rides partout. C'est effrayant.

— Tu n'es pas mieux, tu sais

Alain me regarde et il a l'air inquiet.

— Ça va ?

— ...

Ai-je vraiment besoin de lui répondre ?

27.

Tadoule Lake, −28 °C, 4 600 km

Thomas a passé une bonne partie de la nuit à réparer mon traîneau en ligaturant des attelles de bois autour des pièces cassées. Pourtant, lui aussi n'est plus très beau à voir ! Le visage émacié par la fatigue, les yeux rougis par le manque de sommeil, il ressemble plus à un zombie qu'à un cameraman mais il tient bon. Emmanuel est sans doute celui qui supporte le mieux le choc de nous tous. Son endurance m'impressionne. Il est toujours là, prêt à rendre service, et sa bonne humeur rayonne sur les autres, c'est un équipier exceptionnel. Avec Thomas, ils forment une équipe de deux galériens ramant sur le même navire. Une motoneige qu'ils conduisent à tour de rôle derrière laquelle ils trimballent, sur une luge, tout leur équipement. On n'imaginera jamais ce qu'il faut de courage et de persévérance pour tourner des images dans des conditions pareilles. Puisse le film les récompenser un jour du mal qu'ils se donnent. Alain devient une mère pour moi. Il m'a préparé un repas et me dorlotte. Au petit matin lorsque je repars, seul dans la nuit, c'est sa voix étouffée par la paroi de la tente que j'entends.

— Courage, Nico, on y est presque.

Oui, Churchill n'est plus très loin. Me reste-t-il assez d'énergie dans ma bouteille vide pour tenir jusque-là ? Bob est là, lui aussi, pour m'aider. Au lieu de filer avec Pawnee,

195

Oumiak, Buck et Charlie, directement à Tadoule Lake, il voyage devant moi. Sa présence m'est précieuse et aide les chiens qui prennent un rythme plus soutenu, un peu comme en course lorsqu'ils sentent devant eux des attelages.

À Tadoule Lake, après une étape de 250 kilomètres franchie en 40 heures, j'ai pratiquement rattrapé tout le retard que j'avais concédé par rapport au programme initial. Pourtant depuis le lac Athabasca, je vais de mauvaise surprise en mauvaise surprise, chaque étape étant beaucoup plus longue que prévu dans nos calculs. Et de Tadoule Lake à Churchill, c'est le pompon : deux détours, l'un vers le nord pour éviter une zone de rapides et un autre vers l'est pour rejoindre la baie d'Hudson avant de redescendre plein sud, par la banquise, vers Churchill. Les Indiens voyagent très rarement dans cette zone et la jonction entre les deux villages n'a guère été effectuée depuis de nombreuses années. Les informations que nous obtenons sont contradictoires : les uns disent qu'il faut passer par le sud et suivre la rivière Seal, d'autres qu'il faut l'éviter à tout prix et aller vers le nord… Nous nous plions donc à la décision des deux Indiens cree accompagnant Marc et Didier qui veulent passer par le lac Caribou, très au nord, soit un premier détour de plus de 100 kilomètres !

De toute façon, un dépôt d'essence a déjà été effectué sur cette voie. Il est donc trop tard pour changer l'itinéraire.

Je m'arrête vingt heures à Tadoule Lake. Sur le papier, ça paraît énorme. Mais lorsque l'on soustrait à vingt heures le temps d'arriver, de dételer, de nourrir et soigner les chiens, le temps nécessaire pour se préparer à repartir, le repas, le temps à consacrer aux médias canadiens et européens, aux enfants de l'école, celui pour aller discuter avec le chef du village, les palabres avec un autre quant à la luge qu'il faut échanger, les achats de nourriture, la réparation du traîneau, les harnais à recoudre, la douche chez un professeur qui offre le café… il reste à peine quelques heures pour dormir ! Je quitte Tadoule Lake dans le même état d'épuisement qu'en arrivant. Or, il reste 550 kilomètres et c'est énorme.

— Si tu arrives à Churchill dans deux semaines c'est un exploit, car tenir 40 kilomètres de moyenne par jour là-dedans il faut le faire, m'a dit un Indien.

J'ai hoché la tête sans répondre. Cette étape m'inquiète. Elle semble difficile, hasardeuse et incertaine, mais Churchill me tire. Diane et mon fils Loup m'y attendent. Je dois y être dans 5 jours, pas un de plus. Je réalise un premier « run » de 80 kilomètres très satisfaisant sur une piste tracée la veille qui a bien gelé d'autant qu'elle s'appuyait sur celle effectuée par un groupe de chasseurs de caribous dix jours plus tôt. Marc, Didier et les deux Indiens l'ont suivi sur plus de 100 kilomètres.

Le paysage a changé. Au chapelet de lacs et de forêts succède un paysage de plus en plus ouvert, constitué de lacs, de rivières et de collines peu élevées qui ressemblent plutôt à des petits plateaux piqués ici et là de quelques boqueteaux de sapins aérés et rabougris. Des buissons de saules et d'aulnes garnissent de façon un peu éparpillée les berges des rivières et des lacs que l'on confond avec les étendues de plaines et de marais.

Le vent qui ne rencontre ici que peu d'obstacles façonne la neige. Les congères aux arêtes fines et polies indiquent l'est avec autant de précision qu'une boussole. Le regard porte loin et c'est agréable. Malgré la fatigue, je jouis ce soir du spectacle de la toundra infinie que le soleil rougeoyant du soir caresse, allongeant démesurément les ombres de mes chiens. Quelques heures plus tard, c'est avec un soupir que je m'équipe pour une nouvelle nuit de progression et de course. Je passe la nuit à me poser cette question :

— Mais qu'est-ce que je fais sur ce traîneau, dans la nuit et le froid où chaque seconde est une lutte pour ne pas s'endormir?

Je m'arrête tard dans la nuit au bord d'un petit lac ceinturé d'une forêt assez dense de jeunes sapins pour repartir le lendemain à l'aube. Il fait très froid, sans un souffle de vent, et la piste tracée la veille est bonne. Le moral remonte car chaque kilomètre me rapproche de Churchill, de Diane, de Loup, du repos. J'en rêve chaque seconde de ce lit douillet dans lequel je vais me glisser contre le corps chaud de ma femme. J'imagine l'arrivée dans la rue centrale — les derniers mètres — le traîneau qui s'arrêtera — Loup qui ouvrira grands ses yeux blanchis par le froid pour voir son père Noël de papa. J'imagine tout cela et des bouffées d'émotion me font pleurer de bonheur ou de fatigue, je ne sais plus. Les chiens trottent joyeusement dans leur nuage de givre qui me recouvre de blanc et je calcule qu'à ce rythme-là nous serons peut être demain matin au lac Caribou.

Une heure de plaisir à 12 km/heure et c'est le drame. Le coup de grâce. Les chiens tombent dans la piste comme si elle se dérobait sous eux. Elle est fraîche, molle. Je m'arrête. J'ai peur de comprendre. Je devine une cabane sur la berge du lac et les traces de motoneige s'y rendent avant de revenir ici. Sur un piquet, du ruban et un message de Didier. Je le lis et le relis, sans comprendre. Didier plaisante. La lettre est une succession de blagues par lesquelles j'apprends successivement que les Indiens sont lents, qu'ils ont pris «un peu» de retard, qu'ils vont nous attendre plus loin parce que la toundra «est dure comme du béton» et surtout qu'ils viennent seulement de repartir d'ici. À une heure près, je les rattrapais. Les chiens renâclent lorsque je leur indique la piste molle. Ils font quelques mètres et Voulk s'arrête. Il me regarde, de la neige jusqu'au ventre. Les autres se sont couchés. Je m'assois sur mon traîneau et comme je suis seul et que ça fait du bien, je pleure des larmes d'enfant, de rage et de désespoir.

— Ils n'avaient pas le droit de nous faire ça. Ils n'avaient pas le droit !...

Et au lieu de me dire qu'ils vont tout faire pour récupérer de l'avance, ils me disent qu'ils vont nous attendre !... une histoire de fous ! Je ne sais pas comment je trouve la force de dire aux chiens de repartir. Ils ne me comprennent plus, mes champions. Je ne comprends plus moi-même. Pour partager leur souffrance, pour les aider, pour me punir de ce défi que je me suis imposé et qui n'était pas pour moi, je marche derrière le traîneau dans la neige molle pendant 20 kilomètres. Enfin, Alain arrive et je vide mon sac. Thomas et Emmanuel filment la scène et ils me trouvent bon. La colère me va bien paraît-il. Alain est furieux, lui aussi.

— Mais qu'est-ce qu'ils foutent ? Mais c'est pas possible ! Je vais filer jusqu'à eux et leur botter le cul, leur dire d'avancer toute la nuit pour récupérer le retard ! Crois-moi, ils vont entendre parler du pays.

Pour ça, je lui fais confiance.

Un peu calmé, j'en avais besoin, je décide d'arrêter les chiens, de dormir deux heures et de repartir ensuite, en fin d'après-midi, lorsque la piste aura gelé. Je m'allonge auprès de Nanook mais je suis trop fatigué pour dormir. Je n'ai qu'une envie, plier, partir, avancer, arriver à Churchill et dire deux mots à ceux qui sont devant.

Vers 16 heures, nous repartons, Bob quelques kilomètres devant moi confirme la piste que le vent efface et recouvre. Il est formidable, Bob, et il me donne du courage. Les arbres disparaissent et nous naviguons maintenant sur un immense plateau de cailloux, de glace et de lichen. Le vent a soufflé la neige par endroits et les skis du traîneau accrochent. Plus loin, c'est un épaulement de terrain qu'il faut gravir car la piste tracée passe systématiquement par toutes les hauteurs sans compter les multiples zigzags faits en tous sens pour rien. Nous apprendrons plus tard que, des deux Indiens cree qui nous servent de guides, le plus vieux cherchait constamment sa route et le plus jeune n'était même jamais venu jusqu'ici. Dès qu'il apercevait une élévation, il la gravissait pour se repérer.

Il faut sans cesse descendre du traîneau, marcher, courir, pousser, tirer et surtout ce qui me désole c'est le « will to go » des chiens qui fond comme neige au soleil. Ils ont perdu de leur superbe et avancent tristement, parce que je le leur demande. Perdre le « will to go » des chiens c'est comme manquer d'essence lorsque l'on traverse le désert en 4×4. J'en suis malade. Avoir fait tout ça pour en arriver là, à 300 kilomètres de Churchill !

La nuit tombe sur la pire journée en traîneau à chiens de ma vie et la tempête se lève avec des bourrasques telles que je ne vois plus Voulk. Mais les chiens gardent le cap derrière Bob qui, au loin, dans la nuit, cherche les traces de ceux qui nous précèdent, rayures sur la glace ou sur les cailloux, que nous risquons de perdre dans ce désert infini. Je ne sais pas comment je le suis. Du courage ? Je n'en ai plus. De la force, non plus. C'est un autre que moi qui marche et pleure dans la tempête car les jambes ne veulent plus avancer sans m'arracher des plaintes de souffrance.

Un phare qui troue la nuit. Thomas, inquiet, est revenu vers nous et c'est vraiment sympa car j'imagine la volonté qu'il faut pour, une fois le campement installé, ressortir dans la tempête.

À 2 heures du matin, nous nous écroulons et à 7 heures, le calvaire recommence. Pour avancer de 10 kilomètres, la piste en fait 15, mais il vaut mieux la suivre que de la perdre. Alain revient vers nous. Il a rejoint les autres dans l'après-midi d'hier. Ils se sont ensuite égarés dans les bourrasques à la recherche de la cabane pour laquelle les Indiens nous ont fait effectuer cet immense détour par le nord ! Ils ont tourné en rond pendant plus d'une heure avant de finalement monter la tente. En se réveillant le lendemain matin, ils l'ont aperçue en face d'eux à une centaine de mètres à peine ! Ils s'y sont reposés un peu puis ont filé vers Churchill à travers la toundra pendant plus de 140 kilomètres avant de rejoindre la banquise. Les explications d'Alain sont confuses. Les Indiens les ont retardés à cause d'une panne de motoneige, des pièges à relever, l'essence qu'il a fallu déposer. Ils se sont perdus et ils pensaient qu'au-delà de Caribou Lake la neige serait suffisamment tassée par le vent et qu'ils n'auraient donc pas besoin de damer une piste ; c'est pour cette raison qu'ils prévoyaient de nous attendre là-bas.

— Écoute, on réglera les comptes à Churchill, il faut y arriver maintenant, c'est tout !

Journée noire dans un désert blanc qui n'est pas dépourvu de grandeur. À l'approche de la baie d'Hudson, le paysage devient immense, l'horizon est une ligne bleue comme en mer et le soleil crée des mirages, transformant les nuages en villages et les collines en bateaux. Je suis infiniment petit et les kilomètres ressemblent à des heures de coma. Pas de repos. Plus de temps. Rien que de la souffrance.

— Diane, tu viens d'arriver à Churchill. Je t'imagine, Loup dans les bras, regardant la banquise à travers la vitre de l'aéroport. Imagines-tu un instant ce que je vis, ce que j'endure ? Aide-moi. Je marche. Mes jambes suivent et je ne sais pas comment elles font. Je n'ai plus la force de rien. Je ne pense plus. Les heures passent. La nuit est là. Alain est avec moi, devant, et Bob aussi. Nous allons vers nulle part, me semble-t-il. C'est la nuit. Je ne sais plus si les chiens avancent. Moi, en tout cas je marche jusqu'à une rivière où le traîneau porte enfin. Les motoneiges avec leurs phares comme des yeux devant qui m'attendent, m'attirent. Je vomis. J'ai froid. Je vais tomber car j'ai trop sommeil. Des jambes de plomb. La tête qui tourne. Je ris. Je suis saoul. C'est une blague. Le Grand Nord et le froid n'existent pas. La tempête non plus. Alain a perdu la piste. Bob aussi. Ils sont perdus et m'ont perdu. Je m'arrête. Je décroche. J'abandonne. Je vais jusqu'à une île car nous sommes sur une rivière et je rentre dans les aulnes.

— Hooo les chiens !

Je distribue des snacks. Je n'ai pas la force de leur faire un repas.

— Excusez-moi les chiens !

Je recommence. Une autre ration. On verra demain. Je vais tomber. Il faut faire vite. C'est la tempête. Tout le monde est perdu. Moi aussi. Vite. Le sac de couchage. Je m'y engouffre tout habillé. Enfin, le calme. Le trou noir. Ai-je bien fermé mon sac ? Sinon je vais mourir. Et cette douleur dans mes jambes ? Suis-je tombé ? Les chiens, où sont les chiens ? Et moi où suis-je ? Ah oui, la tempête, la nuit, l'île ? Tout se brouille. J'abandonne. Je suis bien. C'était si simple. Il suffisait de s'arrêter, de fermer les yeux, d'oublier.

28.

Churchill, 15 février, −35 °C, 4 900 km

Il y a des hasards qui sauvent. À force de tourner dans la tempête et la nuit à la recherche de la cabane, Bob est tombé en panne d'essence sur un bras de la rivière entre des îles pareilles à des centaines d'autres tout autour. De son côté, Alain erre dans le blizzard à la recherche d'une trace mais il en trouve des dizaines, toutes celles que les Indiens, Marc et Didier ont faites en cherchant avant eux, les siennes… Il tourne et tombe sur Bob qu'il dépanne. Ensemble ils retrouvent la cabane où dorment Tom, Emmanuel et Alvaro.

Le bruit de moteur de leurs motoneiges est un tracteur qui laboure le champ situé en face de chez moi, en Sologne. Loup et Montaine marchent derrière lui à la recherche de vers de terre qu'ils attrapent en riant et mettent dans une boîte. Dans le ciel, tournoyant au-dessus d'eux, des mouettes furieuses criaillent les yeux rouges. Elles referment leur cercle et les orbes qu'elles font me donnent le tournis. Je veux courir mais mes jambes ne répondent pas et le vent qui me souffle au visage me bouscule. Tout à coup, une mouette pique sur Loup et plante son bec dans sa petite tête, une autre fonce déjà sur Montaine et je ne peux pas courir pour les protéger… On me secoue.

— Nico, on a trouvé la cabane. Viens, il faut te lever.

Je me lève, remets les chiens en place et leur fais exécuter un demi-tour avant de suivre mes deux guides. Je suis encore dans mon rêve et je cherche les mouettes dans le ciel qui se sont transformées en étoiles. Tiens, c'est toujours la nuit mais le ciel s'est éclairci, le blizzard s'éteint. Peut-être que je ne rêve pas. Mais où va-t-on ?

— Alain !

Il ne m'entend pas.

On arrive à la cabane. Emmanuel s'assoit dans son sac de couchage, les yeux embués de sommeil.

— Il y a à manger sur le poêle.

J'essaie d'ingurgiter quelque chose. Je me force mais mon corps refuse. Il est trop fatigué. Il est 3 heures du matin... ou peut-être 3 heures de l'après-midi, je ne sais plus. Il fait nuit pourtant. Je m'endors et je retrouve les mouettes. J'aime pas les mouettes.

Marcher en ne quittant pas des yeux la barre d'appui du traîneau sur laquelle une cordelette est enroulée pour éviter de glisser. Compter les tours pour ne pas perdre la notion du temps. Pour oublier la souffrance de la marche. Je glisse sur les lacs et marche dans la toundra car les chiens enfoncent sur cette surface de neige dure et molle, de lichen et de rochers. Nous ne savons pas où est la banquise. À 30 kilomètres d'ici ou à 100 ? Les cartes ne nous apprennent rien. Nous ne savons pas où la piste tracée par l'équipe devant nous mène. Vers une rivière, vers la banquise, directement à Churchill ?

Loin devant moi, les trois motoneiges ressemblent à des petites barques dans un océan blanc. Les chiens avancent tristement ou est-ce moi qui les vois tristes ? je n'ai plus la force de juger. Je m'en fiche. L'expédition est terminée. J'abandonne à Churchill. Les chiens auront le temps de se reposer. Ils me pardonneront ces journées. On partira ensemble avec Diane, Montaine et Loup, pour de belles balades, et l'hiver se terminera dans le bonheur, pas dans la souffrance. « La vie n'est pas une punition », dit Marc et je ne suis décidément pas fait pour ce record. Ceux qui savent comprendront que nous avons déjà réalisé quelque chose d'énorme. Skagway-Churchill en moins de deux mois. C'est la plus grande distance jamais réalisée avec des chiens de traîneau en si peu de temps. Tous les autres, l'immense majorité, parleront d'échec et je m'en fiche, à l'exception de quelques-uns qui m'ont fait confiance et croyaient en moi. Je leur expliquerai, ils me comprendront. Je ne suis pas assez fort pour relever un tel défi. Je me sens un peu mieux maintenant que la décision est prise. Je peux m'achever. Je suis parti tôt ce matin et le jour dure, dure, le soleil brûle le visage et j'avance. Le soir, nous ne sommes toujours pas arrivés en vue de la banquise.

Alain réussit enfin à téléphoner. Il pose *la* question à Marc et Didier qui sont arrivés à Churchill hier soir avec leurs guides indiens.

— Combien de kilomètres depuis la cabane jusqu'à Churchill ?

— Heu ! environ 120-130.

— Hein ! Tu es sûr ?

— Heu… Peut-être 150-160 ou un peu plus, je ne sais pas.

Alain est rouge de colère.

— Mais bordel de merde ! Tu te rends compte de ce que tu dis ! 120-160, on n'en peut plus ici. Les chiens n'en peuvent plus. Nicolas est quasiment mort et tu me parles de kilomètres avec des écarts de 40 bornes, alors qu'on se bat pour chaque kilomètre, qu'on avance à peine à 5 km/heure !

— …

Ni Marc ni Didier n'ont consulté leur compteur en partant et en arrivant. Ils ont un peu tourné en rond, se sont perdus…, ils ne savent pas, ils ne savent plus. Je m'en fiche. La nuit est là. Je ne peux plus rien avaler. Je n'en ai plus la force et je vomis tout ce que j'essaie de manger et de boire. Pour tenir je me bourre de Guronsan mais je sais qu'avec 2-3 heures de sommeil par 24 heures depuis dix jours, sans manger depuis deux, en marchant le reste du temps dans la neige et le froid, les heures sont comptées. Bientôt, très bientôt, la machine s'arrêtera pour de bon.

À 6 heures du matin, ce 15 février, je me lève comme un mort. J'ai dormi trois heures dans la neige et il fait froid. Cette nuit, Raphaël et un habitant de Churchill sont arrivés avec un bidon de 200 litres d'essence et une terrible nouvelle. Il ne reste pas 60 kilomètres pour Churchill comme nous l'espérions, mais 115 ! Leur compteur est infaillible… 115 kilomètres dont 70 de toundra effroyable, neige molle, congères, lichen et cailloux. Il faut marcher, aider les chiens, pousser. Je n'arrête pas de pleurer. Est-ce le signe d'une dépression, le symptôme d'un épuisement absolu ? Je parle à Voulk et mes paroles se transforment en sanglots, je pense à mes enfants et les larmes coulent, formant des stalactites dans ma barbe de glace.

Des années plus tard une étroite bande de forêt rabougrie apparaît, puis derrière elle un fleuve qui conduit à la banquise. La banquise !

Je hurle de toutes mes forces.

— La banquise les chiens ! La banquise !

Je pleure encore, mais mes larmes sont de joie. Je suis fier d'être ici, fier de mes chiens, fier de moi, fier de nous. Les chiens, mes chiens tristes et résignés il y a encore quelques secondes, relèvent tout à coup la queue et galopent sur cette belle surface lisse, dure, droite. Ils lèchent la neige, étonnés de son goût de sel. Carmack se retourne dans l'attente d'une explication. Voulk et Chip se lèchent le museau, Torok gémit car il veut aller plus vite. Ils ont compris que l'on arrivait. Le grand dôme de l'aéroport de Churchill surgit, très loin. Alain me rejoint une heure plus tard. Ses yeux brillent de bonheur, de fierté et le regard que nous échangeons est de ceux que l'on n'oublie jamais. 50 kilomètres, c'est long. Le corps est formidable. J'aurais dû tomber en panne sèche avant Churchill mais l'imminence de l'arrivée me donne le dernier souffle.

La nuit vient et la ville s'éclaire. J'approche, escorté par de plus en plus de motoneiges qu'Alain tient soigneusement à l'écart, loin devant pour ne surtout pas arrêter les chiens. Comme cela personne ne me voit pleurer comme un enfant toutes les larmes de mon corps. Jamais je n'avais imaginé atteindre un jour un tel niveau d'épuisement.

À l'entrée de la ville, j'ai assez pleuré pour retrouver un peu de dignité mais j'ai trop souffert pour parler. Les chiens prennent le galop dans la grande rue centrale et des applaudissements crépitent dans la nuit, au loin, tout au bout. Les chiens comprennent. Ils y vont d'eux-mêmes et s'arrêtent. C'est fini. Ce n'est pas moi qui ai fait ce voyage, c'est un autre.

29.

Churchill, −40 °C, 4900 km

L'ours polaire est à Churchill ce que l'argent est à Las Vegas. Mais l'argent coule à flots toute l'année alors que l'ours polaire ne pointe le bout de son nez ici qu'une fois par an, de septembre à novembre. C'est l'époque où ils se rassemblent sur les côtes de la baie d'Hudson en attendant que la mer gèle pour y aller chasser. En dehors de cette période Churchill ressemble à une station de ski sans neige. Les hôtels côte à côte qui accueillent plusieurs avions de touristes chaque jour sont portes closes, comme les magasins de souvenirs avec ours en peluche, posters et porte-clefs. En automne, ce sont jusqu'à deux cents ours qui rôdent autour de la ville protégée par tout un système de pièges. Des cages avec appâts qui se referment sur le gourmand, reliées toutes à un système central qui sonne l'alerte aussitôt qu'un piège se déclenche. L'ours est alors récupéré et placé dans une prison où l'on rassemble jusqu'à une dizaine d'ours avant de les héliporter à une cinquantaine de kilomètres de la ville. Grâce à ce système très efficace de reprise, les fauves, qui autrefois terrorisaient la ville en allant jusqu'à pénétrer dans les maisons à la recherche de nourriture, sont aujourd'hui parfaitement maîtrisés, aimés et respectés car ils rapportent gros. Pour un bon cliché, Japonais, Allemands et Américains déboursent jusqu'à 600 dollars par jour. Des cars surélevés, équipés d'énormes roues, trimballent les touristes, suréquipés de matériel photographique, caméras numériques et téléobjectifs dernier cri, jusqu'au lieu de concentration où des cars-restaurants-hôtels permettent aux plus accros de coucher sur place. Le soir on danse avec les ours sous les aurores boréales. Au petit matin, on sirote son café en admirant le soleil qui se lève sur la banquise en formation, alors que les ours debout viennent gratter la fenêtre derrière laquelle les touristes ravis racontent le spectacle aux amis depuis leur portable. Pour en être il faut réserver quatre mois à l'avance. Tony, Portugais d'origine venu s'installer ici depuis deux ans, a parfaitement compris qu'il s'agissait d'un filon. Il tient le restaurant de la ville, prépare les repas pour les avions, les cars et les hôtels-restaurants mobiles et l'argent rentre. Il reste ouvert hors saison touristique et devient la place du village où les habitants se retrouvent. Il est devenu notre ami lors de notre reconnaissance l'hiver dernier, et c'est lui qui a tout organisé pour notre séjour ici, mais aussi pour la suite : dépôt d'essence, recrutement de guides, choix des itinéraires…

— Je ne te reconnais pas, dit-il en souriant.

Mais Loup, qui ne me reconnaît pas non plus, ne sourit pas. Il se faisait une fête de ces retrouvailles avec son père, sans imaginer un seul instant qu'il puisse être cet homme barbu, plein de glace, les yeux rouges, tout accroché de givre, le visage creusé, ridé et brûlé par le froid et le soleil.

— C'est moi, Loup, c'est moi, papa.

Il reconnaît la voix, sans comprendre. Réfugié dans les bras de Diane, il n'ose pas approcher. Je dois l'apprivoiser et refouler mon envie de le serrer dans mes bras et de l'embrasser.

Un peu plus tard, rasé, lavé, dégelé, il me reconnaîtra enfin.

Les chiens se remettent en moins de quarante-huit heures des dix jours fous que nous venons de vivre, pas moi. Je suis faible et aussi fatigué le troisième jour qu'en arrivant, sans doute le contrecoup de l'énorme quantité de caféine et Guronsan ingurgitée la dernière semaine pour tenir. Maintenu un peu artificiellement hors de l'eau, j'ai coulé en arrivant et n'arrive plus à refaire surface. À l'hôpital où je subis des examens, on me dit que j'ai besoin d'une longue période de repos. Or, nous n'avons

Comme une écharpe de lumière, une aurore boréale se déroule sur nos têtes.

Oumiak et Amarok, pas plus rassurés que le musher dans ce passage délicat le long d'une rivière ouverte, par −55 °C.

C'est par ce majestueux canyon que nous sortons enfin des montagnes Rocheuses,
où tous avaient prédit que notre aventure échouerait.

À l'arrivée de nuit, à Churchill,
mon fils Loup
ne me reconnaît pas.
L'épuisement est total
et je veux abandonner.
Mais le formidable élan
des gens qui se sont relayés
d'un village à l'autre
pour tracer une piste
m'incite à continuer…

Sur la glace vive d'un grand lac, je guide les chiens dans un passage dangereux.

Au printemps, les rivières commencent à s'ouvrir et la progression devient difficile.

À plus de 3 500 mètres d'altitude, les motoneiges franchissent la ligne de partage des eaux entre Pacifique et Atlantique.

Dans la tente, le petit poêle à bois permet de faire sécher les affaires.

Entre la terre et la mer, partiellement gelée, une zone de banquise sur laquelle la progression est pour une fois relativement aisée.

Les meilleurs moments de cette aventure folle, quand les paysages sont sublimes et que, de nuit comme de jour, les chiens et le musher sont emportés par le même plaisir de la course.

À l'arrivée à Québec,
l'une des plus fortes émotions
de ma vie : au loin,
la ville surgit de la neige,
nous nous engageons
sur l'autoroute fermée
pour l'occasion…
et c'est l'arrivée, une foule
de plusieurs milliers
de personnes qui m'accueille,
et la joie de l'équipe.

prévu que cinq jours ici. Pourtant à travers l'Ontario et le Québec qu'il nous reste à traverser, les gens se mobilisent de village en village, une chaîne s'organise pour nous aider. Tout le monde a entendu parler par la radio et la télévision de ce que les chiens avaient réalisé et l'expédition est devenue une sorte d'enjeu national. Cette piste de 4 500 kilomètres que nous avons tracée, ouverte, pour arriver jusqu'ici, doit continuer jusqu'à l'autre côté.

— Tu comprends, Nicolas, cette piste n'est plus la vôtre. Elle devient la propriété de tous les villages que tu traverses et des gens qui la préparent et vous aident à la tracer. Il n'est pas question pour un village qu'elle s'arrête sur son territoire. C'est une question d'honneur, de fierté. Alors chaque village s'organise pour passer le relais, m'explique le maire de Churchill.

«En arrivant ici, lorsque tu as déclaré à la radio que tu allais sans doute arrêter, ç'a a été terrible pour toutes ces petites communautés qui t'attendent depuis des mois. Si ça n'est plus pour toi, continue pour eux.

Continuer? Pour les chiens qui en ont envie, pour l'équipe qui refuse l'échec, pour tous ces gens qui nous attendent, pour tous ceux qui m'ont fait confiance et ceux qui suivent.

Continuer en oubliant qu'il reste 4 000 kilomètres, quatre fois la France.

Continuer tout simplement pour arriver en haut de la montagne, pour cet instant de bonheur immense que sera le franchissement de la ligne d'arrivée.

Est-ce que tout cela justifie encore tant de souffrances?

— Ça va aller mieux maintenant, me répète Pierre. Toutes les machines ont été révisées à fond. L'équipe est incroyablement remotivée et surtout consciente de l'état dans lequel tu es. Il y a des erreurs qui ne se répéteront plus. Et regarde tous ces messages des villages que nous traverserons. C'est incroyable, cette motivation...

Incroyable et encourageant car il n'existe aucun chemin, aucune piste entre Churchill et Attawapiskat, en bas de la baie d'Hudson à plus de 2 000 kilomètres d'ici, et l'aide sera pré-

cieuse, voire indispensable pour traverser certaines zones difficiles de toundra et de banquise.

Dorénavant, c'est Pierre, Raphaël et Didier qui partiront
ouvrir la piste en avant. Bob va prendre l'avion pour le sud afin
de récupérer le camion qu'il conduira au Québec où nous le retrouverons dans un mois. Thomas, Emmanuel, Alvaro ainsi que Alain
et Marc se chargeront de l'entretien de la piste. Nous avons énormément insisté sur le balisage. Un morceau de ruban fluorescent
accroché tous les 5 kilomètres au moins pour nous permettre de
retrouver la piste que le vent et la neige pourraient effacer. De
plus, l'équipe de pisteurs nous transmettra depuis les villages les
coordonnées GPS d'un certain nombre de points. Ici, sur la banquise et la toundra, plates, blanches à l'infini, sans repère, les
cartes ne sont d'aucune utilité. Seul le point par le soleil ou les
étoiles et, plus moderne, par le GPS, permet de se localiser.

Deux choses m'inquiètent. Les tempêtes qui peuvent ici
durer dix jours et rendre impossible toute progression. Et les
ours, car à cette période les mères commencent à se déplacer
avec leurs petits et représentent une réelle menace. Le repré-
sentant du gouvernement de l'Ontario pour les ressources renouvelables (l'équivalent de notre ministère de l'Environnement)
m'accorde le droit de traverser pour la première fois le parc de
Kubuc, spécialement créé pour la protection des ours, ainsi que
les territoires situés à l'est, à la seule condition d'être escorté par
un conducteur de motoneige armé. Dans le parc ce seront deux
« agents de la conservation de la faune » mandatés et rémunérés
pour cette tâche par le gouvernement. En dehors du parc, se sera
l'un de mes équipiers, muni d'une autorisation spéciale de port
d'armes. Il faut savoir que cette autorisation conditionnelle a été
obtenue après des semaines de délibérations diverses durant lesquelles avait été évoqué et programmé notre détournement par
le sud qui nous faisait alors éviter les zones à ours. C'est Tony,
à force de réunions, d'arguments persuasifs et menaçants, qui a
décroché l'autorisation.

Les renseignements collectés auprès des villages que nous

allons traverser sont assez rassurants dans la mesure où ils concordent : cette année la portion de banquise, muraille de glace résultant du travail de la marée, est assez large, dure et plate. Elle représenterait pour nous la surface idéale pour progresser vite et bien. C'est une chance car d'une année à l'autre la banquise n'offre pas le même visage. Tout dépend de l'époque à laquelle la mer a gelé, du coefficient des marées et du vent emportant les blocs de glace au large ou les ramenant vers les côtes.

Effectivement, dès le premier jour, après avoir longuement évité par la toundra une pointe située près de Churchill où la mer libre lèche la côte, les chiens retrouvent avec bonheur la banquise sur laquelle ils trottent à vive allure. Le soleil est généreux et le ciel est d'un bleu d'une épaisseur infinie comme on n'en voit nulle part ailleurs. Un ciel arctique, telle une voûte immense qui rejoint l'arrondi de la terre. Parfois, la mer libre s'approche de la zone gelée jusqu'au sable et vient éclabousser la muraille de glace, animant ce monde figé d'un mouvement et de bruits nouveaux. Les icebergs dérivent et les rayons du soleil sont piégés par les arêtes de glace qui prennent des couleurs d'arc-en-ciel, comme passées dans un prisme. Je retrouve le bonheur de glisser au paradis avec mes chiens. Pourtant je me suis arraché de Churchill. Je n'ai pas vraiment récupéré, seulement un peu de forces qui sont revenues la veille du départ. Il me fallait ce cadeau de la banquise, ces jours heureux entre la mer et la côte. Les gardes sont parfaits, discrets. Ils me laissent tranquille et voyagent avec mon équipe, se contentant de m'attendre à l'heure de la pause et le soir au campement. Ils sont heureux d'être là, de pouvoir admirer le travail des chiens, de parler avec l'équipe et ils en profitent.

Nous ne voyageons pas que sur la banquise car certaines portions sont impraticables à cause de rivières qui ont créé des zones instables ou du pack qui s'approche et s'éloigne inlassablement de la côte. Alors, nous passons entre les îles ou sur la toundra, recherchant les endroits où la neige s'est accumulée et a durci, où le vent ne l'a pas balayée, découvrant lichens et cailloux. Alain et Marc, loin devant, suivent le plus souvent les traces de notre équipe de pisteurs qui sont passés ici avec 48 heures d'avance sur nous. Le vent a un peu effacé ou comblé leur piste mais elle reste visible et Didier a effectué un très sérieux balisage en accrochant des rubans sur des blocs de glace, des touffes de saules ou des morceaux de bois plantés dans la neige.

Les deux premiers jours nous couchons dans des cabanes qui nous avaient été indiquées par des trappeurs à Churchill. Ce rythme jour-nuit basé sur un départ vers 5 heures, 2 heures d'arrêt vers midi, puis arrêt entre 16 heures et 20 heures pour un repos d'environ 10 heures est celui que j'espère tenir le plus longtemps possible en réalisant des étapes de 100 à 120 kilomètres par jour. J'en ai ras le bol de voyager de nuit et je sais qu'au mois de mars il faudra recommencer car la température s'élève trop pendant la journée. J'entends donc profiter au maximum de la banquise et du froid pour voyager un peu au soleil en ayant autre chose à observer dans le tunnel de ma lampe que le cul de mes quatre premiers chiens.

Le grand changement par rapport à la première moitié de l'expédition est la gestion de mes efforts. Je connais maintenant mes limites et je sais, nous savons tous, que nous n'atteindrons pas Québec si je ne parviens pas à m'économiser. Je dois donc dormir six heures. Je ne dois plus marcher, courir sur des distances trop longues. Je dois laisser faire les chiens qui sont plus forts que moi. S'ils avaient la parole ils me le diraient.

— Écoute, Nicolas, tu nous as emmenés jusqu'à Churchill, maintenant reste tranquille, on va t'emmener jusqu'à Québec.

Alain et Marc, qui forment un couple inséparable sur l'expédition, pensent comme les chiens et ont décidé ensemble de m'aider, contre mon gré s'il le faut. Ils m'ont prévenu :

— On t'imposera un maximum de repos et un minimum d'efforts, par la force s'il le faut.

Vu la carrure des gaillards, ça m'étonnerait que je puisse opposer la moindre résistance.

Au matin du quatrième jour, nous croisons les rangers qui, après avoir guidé notre équipe de motoneigistes jusqu'au

350e kilomètre, reviennent sur leurs pas nous donner des renseignements.

— La banquise est bonne. Il y a juste une rivière qu'il a
fallu contourner sur une dizaine de kilomètres. Une équipe de
Fort Severn est partie aujourd'hui à la rencontre de vos gars. Ils
devraient se rejoindre demain.

Devant, ça s'organise bien et je fais confiance à Pierre et
Didier pour ne rien laisser au hasard. Une course contre la
montre est engagée et toute l'équipe a maintenant le chrono-
mètre dans le ventre et une furieuse envie de réussir.

30.

Ontario, Fort Severn, −35 °C, 5 900 km

Ce loup noir, énorme, d'au moins 70 kilos et cette belle louve grise dessinent leur contour en haut d'une colline, contre le ciel mauve de l'aube.

Partout les lagopèdes appellent dans les arbres et au loin des renards en chasse se répondent en jappant. Les chiens trottent avec entrain dans la forêt après des semaines de terres sans arbres. Les sapins viennent maintenant à la côte et nous confortent de leur présence. Ce sont de vieux amis que je retrouve et je me sens mieux. J'aime les arbres, la forêt et la sécurité qu'elle représente. Maintenant la tempête peut se lever, le blizzard peut hurler, j'ai un endroit où aller me protéger, me réchauffer, attendre. Nous nous éloignons souvent de la côte jusqu'à vingt kilomètres à l'intérieur de la baie pour profiter des zones les plus stables de la banquise, mais la ligne sombre que font les arbres à l'horizon nous rassure toujours. Ils sont là, veilleurs éternels. Les journées se ressemblent sur la banquise identique si ce n'étaient les couleurs du ciel et les empreintes sur la neige que les renards, loups et ours polaires laissent derrière eux. Les chiens les reniflent sans lécher la surface blanche au goût salé et amer qu'ils ont appris à connaître.

Aux quatre premiers jours presque trop parfaits succède une période difficile car nous perdons la piste totalement effacée par le vent.

Alain et Marc la retrouvent parfois mais pour la perdre aussitôt, alors ils errent, tantôt sur la banquise, tantôt sur la côte et les plages gelées, recherchant les zones les plus dures. On a toujours l'impression que c'est mieux ailleurs et nous effectuons chaque jour plusieurs aller et retour de la côte à la banquise et inversement. De nouveau, il faut aider les chiens car ils enfoncent un peu mais je cours moins qu'auparavant. Je n'en n'ai plus la force et je garde une marge. De Fort Severn à Winisk, nous rattrapons presque nos pisteurs qui avec leurs guides indiens se perdent une nuit entière et un jour. C'est Raphaël, le bleu du Grand Nord, qui ramène nos Indiens chez eux grâce à son GPS, heureusement programmé à l'avance. À partir de Winisk, nous avons plus de chance, les deux Indiens cree accompagnant Pierre, Raphaël et Didier sont de formidables pisteurs et c'est tant mieux car le no man's land qui s'étend jusqu'au village d'Attawapiskat est un piège. Piège de banquise. Piège de toundra. Piège de forêt. Piège de huttes de castors. Pour trouver son chemin, il faut connaître et posséder ce sixième sens remarquable que certains Indiens ont conservé. Le sens de la piste qui leur fait choisir d'instinct une solution difficile plutôt qu'une solution facile en apparence, et qui ne se trompe pas. La route qu'ils ont choisie nous fait effectuer un détour de plus de 150 kilomètres par l'est alors que nous avions prévu de couper par l'intérieur des terres, évitant ainsi l'angle presque droit que forme la côte à cet endroit. Mais les Indiens, une semaine avant que nous arrivions, ont essayé d'ouvrir la piste sur la première moitié, et après trois jours de galère dans de la neige trop profonde, freinés par d'innombrables huttes de castors barrant les rivières et autant de forêt impénétrables ils sont rentrés au village. Leur dernier recours consiste à suivre la côte le long de la banquise pour ne couper à l'intérieur des terres que beaucoup plus tard, à travers une zone de marais vierges de forêts. L'expédition aurait pu se jouer à cet endroit-là. Embarqués sans reconnaissance à l'intérieur des terres, nous aurions pu ahaner pendant une semaine avant de faire demi-tour. C'en était fini de notre traversée.

Les chiens sont incroyables et m'impressionnent de plus en plus. J'assiste, ravi, à une montée en puissance de l'attelage réalisant aujourd'hui des étapes de 130 kilomètres en dix heures à peine pour se réveiller le lendemain frais et dispos, prêts à recommencer. Époustouflant. Je me rappelle avec amusement la fantastique étape de 70 kilomètres que j'avais parcourue un jour avec des chiens, c'était un événement, il y a dix ans de cela. J'avais jugé bon de les mettre ensuite deux jours au repos, encore émerveillé de leur performance. Aurais-je pu imaginer alors enchaîner des étapes de plus de 120 kilomètres pendant plusieurs jours ?

Dorénavant, Voulk et Chip forment en tête un couple inséparable. J'en suis enchanté car Voulk était le père que je voulais donner aux futurs chiots et surtout parce que Chip, après une période assez longue d'adaptation durant laquelle je m'étais mis à douter d'elle et de la progéniture qu'elle pourrait un jour me donner, s'est remarquablement adaptée au rythme de l'expédition. Elle caracole en tête avec des allures de championne. Je me surprends, tout comme Alain, à imaginer l'attelage engagé aujourd'hui dans une course de longue distance. Il y a des secrets que j'ai découverts durant ce voyage qui pourraient un jour m'amener à me présenter une nouvelle fois au départ de l'une des deux plus grandes courses de chiens de traîneau du monde. Mais cette fois, je n'irais pas pour apprendre… Que je me mette à imaginer l'avenir avec les chiots de Chip durant les longues et parfois interminables heures de glisse me prouve que j'approche mentalement de la fin alors qu'il reste des milliers de kilomètres. Décidément, suis-je à ce point incurable ?

Dans les villages indiens où nous faisons étape 24 heures, l'accueil est extraordinaire. Généralement, ce sont les portes des écoles que l'on nous ouvre afin que nous puissions nous installer dans les locaux, chauffés et parmi les mieux équipés du village, avec douche, cuisine, une grande salle à notre disposition dans laquelle nous pourrons faire sécher tout notre fourbi. Les classes et leurs professeurs suivent notre expédition depuis le début. Ils ont souvent établi des liens avec d'autres écoles françaises, de plus en plus nombreuses, qui nous suivent aussi grâce au site Internet enrichi par Raphaël et Pierre de textes et de photos. Nous consacrons toujours un peu de temps aux enfants qui ont préparé des listes de questions, et ces échanges avec jeunes et professeurs deviennent un rituel. Des projets de voyage inter-écoles naissent, des amitiés se nouent grâce à ce formidable moyen de communication que représente Internet pour ces petits villages coupés du monde et qui aspirent à le connaître. Moi qui étais réticent au départ lorsqu'on m'avait proposé de créer ce site d'information, je ne le suis plus.

Nous passons trop vite dans ces villages qui ont tant à nous dire et à nous apprendre, et les quittons tous à regret. Les chiens aussi car ils sont traités comme des rois, gavés de caribous, poissons et castors que les Indiens ont conservé spécialement pour eux.

Je quitte Winisk seul vers 4 h 30 du matin, étant entendu qu'Alain, Marc et l'équipe cinéma me rattraperont dans la journée. La piste, reconnue la veille et révisée hier, est bonne et j'espère réaliser aujourd'hui une grosse étape. Les chiens démarrent en trombe et c'est au grand galop que j'évite le village par différents sentiers aux fourches desquelles un ruban m'indique la bonne direction. J'ai réduit le faisceau de ma lampe au maximum pour voir le plus loin possible et donner les ordres à temps.

— Voulk djee, Voulk yap !

Chip, à bonne école, accompagne Voulk et le changement de direction est instantané. Mais dix minutes plus tard, je ne vois plus de ruban. J'ai dû en louper un !

Des lumières. Sans m'en rendre compte je suis revenu vers le village. Avant même que j'aie le temps de réagir, la meute a escaladé un épaulement de terrain et je me retrouve sur une route verglacée avec des chiens surexcités qui galopent bien plus vite qu'ils n'obéissent à mes hurlements. Je traverse tout le village à la vitesse de l'éclair et repasse même devant la maison où nous étions logés. Je hurle.

— Alain !

Mais il ne m'entend pas. Tout à coup la meute bifurque dans une ruelle vers une maison auprès de laquelle un chien aboie. Le cauchemar ! On arrive dessus à la vitesse du son et je suis terrorisé. Le chien, soudain conscient du danger que cette meute démente représente, s'engouffre sous la maison légèrement surélevée et tous mes chiens le suivent. Le traîneau est catapulté contre la maison et je vais m'écraser dessus en brisant aussi des planches qui amortissent un peu le choc.

Sous la maison c'est la bagarre ! Je m'arc-boute au trait et sors les chiens un à un, qui semblent enchantés de leur récréation.

C'est ainsi que me trouve l'Indien réveillé en sursaut alors qu'il dormait dans son lit contre la paroi que le traîneau a défoncée ! La scène est comique. L'Indien en caleçon sur le pas de sa porte à −40 °C et moi coincé avec mon traîneau et mes chiens sous sa maison.

— Problem !

— Non ! Non ! Tout va bien. Je me suis perdu. J'ai perdu le contrôle de mes chiens. J'ai cassé le mur de ta maison, l'avant du traîneau. J'ai mal à l'épaule car je suis aussi rentré dedans. Tout va bien.

L'Indien réveillé, hilare, apprécie.

— Coffee.

Voilà une bonne idée. J'accroche les chiens, me débarrasse de ma veste, de ma lampe et de tout le barda et je rentre chez lui. C'est le genre de pause café que l'on savoure. L'Indien est vraiment sympa. Il surveille mon attelage pendant que je retourne avec sa motoneige à la maison où je trouve Thomas en train de ficeler son chargement dans la luge. Alain n'est pas là, il est parti aider Marc qui s'est complètement enlisé à la sortie de la ville ! Il y a des jours comme ça. Tout rentre dans l'ordre avec quatre heures de retard qui me font arriver de nuit à l'étape.

Devant, ils ont vraiment réalisé un gros boulot. Certains passages ont été taillés sur des centaines de mètres à la tronçonneuse dans la forêt et de multiples traces montrent toutes les tentatives qu'ils ont dû effectuer pour franchir certaines rivières, traverser des forêts et des marécages. Les étapes s'allongent et de nouveau un rythme un peu insensé s'installe mais nous tenons le coup car à partir d'Attawapiskat nous devrions retrouver les chemins empruntés l'hiver et c'est un peu comme de retrouver la terre après un mois en mer. Depuis plus de 3 000 kilomètres nous traçons notre propre piste dans les no man's land. Pour nous, marins des glaces, une piste est une terre.

Pierre et Didier ont eu l'idée du siècle. La piste est idéale, bien creusée, sans bosse, et surtout sans ces ornières que laissent derrière eux les toboggans. Pour ne pas se tordre les pieds, les chiens devaient courir avec vigilance, ce qui est malaisé puisque les chiens de tête masquent la piste à tous les autres jusqu'au dernier moment. L'idée géniale, c'est le sapin que l'on traîne derrière le toboggan et qui égalise parfaitement la piste. C'est le genre de trouvaille que l'on regrette de n'avoir pas imaginée plus tôt. Les chiens apprécient car ils peuvent relever la tête pour profiter du paysage plutôt que de rester concentrés sur la piste inégale. Profiter du paysage pour un chien, c'est chercher l'insolite et notamment ce qui bouge. Une simple feuille que le vent déplace provoque une accélération par émulation. Les chiens se surveillent constamment. Que Carmack relève la tête, aussitôt Nanook et Baïkal placés derrière lui se dressent pour tenter d'apercevoir ce qui l'intéresse. Derrière, les autres réagissent en cascade.

Ils se déhanchent pour voir de côté et accélèrent pour arriver plus vite. Ils ne savent même pas où, mais sait-on jamais ? Devant, ils ont peut-être repéré une compagnie de lagopèdes ou un écureuil ? Avec mes chasseurs de chiens on ne s'ennuie jamais en forêt et la vigilance du musher doit rester extrême car certaines accélérations non programmées sont de véritables boulets de canon qui peuvent surprendre et vous laisser sur place. Perdre son traîneau et ses chiens est la hantise du musher, je suis bien placé pour le savoir, et la cause de pas mal de disqualifications sur les grandes courses car le règlement stipule toujours que le traîneau doit arriver avec le musher aux étapes. Pour remédier à cela, certains mushers laissent traîner derrière eux une corde qu'ils peuvent attraper en cas de chute. D'autres s'attachent. C'est la dernière chose à faire. J'ai un ami qui est sur une chaise roulante à vie à cause de ça.

Sur ce cap marquant le passage de la baie d'Hudson à la baie James, le paysage est un mélange de toundra et de taïga avec des lacs, des zones de toundra aride, sorte de désert blanc et de loin en loin quelques îlots de forêt chétive mais épaisse constituant parfois de véritables barrières à travers lesquelles il faut se tailler un passage. C'est au bord de l'une de ces forêts que j'ai établi un campement sommaire avec en guise de lit un matelas de branches de sapin disposées sur la neige, près des chiens. Au petit matin, je distribue de l'eau aux chiens et constate avec surprise qu'il manque Oumiak, que j'ai récupérée la veille dans la niche pour l'échanger avec Charlie, blessé dans une bagarre avec Nanook. Marc et Alain se trouvent avec le reste de l'équipe à plus de vingt-quatre heures devant moi. Oumiak est une habituée, une spécialiste de la fugue et je ne m'inquiète pas. Elle doit être à proximité et rappliquera dès que nous partirons. Je balaie la forêt avec ma lampe frontale à la recherche d'yeux, sans succès. Une heure plus tard, je lève le camp. Toujours pas d'Oumiak. Elle a l'habitude. Elle suivra. Mais 20 kilomètres plus tard, je commence à m'inquiéter. Je me retourne souvent à la recherche de ses petits yeux fourbes et intelligents dans la nuit. Rien. Le jour se lève, mauve et froid, et le givre nous enveloppe comme de la brume solide. Pas un souffle de vent, pas un bruit. Simplement le glissement des skis sur la piste gelée, le bruissement des pattes effleurant la neige, et la respiration des chiens régulière et rassurante. À midi, toujours rien. Or, nous avons déjà couvert une belle distance, environ 80 kilomètres. Je décide de continuer jusqu'à rejoindre Alain et Marc qui doivent se trouver à une cinquantaine de kilomètres d'ici. Ils pourront effectuer un aller-retour à sa recherche. Je repars vers 16 heures et traverse un grand lac lorsque j'aperçois un couple de loups, presque identique à celui que nous avions vu sur la banquise. J'avais visionné dans le village de Winisk les images superbes que Thomas avait réussi à tourner et j'ai l'impression qu'il s'agit du même mâle, aussi noir et grand, hiératique, léché par le soleil qui l'auréole d'une sorte de hâle doré. Il se tient assis, la femelle lovée contre lui dans une attitude tendre et soumise. Un beau tableau. Les chiens les aperçoivent et accélèrent mais le couple ne se laisse pas approcher. Lorsque nous arrivons à deux cents mètres d'eux, le mâle se retourne lentement et d'un joli trot enlevé disparaît. La louve hésite un instant et le rejoint dans sa fuite. Cette scène plutôt que de me combler de joie m'inquiète car leur présence n'augure rien de bon quant à la disparition d'Oumiak. Je traverse une forêt puis tombe sur un autre lac. Les loups réapparaissent. Ils nous suivent à bonne distance et les chiens se retournent souvent, ralentissent et trottent de manière désordonnée.

— Hooo !

Je m'arrête mais les loups continuent jusqu'à environ deux cents mètres de moi, la louve derrière le loup qui stoppe, indécis. Le face à face dure un bon moment, lorsque soudain, sans raison apparente, le grand mâle fait un écart et s'en va au galop. Voyant que la louve ne le suit pas, il ralentit, s'arrête et revient vers elle pour la bousculer. C'est à ce moment-là que je la reconnais.

— Oumiak !

Elle sursaute, comme démasquée et s'enfuit. Ils galopent côte à côte sur le lac, gravissent la berge, le loup disparaît derrière alors qu'Oumiak marque un arrêt. Elle se retourne, nous regarde comme pour fixer en elle cette dernière image qu'elle gardera de la meute et d'une vie antérieure qu'elle abandonne pour aller vivre un amour libre et sauvage. N'était-ce pas la destinée de cette chienne pas comme les autres dont je disais avant le départ qu'elle était plus louve que chienne ? Elle ne reviendra pas. J'en suis persuadé et je ne suis pas triste. Je ne peux vendre un chien, mais je veux bien donner Oumiak à un loup. Si j'étais Oumiak, je n'aurais pas hésité.

— Adieu Oumiak, je t'aime.

Nous repartons en silence. J'ai une petite boule dans le ventre, celle d'un père mariant sa première fille, heureux et triste.

Le soleil, énorme boule de feu, s'écrase dans la neige embrasant l'horizon. Bientôt la nuit, une de plus. J'ai l'impression de voyager depuis des années, de n'avoir jamais rien fait d'autre que de glisser dans le froid et le blanc avec mes chiens. Une présence derrière moi ! Ils sont là, le loup et Oumiak qui nous suivent de nouveau. Je m'arrête. Ils s'arrêtent. Le loup revient sur ses pas et une fois de plus Oumiak hésite. Arrivé au bord d'un lac à l'orée de la forêt qui le ceinture, le mâle l'attend. Oumiak n'a toujours pas bougé. Assise, elle regarde tour à tour la meute et le loup. Terrible dilemme. Ça dure de longues minutes. Ça peut durer une heure. Je décide de partir.

— Voulk ! Allez !

On s'en va. Oumiak s'est levée. Elle hésite encore quelques secondes, fait quelques pas puis soudain prend le grand galop pour nous rejoindre. Elle arrive à ma hauteur, dépasse le traîneau et va prendre sa place, laissée libre à côté d'Amarok. Je ne m'arrête qu'une dizaine de mètres plus tard. Oumiak se laisse faire. Je lui passe le harnais et l'attache au trait. Nous repartons. Le loup n'a pas suivi. Il était orgueilleux.

L'arrivée à Attawapiskat est une belle victoire collective. Le village n'en revient pas. Winisk-Attawapiskat en quatre jours. Les plus optimistes prévoyaient une semaine, à 10 contre 1 car la moyenne se situait à dix jours.

— 500 kilomètres en quatre jours !

Ils le répètent autour des chiens qu'ils admirent en connaisseurs. On me harcèle à nouveau pour que je vende un de ceux qui voyagent dans les niches. Mais je ne cède pas. Même Buck, l'idiot du village, le dernier de la classe, n'est pas à vendre. L'équipe est contente d'elle. Pour la première fois, cette étape ressemble à celle que nous imaginions sur le papier. Et pour la première fois aussi, nous parlons de Québec. Le sommet de notre montagne vient d'apparaître dans le lointain. La cime se découpe dans le ciel.

À l'assaut !

31.

Moose Factory, − 28 °C, 6 600 km

D'Attawapiskat jusqu'à Moose Factory c'est une autoroute pour chiens. Une belle glace peu empruntée, sinon par quelques rares véhicules 4×4 pendant la journée. 350 kilomètres en 55 heures. Plein sud. Tout droit vers le Québec qui nous ouvre les bras en bas de la baie James.

Avec Attawapiskat, nous laissons derrière nous le Grand Nord et l'hiver, les immenses solitudes blanches et le froid, les ours polaires et les loups. Le mois de mars est là, les jours s'allongent et le soleil monte un peu plus haut chaque jour dans un ciel totalement nouveau où s'accrochent parfois quelques cumulus. À cause de ce printemps qui s'annonce, nous avons renoué avec les voyages de nuit, afin de profiter des températures de − 20 °C à − 30 °C nous permettant de réaliser des étapes de 100 à 120 kilomètres par 24 heures. Lorsque les heures sont trop longues, mon dos trop fatigué, je m'assois quelques minutes sur une corde suspendue au guidon. Une nuit, alors que nous filons à 13-14 km/heure, avec le vent dans le dos, j'installe mon système de corde pour m'asseoir un peu et soulager le dos et les cuisses en train de crier grâce. Dix heures debout derrière un traîneau c'est long, surtout quand c'est le 90ᵉ jour, et je m'endors pour ne me réveiller qu'une heure plus tard à cause d'une plaque de glace sur laquelle le traîneau dérape. Je rêvais d'un truc bizarre, je construisais une plate-forme sur un bateau pour observer les chevreuils qui venaient manger les algues sur les plages que nous longions. La plate-forme s'est écroulée lorsque le traîneau a heurté, en biais, une congère de neige. Les chevreuils se sont enfuis à toute vitesse et j'ai retrouvé la nuit et les chiens, imperturbables et appliqués.

À Moose Factory, village d'Indiens cree où nous sommes merveilleusement bien accueillis, deux nouvelles nous attendent. Une bonne et une mauvaise. La bonne, c'est qu'une piste damée existe jusqu'à Waskaganish puis jusqu'au village indien de Nemiscau. La mauvaise, c'est que contrairement à tout ce qu'on a pu nous dire, personne n'a ouvert la piste entre Nemiscau et Chibougamau cet hiver. Soit 550 kilomètres, Paris-Lyon dans un dédale de lacs, de collines, de rivières et de forêts avec 2 mètres de neige vierge recouvrant le tout.

Bob, Didier et Pierre, que je n'ai pas vus depuis des semaines bien qu'ils soient constamment à moins de 48 heures devant moi, s'attaquent aussitôt à ce problème, multipliant les entretiens avec des Indiens, trappeurs, pilotes et motoneigistes afin de choisir la meilleure option. Il en existe plusieurs : longer la route, utiliser les lignes à haute tension, suivre la rivière Ruppert ou emprunter d'anciens sentiers de trappe. Et nous n'avons pas le droit de nous tromper. C'est une question d'heures. Il reste plus de 1 200 kilomètres pour Québec et un peu moins de 13 jours pour couvrir cette distance. Ils choisiront finalement l'option la plus longue mais la plus sûre, consistant à utiliser le bas-côté de la route, ou la route enneigée elle-même sur certaines portions, puis le réseau de lignes à haute tension sous lesquelles toute la végétation a été broyée sur une largeur d'une bonne centaine de mètres, offrant un véritable champ de neige qui se transforme en aire de jeux pour motoneigistes aux environs des agglomérations. Après Waskaganish, le relief commence à s'accidenter. Des collines de plus en plus élevées apparaissent. Nous avions totalement perdu l'habitude de monter et de descendre. Depuis plus de 5 000 kilomètres c'était le plat, l'horizon rectiligne sur lequel on pouvait lire l'arrondi de la terre. Les chiens apprécient ces variations de régime, ces coups de collier à donner en montée auxquels succède une descente amusante et sportive. J'aime les descentes mais redoute les longues montées où il me faut courir et patiner pour aider les chiens. Les dernières heures d'un long run de 8 ou 9 heures me semblent interminables et les muscles de mes jambes quoique surentraînés depuis 90 jours de course, finissent par crier grâce. Tout l'inverse des chiens. Je suis fier de mes athlètes.

Le 21 mars, le thermomètre passe au-dessus de 0 °C pour la première fois depuis plus de 4 mois. Sur le toit des maisons la neige fond, sur les routes des flaques d'eau s'agrandissent, la glace des rivières se brise, les grosses bottes aux intérieurs de feutre semblent peser une tonne, les vêtements trop chauds tirent sur les épaules, les mains et le visage retrouvent au contact du soleil des sensations oubliées. Impression d'avoir changé de monde. Pendant les heures chaudes durant lesquelles nous nous reposons, je prends bien soin d'installer les chiens en plein soleil et c'est un plaisir immense que de les voir s'étendre, s'étirer, bâiller d'aise en se retournant mollement dans la neige comme des jeunes filles sur la plage. Certains comme Voulk, Nanook ou Carmack orientent leur corps de manière à exposer le dessous de leurs pattes au soleil. Il faut les voir écarter les griffes, cligner des yeux et ronronner de plaisir. Ils s'étalent de tout leur long et jouissent de la caresse chaude des rayons sans en perdre une miette. Je m'allonge avec eux et partage leur plaisir. Mais les périodes de repos se font rares car nous voyageons toutes les nuits et les jours sont de plus en plus perturbés par de nombreuses visites. Des motoneigistes des villages alentour, mais aussi des skieurs de fond et des mushers qui veulent faire un bout de chemin avec moi. L'un d'eux, président d'une association de mushers québécois, a organisé une course relais de 1 000 kilomètres à travers tout le Québec pour fêter mon arrivée. Il vient un jour à ma rencontre avec quelques chiens et nous voyageons ensemble sur une bonne trentaine de kilomètres. Je suis très touché par ce geste auquel se sont associés tant de mushers ayant tenu à souligner mon arrivée de la plus belle des manières.

— Ç'a n'a pas été facile, me dit-il, et nous n'y sommes pas

totalement arrivés car certaines portions de l'itinéraire de 1 000 kilomètres nous ont été interdites par les clubs de moto-neigistes.

C'est au même problème que nous nous heurtons à partir de Chibougamau où un accueil formidable nous a été réservé. Pourtant en arrivant ici, nous pensions que nous en avions défi-nitivement fini avec les ennuis de pistes, qu'il ne nous restait plus qu'à choisir celle que nous utiliserions parmi l'écheveau qui se croise et s'entrecroise sur ce territoire où le sport natio-nal est la motoneige. Des machines surpuissantes, capable d'at-teindre les 200 km/heure et d'accélérer plus vite qu'une Ferrari. Pour pratiquer, les motoneigistes se sont organisés en clubs, aux-quels appartiennent les sentiers, regroupés au sein d'une gigan-tesque association, à peu près aussi puissante que peut l'être le mouvement des chasseurs en France ! Ces sentiers, superbement entretenus, sont régulièrement damés, raclés, nivelés par des machines spéciales. Des panneaux indiquent les virages, les montées ou les descentes, des cabanes servent de relais, des postes à essence sont disséminés sur le parcours ; la vitesse est limitée mais personne ne respecte ces limitations car il n'existe aucun contrôle. Il est strictement interdit d'utiliser ces sentiers que se soit à pied, à skis, en raquette ou avec des chiens. J'avais demandé une autorisation spéciale pour les emprunter de nuit, sachant qu'il n'y a plus aucune motoneige après la tombée du jour. Elle m'a été refusée par le président de l'association des clubs, malgré la promesse qui lui avait été faite que des moto-neiges à l'avant et à l'arrière assureraient ma sécurité au cas fort improbable où nous croiserions l'un de ces bolides des neiges en pleine nuit. Je découvris alors tout le paradoxe de ce pays dont le tourisme est vendu à l'étranger au travers de brochures vantant les mérites d'une nature intacte, à explorer avec des moyens traditionnels de locomotion tels que le canot en été et le traîneau à chiens en hiver, et je signai la pétition remise au Premier ministre du Québec dans laquelle étaient expliqués tous les problèmes que rencontraient les mushers québécois dans l'exercice de leur passion. Il me semble que les clubs de motoneige et les mushers pourraient s'entendre pour permettre à ces derniers d'utiliser sous certaines conditions, certains jours, et à certaines heures, ce formidable réseau de pistes existant actuellement dans le sud du Québec.

— Qu'est-ce qu'on fait ?

— On s'en fiche. Je passe outre ces stupides interdictions. Je ne vais pas m'arrêter sous prétexte que les seuls sentiers utilisables sont exclusivement réservés aux motoneiges, et j'attends celui qui essaiera de m'en empêcher.

Pierre est inquiet et multiplie les démarches pendant que je crache mon venin par presse interposée. La situation se débloque un peu grâce au club de Chibougamau qui prend lui-même la responsabilité d'une autorisation officieuse. Au départ de Chibougamau, nous sommes escortés par plus de cent motoneigistes qui nous font fête, ceux-là mêmes qui tentaient de nous arrêter !

— Ils n'avaient pas bien pris conscience de ce que vous aviez fait. C'est lorsqu'ils ont vu le reportage à la télévision qu'ils ont compris, m'explique un Québécois, haut responsable du tourisme dans la région.

Étrange pouvoir de la presse.

Les 8 000 kilomètres que nous avons parcourus jusqu'ici prennent une tout autre valeur dès lors qu'ils sont présentés par la télévision, les radios et les journaux. À croire qu'il ne s'agit plus des mêmes. La presse est une baguette magique auréolant de gloire les choses et les gens dont elle parle. Une baguette magique étrange dont le pouvoir est illimité et qu'il faut savoir utiliser en prenant bien garde de ne pas tomber dans les nombreux pièges sous forme d'illusion qu'elle traîne avec elle.

C'est dans ce contexte politico-médiatique que nous apprenons à quelques jours de l'arrivée le déclenchement de la guerre au Kosovo dont le retentissement médiatique est énorme. Un grand nombre de journalistes, parmi lesquels figuraient quelques bons amis, échangent alors leur billet d'avion pour le Québec contre des aller-retour pour le Kosovo. Une actualité chasse l'autre et cette actualité-là est trop triste pour ironiser. Au Québec, loin de l'Europe et du Kosovo, la présence des médias s'accentue de jour en jour, d'heure en heure. Nous n'avons plus le droit d'être retardés car la ville de Québec nous attend dimanche à 11 heures et les télévisions ont déjà programmé l'arrivée !

Jacques Boulianne et sa bande font partie de ces gens que nous ne connaissons pas mais qui attendent notre passage depuis longtemps. Ils ont étudié notre itinéraire et se sont aperçus que la piste de motoneige que nous allions suivre effectuait un grand détour vers l'est avant de revenir vers le lac Saint-Jean. Or une très ancienne piste, la route de la fourrure, que les trappeurs avaient ouverte autrefois le long de la rivière Chipenwyan, permettrait d'économiser plus de 50 kilomètres. Ils partent donc à plusieurs, armés de tronçonneuses, de haches, de pelles et de patience et mètre par mètre, ils avancent, taillant dans la végétation un sentier qu'un attelage de chiens puisse emprunter, c'est-à-dire sans virages trop serrés. Ils abattent des arbres, fabriquent des ponts, creusent la neige, comblent des trous pour éviter par les berges des chutes d'eau admirables qui font la réputation de cette rivière féerique. C'est à la tombée du jour que j'emprunte cette piste immémoriale, en maudissant la nuit qui vient comme un rideau se fermer sur le spectacle. Une plaque sera bientôt clouée à l'entrée du premier portage : **la route de la fourrure rouverte en 1999 pour l'Odyssée blanche**, et je jure d'y revenir, plus tard, avec les chiens, en prenant le temps d'admirer ces majestueux paysages faits de chutes, de rapides et de canyons. J'en ai marre de passer partout comme une étoile filante, mais Québec nous attend.

Pourtant, sur le lac Saint-Jean, je suis à deux doigts d'abandonner l'idée d'arriver à temps. Une tempête énorme se lève — la plus forte de l'hiver — et les chiens bousculés par les rafales n'avancent plus qu'au ralenti. Accroupi derrière le traîneau pour empêcher le vent d'avoir prise sur moi, je serre les dents et compte les kilomètres qui n'en finissent pas. Certaines rafales sont si fortes qu'elles m'empêchent de voir les chiens noyés dans l'immense tourbillon blanc. Juste devant moi, l'équipe accompagnée de plusieurs Québécois compatit aux efforts que je fais pour respecter le programme jusqu'au bout, et n'abandonne pas.

Pourtant, la tentation doit être grande d'appuyer sur l'accélérateur pour échapper en quelques minutes à l'enfer. Mais Alain, Marc, Didier et les autres en ont vu d'autres et il leur faudrait, à deux jours de l'arrivée, bien plus qu'une tempête, aussi forte soit-elle, pour lâcher prise.

Nous ne sommes plus des coéquipiers, ni des amis. Nous sommes une famille unie par des liens aussi forts et étranges que peuvent l'être ceux du sang. La réussite de notre entreprise cimente ces liens même si les accrocs n'ont pas encore tous cicatrisé.

Nous nous accordons une pause de deux heures dans une petite auberge installée sur les berges du lac où la tempête continue de faire rage. Nous y arrivons trempés à tordre, car il s'est mis à pleuvoir un mélange de neige et d'eau. C'est pire que la pluie, cette neige mouillée s'accroche aux vêtements et les imbibe, rien ne résiste. Les combinaisons de nos motoneigistes québécois pèsent dix fois leur poids. Nos bottes font des flocs-flocs répugnants. Quant aux chiens, le poil plaqué contre le corps, ils font triste mine et regrettent le temps béni où l'on courait par − 40 °C sous les aurores boréales. Il est temps d'arriver.

Roberval et Val Jalbert nous font fête, s'excusant presque de cette tempête qui a surpris tout le monde. Je me sens bien ici. J'aime les Québécois, leur simplicité, leur honnêteté, leur joie de vivre surtout. Je crois que c'est ici que je vais construire mon « camp des écorces » avec lequel j'essaierai de réaliser un autre rêve. Celui de rendre possible aux handicapés moteur la randonnée en traîneau à chiens, qui leur permettra de découvrir en hiver les zones les plus sauvages qui leur sont aujourd'hui inaccessibles. Certains chiens remplacent les yeux des aveugles. Les miens remplaceront des jambes en partageant leur plaisir. Pour financer ce projet, je lancerai un défi fou. Nous traverserons en duo avec un handicapé l'une des zones les plus hostiles de la planète — le défi du cœur. Nous réussirons et notre victoire prouvera, si besoin est, que cette idée, tout entière, n'est pas si folle.

32.

Québec, 28 mars, 8 600 km

Ça ressemble à un rêve et les chiens parlent. Ils me disent
que je ne dois pas m'inquiéter, que cette dernière journée, ils me
l'offrent. Ils savent que ce voyage n'a pas été le mien. Ils me disent
que si eux y ont trouvé beaucoup de plaisir, moi je n'en ai trouvé
que trop rarement, et que cette journée sera ma récompense, le
sommet de cette montagne que j'ai gravie pour eux parce que je
pressentais qu'ils en étaient capables. Une montagne de
8 600 kilomètres au sommet de laquelle se trouve Québec, que
nous devinons car la capitale illumine la nuit au loin. Ils savent
que cette dernière journée est celle de tous les dangers, avec ces
routes, ces voitures, ces virages à angle droit et autres pièges et
ils sont sur leurs gardes, attentifs et concentrés. Voulk me regarde
de ses yeux pleins de songe et de confiance et me rassure. On n'a
pas fait tout cela, traversé tant de difficultés, passé de si longues
journées ensemble dans le froid et les nuits, pour échouer ici. Ça
ressemble à un rêve mais c'est bien plus beau qu'un rêve. Et mes
larmes de joie au goût un peu salé tombent sur la truffe de Voulk
qui lèche le parfum de la victoire si proche. Il passe sa langue
chaude et râpeuse sur mon visage et ce baiser me donne confiance.

Il y a beaucoup de monde, des motoneiges et sur elles des
photographes, des cameramen et bien entendu l'équipe au complet à laquelle s'ajoutent mes parents et des proches qui m'ont

fait l'immense amitié de venir. Marc et Alain restent auprès de moi et veillent à ce que personne n'approche de trop près l'attelage. Toute l'équipe reste très concentrée, même si se dessinent sur les visages les sourires de la victoire, pas de relâchement, pas encore. Nous ne nous parlons pas car nous n'avons rien à nous dire. Nous vivons la même chose et les regards suffisent. Des sourires, des accolades, chargés d'émotion, des larmes déjà. Ce matin est électrique et l'équipe vit ensemble un rêve partagé. À chaque carrefour, la police mobilisée arrête les voitures et fait passer l'attelage. Tout a été organisé, chronométré, respecté, pensé par un groupe de personnes qui ont réalisé un travail dont on mesure aujourd'hui l'importance et la complexité. Faire arriver un attelage de chiens de traîneau en plein centre de la ville de Québec !

Une gageure quand on connaît l'écheveau de routes et d'autoroutes, l'étendue de l'agglomération et de ses villes périphériques. L'itinéraire a été modifié cent fois avant d'aboutir à celui emprunté aujourd'hui jusqu'à la capitale. On traverse un golf, un jardin public, des jardins privés (plus de 80 autorisations spéciales ont été délivrées), un tunnel, une décharge, un parking et une ligne de chemin de fer. Partout, à chaque bifurcation, chaque croisement, chaque rue, des policiers reliés aux autres par radio surveillent l'opération devenue affaire nationale. En direct depuis 8 heures du matin, télévisions et radios suivent l'arrivée annoncée à la une de tous les journaux. Les chiens réalisent un grand numéro. Rien ne peut déconcentrer Voulk dont la précision dans la réalisation des ordres que je lui donne sidère les spectateurs de plus en plus nombreux. L'arrivée ressemble à une transatlantique lorsque le bateau arrive en vue des côtes et qu'il est escorté par toute une flottille.

Le jour se lève et un soleil radieux illumine la ville dont le château Frontenac se dessine au loin dans un ciel d'une limpidité extraordinaire.

Centre ville : 5 kilomètres.

Sur l'autoroute bloquée pour la circonstance, les chiens escortés par plusieurs voitures de police trottent joyeusement comme s'ils trouvaient ça drôle. Ont-ils conscience de l'honneur qui leur est fait ? On jurerait que oui.

Quant à moi je suis stupéfait de l'accueil que nous a réservé le Québec tout entier. Je n'imaginais pas que des Français ayant réalisé une expédition aussi grandiose soit-elle puissent générer un tel élan de sympathie. Je suis touché au cœur et cela augmente la charge émotionnelle de cette arrivée triomphale.

— Bravo ! Bravo !

De leur voiture, de leur jardin, de leur balcon, les gens brandissent les journaux et nous acclament.

Sur la terrasse du château Frontenac au bord de l'eau salée du Saint-Laurent, les canons à neige préparent notre dernière piste que bordent des barrières derrière lesquelles la foule afflue. Une sorte de stade a été aménagé derrière le superbe portique d'arrivée spécialement conçu pour l'événement, à l'intérieur duquel seuls mes parents, mes amis et les journalistes sont autorisés à pénétrer. Le sol est jonché de fils de connexion pour les télévisions et radios, plusieurs dizaines de photographes cherchent le meilleur angle, se poussent, montent dans les lampadaires. Une sono crache les informations et informe la foule de notre position.

— Ils ne sont plus qu'à 1 kilomètre du château !

— Voulk, djee. Voulk, yap doucement, encore. Oui ! Yap encore. Bien, djee maintenant, doucement !

Il faut voir l'attelage. Il ne rate rien et le policier auprès duquel je m'arrête pour enlever les roues mises au début de l'autoroute m'apporte un journal qu'il me demande de signer.

— Merci, c'est la plus belle journée de ma carrière de policier.

— Moi, c'est la plus belle journée de ma vie !

Et c'est vrai.

Devant, il ne reste plus que 500 mètres. Derrière nous 8 600 kilomètres. Les six motoneiges ouvrent la voie comme elles l'ont fait depuis Skagway. Ce sont eux, Pierre, Alain, Marc, Didier, Raphaël, Bob, Thomas, Emmanuel et Alvaro qui franchissent la ligne d'arrivée en premier, comme il se doit. Je les aperçois au loin, les bras levés au ciel en signe de victoire et j'entends la foule qui hurle lorsque Alain s'effondre en larmes dans les bras de Marc. Je voudrais que cet instant-là dure toujours.

Comment ai-je pu croire un instant que les chiens auraient peur de cette foule immense qui nous attend là-bas, formant une immense haie d'honneur jusqu'à la ligne d'arrivée, comment ai-je pu craindre leur réaction ?

Ce sont des seigneurs qui entrent dans l'arène, la tête haute, le poil gonflé, fiers et victorieux. Ils n'ont pas peur. Ils galopent bien droit vers leur victoire et je me laisse porter. Je n'entends plus rien. Je ne vois plus rien. Je me fiche que des milliers de gens me voient pleurer. J'estime avoir payé assez cher ce droit-là. Je franchis la ligne d'arrivée comme dans un trou noir. Je crois que j'ai fermé les yeux. J'ai un chien dans les bras et une nuée de journalistes autour de moi. Je cherche un visage mais il n'y a que des objectifs de verre réverbérant le soleil qui me font cligner des yeux. Il y a des crépitements de flash, des questions que je ne comprends pas. Il y a toute l'équipe qui m'entoure, me porte, me soulève et que j'embrasse. Il y a les bras de mes parents et de Diane dans lesquels je pleure sans honte ni retenue. Il y a toutes ces secondes que l'on a si longtemps attendues, rêvées, que l'on voudrait retenir, mais qui sont déjà derrière soi.

Annexe

Nous étions dix dans cette Odyssée blanche et nous avons vécu dix aventures — chacun à notre manière, pour des raisons différentes et avec des motivations diverses. Dans ce livre, j'ai raconté mon histoire sans tomber dans le piège consistant à essayer, en pure perte, de raconter aussi celle des autres. Car la grande aventure est intérieure.

Pourtant il m'est apparu essentiel que l'un des membres de l'équipe de derrière (c'est ainsi que nous l'avions nommée), qui s'est retrouvée « lâchée » environ 48 heures derrière Alain, Bruce et moi dans cette héroïque traversée des montagnes Rocheuses, raconte sa propre aventure. Didier a donc écrit la trame à partir de laquelle Thomas a développé ce récit :

Emmitouflé dans mon duvet, je pense aux jours à venir, à la nourriture qui manque, aux motoneiges qui n'ont jamais demandé à venir jusqu'à ce fameux « camp de la mort » et qui nous le font payer. Je pense à cette réunion d'hier où Nicolas a pris la décision de partir ouvrir la piste avec Bruce et Alain.

Je n'arrive pas à m'endormir. Chaque fois que Nicolas se lève pour remettre du bois dans le poêle, j'ai envie de réveiller tout le monde pour reprendre les discussions de la veille et changer l'organisation sur laquelle la réunion s'est achevée. Quand enfin la fatigue l'emporte, le hurlement des chiens me réveille…

Il est 5 heures du matin. Il fait −50 °C. Immobile, les yeux fixés sur le toit de la tente, j'écoute Nicolas se préparer.

— Alain, il faut y aller. Qu'est-ce qu'il fout Bruce ?

— Il dort.

— Réveille-le, merde, faut y aller…

— Ça va, ça va ! Réveille-le, toi. J'y peux rien moi s'il ne veut pas partir…

La précipitation de Nicolas agace Alain et comme d'habitude le ton monte pour finir par une énorme engueulade d'Alain, dont lui seul a le secret.

Le calme revient, les motoneiges pétaradent tant bien que mal et dans un concert d'aboiements l'attelage escorté des deux bravos s'éloigne dans la nuit. Je suis certain que cette idée de faire deux équipes n'est pas une bonne chose. Jusque-là nous avons avancé, certes pas autant que nous l'espérions, mais nous avons avancé parce que nous étions ensemble. Le problème vient d'ailleurs, mais en aucun cas du fait que nous soyons neuf. Et puis qui d'entre nous connaissait les motoneiges et la mécanique, personne ! Qui aurait imaginé qu'il ferait −50 °C et que la consommation d'essence triplerait voire quadruplerait ? Personne. Si, Norman. Et c'est pour cela qu'à la dernière minute nous l'avons emmené. Lui savait que c'était de la folie de tenter cette traversée, d'autant qu'indépendamment des problèmes de froid, pour lesquels on peut faire une confiance aveugle à Nicolas, ni moi, ni Alain et Marc, ni Didier, ni même Emmanuel et encore moins Alvaro n'avions d'autre expérience des motoneiges que celle des quelques jours qui nous séparaient désormais de Skagway. Aujourd'hui nous comprenons mieux le sourire de Norman quand pour la première fois, à Ross River, Marc dans un anglais irrésistiblement drôle, lui expliquait notre expédition…

Sans faire le moindre bruit, je prépare le café. Didier se redresse et s'assoit dans son duvet.

— Qui c'est qui a gueulé ?

— Alain…

— Nico lui a mis la pression ?

— À ton avis ! Mais ça fait rien, quand « le gros » en aura marre de sortir sa motoneige tout seul, il nous attendra…

Marco se marre. Et c'est vrai, ce matin, l'ambiance est

bonne. Le petit déjeuner dure deux heures, et chacun se libère en lançant un tas d'atrocités sur le dos de Nicolas et d'Alain. Nicolas pour mettre sans cesse la pression et n'agir qu'en fonction de ses impératifs, Alain pour sa faiblesse habituelle et sa préférence très nette pour les petits comités ! Seul Bruce est épargné. Si la bonne humeur est de rigueur, l'ironie générale montre bien l'amertume des uns et des autres quant au départ de l'équipe de tête.

Nous nous organisons. Emmanuel bichonne son magnétophone qu'il porte toute la journée sur le ventre. Alvaro essuie nerveusement la lentille frontale de son téléobjectif, et Didier, Marco et Norman s'affairent à rentrer les motoneiges une par une à l'intérieur de la tente, pour des réparations de fortune. Norman condamne toute l'électronique qui nuit fortement au démarrage. Mais pour fuir ce « camp de la mort », nous dépendons encore de l'hélicoptère, qui ne vient pas. Moi je démonte pour la énième fois la caméra qui souffre non pas du froid, comme je le craignais au départ, mais davantage des chocs qu'elle subit et de la condensation. Je le fais par conscience professionnelle, parce que l'envie de la ranger jusqu'à Norman Wells me démange. Alvaro, à qui Nicolas avait proposé de prendre l'hélicoptère pour finir cette traversée des montagnes, regarde régulièrement le ciel, s'interrogeant sur cette possibilité.

— Je comprends pas. Il est midi et toujours pas d'hélico.

— Il doit y avoir des problèmes de météo, c'est pas possible autrement.

Marco qui est responsable du téléphone satellite propose de gravir la montagne pour essayer de joindre Pierre.

— Qui vient là-haut avec moi ?

— T'es sûr que ça ne passe pas d'ici ? répond Alvaro, fermement décidé à garder sa place près du poêle qu'il entretient amoureusement.

— C'est bon, j'y vais tout seul, merci !

Marco enfile ses gants et sort. Quand il revient, nous avons repris le débat sur la récente séparation des troupes. Apparemment il tient au cœur de tout le monde. Plus le temps passe, moins nous comprenons comment nous allons faire pour rattraper l'équipe de tête ce soir. C'est impossible. La nuit arrive, l'hélicoptère ne viendra pas aujourd'hui. S'il arrive demain, ce dont nous doutons, parce que rien depuis le départ ne se passe comme prévu, ça ne pourra pas être avant midi. Il faudra compter deux bonnes heures de boulot pour remonter la pièce manquante et ensuite il nous faudra encore une heure pour démarrer les VK. Autant dire qu'un départ demain nous paraît peu probable. Nous projetons de quitter le camp après-demain matin, le plus tôt possible, et nous nous organisons pour y parvenir. Nous en avons vraiment assez d'attendre et malgré le charme du décor que nous assiégeons humblement, l'envie d'avancer, de rejoindre la tête de l'expédition et de réduire la distance qui nous sépare de Norman Wells est bel et bien là. Reste qu'il nous faut de l'essence et une piste excellente pour récupérer notre retard.

— Ce qui compte c'est de foutre le camp d'ici, après, pour les rejoindre, on verra bien.

Après une bonne demi-heure de discussion, la seule chose que nous retenons, c'est que désormais Norman sera notre sauveur. C'est lui qui orientera nos décisions pour que, coûte que coûte, nous sortions vivants de ces montagnes. Sans nous l'avouer ouvertement, nous ne pensons plus qu'à sauver notre peau, ou ce qu'il en reste. Le reste devient secondaire. Ce soir Didier, Marc et moi décidons de fêter la nouvelle année et nous montons vers minuit sur la crête voisine, le seul endroit où la réception est correcte. Il fait vraiment très froid. D'entendre quelques instants la voix de ceux que nous aimons, simplement l'entendre sans même comprendre ce qui se dit, nous réchauffe le ventre. Je reçois Isabelle, ma femme, qui pleure sans pouvoir dire un mot. Je tente de la rassurer, l'adjure d'ignorer les bulletins radio parisiens qui nous annoncent déjà comme perdus dans les montagnes ; Didier, lui, ne parvient pas à glisser un mot à sa grand-mère qui s'évertue à lui conseiller de se couvrir s'il fait −50 °C !

La température reste polaire et le soleil domine fièrement la cime des montagnes. L'hélicoptère apparaît brutalement au-dessus de la colline qui nous surplombe et à notre grande surprise Bruce saute de l'appareil, le visage étincelant. Tout va bien. Il explique qu'ils n'avancent pas si vite que ça et qu'il ne nous faudra pas trop de temps pour rallier les troupes. Il y a de la nourriture, des cigarettes et de l'essence. Enfin des bonnes nouvelles.

— Vous êtes où ?

— À environ 30 kilomètres d'ici, sur le bord de la rivière. On vous a attendus là-bas toute la journée mais Nicolas veut repartir très tôt demain.

Norman qui se fout éperdument du blabla qui s'éternise réclame la pièce qui lui manque pour réparer la motoneige. Bruce répond que l'essence et la pièce nous attendent là-bas, au camp où se trouvent Nico et Alain. Tout le monde se tait. Personne n'y croît.

— C'est une blague ! Tu déconnes...

— Non. Pierre a dit qu'il fallait la laisser avec l'essence.

— Il est complètement con ou quoi. C'est moi qui lui ai expliqué. À quoi ça sert qu'on attende ici alors, merde...

Il est midi, l'hélicoptère repart en catastrophe. Marco qui ne comprend jamais rien aux discussions en anglais demande :

— Explique. Qu'est-ce qui se passe...

Alvaro traduit...

— C'est à pisser de rire. Bravo la communication ! Ça continue...

— Il va falloir arrêter les conneries sinon on n'est pas près d'arriver à Québec !

Et Nicolas qui nous attend ce soir... Après l'énervement nous explosons de rire, et nous trouvons cette histoire profondément ridicule. Cette fois pas question d'invoquer l'incompréhension ou d'accabler la mauvaise réception du téléphone satellite, Bruce a reçu en personne les ordres. Le pilote doit revenir dans deux heures avec la pièce et quelques jerricanes d'essence, indispensables pour atteindre le prochain dépôt. L'attente recommence. Nous nous entraidons dans nos tâches respectives et silencieusement une solidarité au moins aussi immense que les montagnes qui nous dominent s'installe. Nous sommes des naufragés, mais nous sommes six ! Alors nous nous sentons forts...

Le soleil a plongé à l'horizon. Si l'hélicoptère n'est pas là dans un quart d'heure, c'est cuit pour aujourd'hui. Quand il arrive enfin, nous sommes six à l'encercler, la tête entre les mains, pour nous protéger de ce tourbillon de poudreuse qui fait disparaître le camp tout entier. Tim explique qu'il n'a que très peu de temps pour rentrer et lance la pièce dans la neige. Il referme déjà la porte quand Norman court lui parler. Sans bouger nous regardons tous l'hélicoptère qui s'élève aussitôt. Norman disparaît dans la tempête de neige et quand le calme revient, nous le retrouvons à genoux, les larmes aux yeux…

— Enfoiré de Bruce… Merde, merde et merde…

Nous comprenons immédiatement. L'essence. Elle n'est pas là !

Cette fois la peur nous saisit. À voir le regard éteint de Norman, nous n'y croyons plus. Jamais nous n'arriverons à Norman Wells. C'est impossible. Nous sommes condamnés à rester dans ce « camp de la mort » dont le nom prend à cet instant toute son ampleur. Nous regagnons la tente sans un mot. Ce soir personne n'a faim. La haine nous coupe l'appétit. Comment ont-ils pu oublier l'essence ? Et ils nous attendent ? C'est impossible. Il y a forcément quelque chose qui nous échappe et aucun d'entre nous ne sait quoi.

— Moi je sais. Nicolas pense qu'à neuf on n'y arrivera pas. Ils ont gardé l'essence et demain Tim va venir nous chercher.

— Et les motoneiges, t'en fais quoi ? Tu vas les mettre dans l'hélico…

— Y aura deux rotations… J'en sais rien. Tout ce que je sais, c'est qu'on n'a pas d'essence et que vu ce qu'a dit Bruce, rien n'arrêtera Nicolas.

Nous nous sentons trahis et cela ne passe pas du tout. Norman réclame un café et prend la parole. Il explique que si on roule doucement, sans accélérer, on devrait pouvoir couvrir les 30 kilomètres qui nous séparent du dépôt. Nous roulerons en vitesses longues. Elles consomment moins que les courtes, pourtant indispensables vu la physionomie de la piste. Une fois arrivés à leur camp, qui dit qu'ils auront laissé de l'essence ? Et la piste, qui sait si elle est bonne ? Tout un tas de questions restent sans réponses. Mais nous décidons, quoi qu'il arrive, de quitter notre campement à la première heure. Nous sommes tous d'accord. Il faut vraiment partir. Norman propose également d'avancer tous ensemble pour nous aider mutuellement à débourber les motoneiges si besoin est. L'union fait la force. Didier conseille même de rouler sans jamais laisser plus de 400 mètres entre les machines. Comme ça, pas d'attente inutile sans savoir ce qui se passe. L'ordre est donné : Didier et Alvaro devant, moi et Emmanuel, de toute façon inséparables puisque nous partageons la même motoneige, au milieu, et Marc et Norman fermeront la marche. Norman pour des raisons de sécurité et Marc pour disposer de sa force en cas de pépin. L'organisation établie, nous nous couchons la faim au ventre et la tête pleine d'idées aussi noires que la nuit dehors.

À 5 heures du matin, Emmanuel est le premier levé et sonne le branle-bas de combat. De la même façon qu'à l'usine, tout s'enchaîne. Deux heures après nous sommes prêts et une dernière fois Norman, traduit par Alvaro, donne le mot d'ordre de la journée : au premier qui tombe en panne tout le monde s'arrête et on monte le camp. Les motoneiges de queue sont davantage chargées en essence de sorte qu'elles soient les dernières à tomber en panne. Aussi incroyable que cela puisse paraître, quitter ce camp met fin à quatre journées de galère et à la première pause cigarettes, tout le monde est d'excellente humeur. Dignes d'une grande expédition, méticuleusement bien ficelée la veille, nous avançons facilement. La piste est bonne. Le compteur de ma motoneige affiche 11 kilomètres quand Norman arrive à ma hauteur.

— Où est Marc ?

— Derrière. Il est en panne. Je vais prévenir les autres qu'on s'arrête.

Norman disparaît et en m'apprêtant à faire demi-tour, j'aperçois Marco qui vient s'échouer à deux mètres de nous. À voir son visage, je comprends qu'il a encore exécuté un de ces tours qui l'amusent comme un gamin.

— Je te croyais en panne.

— Ouais. Mais je voulais pas rester tout seul derrière. D'ailleurs j'ai pas compris. On devait tous s'arrêter et Norman, lui, il se barre…

— Mais nous on t'attend, Marco. On allait même repartir te voir.

Il se marre et raconte…

— Quand j'étais gosse on pissait dans le réservoir des voitures. Ça fait remonter le niveau d'essence et on repart. Pas pour longtemps, mais parfois ça aide. La preuve…

— Enfin, il reste 8 000 bornes pour Québec. J'espère que tu as souvent envie de pisser !

Emmanuel ne parle pas beaucoup, mais il ne rate jamais une occasion comme celle-ci pour intervenir.

Grâce à un petit tuyau plastique, planqué dans la selle de Marco, nous lui cédons un peu de notre essence. Un kilomètre plus loin, tout le monde nous attend. Pas surpris de la nouvelle galère qui nous arrive, personne ne s'énerve. Didier et Norman décident de continuer pendant que nous monterons un camp sur la piste pour les attendre. Nous siphonnons immédiatement l'essence restante, en espérant que cela suffira pour les emmener à bon port. De toute façon on n'a pas le choix. Il faut le tenter. Ils chargent leurs duvets et un peu de nourriture à même les mononeiges pour abandonner leurs luges. La moindre goutte de carburant vaut plus que tout l'or du monde. Il y a environ 20 kilomètres à faire pour atteindre le dépôt, 20 pour revenir. Nous comptons quatre heures pour l'aller-retour.

Vers 22 heures, nous ne pensons plus revoir nos éclaireurs, et nous décidons de monter la grande tente, pour remplacer la petite qui nous a abrités depuis leur départ. Au même instant, les phares des motoneiges percent l'horizon tout noir.

— Fini pour moi ! J'en ai ras le bol. 15 heures de motoneige pour faire 11 kilomètres, merci ! Et demain les petits gars, on va rire. Les aulnes le long de la piste, je vous promets, vous allez rire.

À voir le visage lacéré de Didier, personne ne relève. Au dépôt, il y avait de l'essence, mais sur les 400 litres, il n'en restait que 250. Deux cent cinquante pour nos cinq monstres. Les autres 150 litres se sont évaporés avec les deux bravos d'Alain et Bruce. 150 litres pour seulement deux motoneiges, celles qui consommaient le moins !

Sur l'un des deux bidons nous trouvons un mot de Nicolas : «... On vous attend demain soir. Soyez grands ! Nico.» Nous devons rattraper deux jours de retard, alors que demain nous devrons encore envoyer deux personnes chercher de l'essence, toutes les machines n'ayant pas de quoi atteindre le prochain dépôt. Cette habitude devient insupportable. Didier décrète un départ à 10 heures du matin, prétextant un manque de sommeil dû aux efforts supplémentaires. Nous l'acceptons tous. Ce soir Norman ne se lance pas dans une des histoires de trappeurs et de chasse dont il nous délecte d'ordinaire. Avant de se coucher il avoue qu'une sciatique paralyse sa jambe et raconte, comme pour se justifier, l'accident qu'il a vécu lorsqu'il était bûcheron. À 2 heures, le concert de ronflements démarre, avec pour chef d'orchestre Marco...

L'enfer dont nous avait parlé Didier est bien réel. Le tunnel formé par les aulnes nains se déroule devant nous, interminable. La vitesse maximale est de 10 km/heure. Les branches s'accrochent partout, bloquent les patins au moindre écart. Nous conduisons la tête repliée derrière les pare-brise qui ne résistent pas longtemps.

Malgré la lenteur de notre progression et notre vigilance décuplée, nous prenons énormément de coups, à écœurer le plus rebelle des légionnaires. Quand avec l'altitude le tunnel s'ouvre enfin, c'est pour buter sur le passage d'un torrent à flanc de montagne. Nous le franchissons au prix de deux longues heures d'efforts. Norman souffre de sa jambe, et se bat pour rester accroché à sa moto. Alvaro craque à cause de ses pieds, meurtris par le froid. Il s'arrête et jure devant tous les dieux de la terre qu'il ne fera pas un mètre de plus. Il réclame un feu que je lui refuse. La nuit arrive. Il faut avancer. Non pas pour rejoindre les autres, mais avancer pour nous. Pour garder le moral. Alvaro se décide enfin à enfourcher ma motoneige, et j'explique à Didier que si on s'arrête encore une fois, on n'arrivera plus à convaincre notre photographe de continuer. Pendant plus de deux heures je l'entends me supplier de lui faire un feu. Je fais mine de ne rien entendre, au détriment de mes nerfs qui s'enflamment de plus en plus. La piste descend et s'écrase sur le bord d'une rivière. Il est 3 heures du matin. Didier coupe son moteur.

— 17 heures de bécane ! Moi, ça me va. Stop.

— Attends, y a pas de bois.

— Je m'en fous...

Didier revient triomphalement avec un ancien poteau télégraphique tronçonné en bûchettes. Emmanuel et Marc ramènent de l'eau de la rivière. Moi je finis d'installer le poêle. Alvaro nous regarde faire, immobile, ailleurs. À le voir si inactif, je bous intérieurement, près d'exploser, quand Marc, intelligemment, m'envoie un énorme clin d'œil. L'esprit d'équipe, qu'il revendique si souvent, s'impose et très vite j'admets qu'il a raison. Ça ne servira à rien. Maintenant le poêle ronfle à tue-tête, et à défaut de filmer, ce pourquoi j'avais été initialement embarqué dans cette galère, je cuisine les incontournables spaghetti accommodés des rares tranches de lard qui nous restent. Marc soutient qu'en puisant l'eau, il a vu une lumière un peu plus loin sur la rivière.

— Ce sont eux, c'est sûr.

— Mais non, c'est impossible. T'as vu le retard qu'on a encore pris aujourd'hui.

Emmanuel met un terme à l'histoire, craignant que la discussion ne reparte sur ces salauds qui sont partis devant, volant notre part d'essence et nous faisant croire, par le biais de petits mots, qu'ils nous attendent. Il a raison. Le soupçon d'énergie qui nous reste, nous devons l'utiliser à avancer. Dormons, à défaut de manger correctement, c'est ce que nous avons de mieux à faire...

Après une courte nuit de 3 ou 4 heures, une nouvelle fois, Emmanuel sonne le réveil des troupes. Nous nous levons les uns après les autres, les traits tirés, les gestes lourds et maladroits. Ce matin nous fonctionnons au ralenti et, pour la première fois, l'épuisement se fait réellement sentir. Nous mangeons plusieurs crêpes pour tenter de retrouver quelques forces et Marco se laisse facilement séduire par le reste de pâtes de la veille. J'ai l'impression que tout le monde cherche un peu de réconfort, quel qu'il soit. Les blagues fusent, mais je sens bien que les copains se forcent. Inconsciemment ou volontairement, mais en dissimulant le mieux possible son jeu, chacun d'entre nous traîne, trouvant subitement une petite occupation. Tout est bon pour rester dans la tente, ne pas plier le camp et surtout ne pas partir. La démotivation est grande. Marco nous invite à un dernier café quand nous entendons au loin le ronflement d'un bimoteur. Alors que depuis le réveil personne n'a mis le nez dehors, soudain nous jaillissons tous de la tente pour nous retrouver comme des statues, scrutant le ciel aussi méticuleusement qu'un astrologue. L'avion nous survole plusieurs fois mais la brume doit gêner sa visibilité et aucun signe de sa part ne se devine. Je crie aussitôt à l'équipe de bouger pour créer un mouvement, beaucoup plus visible d'en haut. Nous sautons, agitons les bras comme des vrais naufragés mais rien n'y fait. Le ronflement s'atténue et s'arrête quand l'avion disparaît derrière la montagne.

— C'est peut-être Pierre qui nous cherche...

— J'en sais rien mais c'est forcément pour nous...

Une sorte de tranquillité s'installe et aussi idiot que cela puisse paraître, nous nous sentons rassurés. Ça se lit immédiatement sur nos visages, qui reflètent moins cette peur que nous ressentons tous mais que personne n'évoque, même à demi-mot. Didier démarre sa motoneige comme s'il cherchait à bousculer la torpeur dans laquelle nous nous enfermons au fil des jours. Pour la première fois la VK ne résiste pas au tour de clé matinal tant appréhendé. L'effervescence générale porte ses fruits et une heure après il ne reste plus que les dernières bûches du poêle jetées au sol qui terminent de se consumer. Autour du feu, nous prenons le traditionnel dernier café et savourons peut-être la meilleure cigarette de la journée. Nous nous fixons comme objectif d'atteindre coûte que coûte le mile 108...

La Canal Road a complètement disparu. Nous suivons, parfois péniblement, la piste laissée par Bruce et Alain. De temps en temps nous apercevons également les pattes des chiens suivies des deux minces traces de lices qu'inscrit le traîneau. Pour ça l'hiver est vraiment plaisant parce qu'il transforme la nature en un gigantesque livre aux pages innombrables. Tout se lit, tout se voit, tout se sait. Si bien qu'une chute de motoneiges ne peut pas être dissimulée, au bénéfice d'un d'entre nous qui revendiquerait des talents exagérés de pilote. Sur la piste les traces d'animaux sont très fréquentes et témoignent de leur curiosité, mais surtout de leur intelligence instinctive à emprunter les endroits les plus propices à leurs déplacements. De ne voir que les traces et jamais les animaux accentue notre amertume d'être derrière, surtout quand au détour d'un mot laissé à notre intention nous lisons : «Nous avons vu plein de loups..., c'était magnifique ! »

Nous avançons sur une rivière où la glace vive alterne avec les overflows et la slutch. La progression est beaucoup moins ingrate que les jours passés, mais requiert peut-être plus de compétences techniques. Il faut accélérer dans la slutch, pour ne pas s'embourber et rester prisonnier des glaces qui se referment aussitôt autour des patins et de la chenille. Sur la glace vive, il faut doser sa vitesse tout en anticipant les pièges des luges qui n'en font qu'à leur tête. Nous nous arrêtons souvent pour vérifier la solidité de la glace même si la piste la traverse. Un simple redoux peut fragiliser un passage emprunté quelques jours plus tôt par Bruce et Alain. Souvent, c'est Norman qui tranche. Quand l'approbation est donnée la consigne est toujours « ne pas s'arrêter». Il faut prendre un peu d'élan, adopter une vitesse constante et faible pour maintenir l'adhérence. Mais ne jamais s'arrêter. C'est pourtant ce que fait Alvaro, obligeant la caravane entière à l'imiter. Norman lance les jurons les plus abominables que la langue anglaise connaisse. Dans l'énervement il oublie la glace et en descendant de sa machine s'étale de toute sa longueur, sans pour autant cesser de jurer. Nous rions tous parce que c'est l'archétype même du gag, que Charlie Chaplin avait si bien compris, mais nous sommes usés par ce genre d'erreur qui ralentit considérablement la marche.

— Qu'est-ce que je suis venu foutre avec des gosses au milieu de ces putains de montagnes, bordel...

Il faut reconnaître à Norman que ce genre d'erreur peut coûter très cher, et qu'à ses yeux de trappeur et de coureur des bois confirmé nous passons notre temps à faire des choix et des choses qui ne se font pas dans le Grand Nord. Pour l'instant la chance a toujours été avec nous. Pourvu que ça dure. Quant à ses jurons, nous n'y faisons plus attention tellement ils sont fréquents. Tous les matins nous sommes contraints à l'éternel... «Putain d'YAMAHA!» Et pendant les réparations «Putain d'clé, putain de démarreur», etc.

Norman se calme et réfléchit. Nous attendons sans rien dire ni faire pour ne pas le contrarier une nouvelle fois. À l'aide de sa hache il entaille la glace pour loger ses pieds et remonte la rivière sur une cinquantaine de mètres, jusqu'à atteindre un îlot rocailleux qui émerge de la glace. Pendant ce temps et à sa demande Didier raboute plusieurs cordes et, en véritable expert des nœuds qui se dénouent facilement, attache la première motoneige par les patins.

— Marco, tu pousses au démarrage. Manu, tu accélères doucement, mais doucement, et tu ne t'arrêtes surtout pas...

Norman s'arc-boute et, au top, tire de toutes ses forces pour extraire la machine de cette patinoire infranchissable. Emmanuel s'arrache lentement, prend un peu de vitesse, part en crabe, se fait dépasser par sa luge mais tant bien que mal zigzague triomphalement jusqu'à la berge. Nous sommes arrêtés depuis une heure et il y a au moins une motoneige de sauvée.

— Il vaut mieux détacher les luges, on les passera après, suggère Marco.

— Tu crois? Manu est passé...

— Oui, mais limite. Allez, on perdra moins de temps!

Norman approuve et la manœuvre continue. À cet endroit le décor est tellement grandiose que je décide de sortir la caméra. Tant pis pour le son, il est hors de question de faire revenir Emmanuel. Nicolas veut des galères, il les aura. Et de reprendre mes pérégrinations cinématographiques me redonne un peu de moral et surtout me rend ma vraie personnalité d'excité. C'est vrai, dans le cinéma il y a toujours quelque chose qui ne va pas. Je n'y peux rien. Et puis à partir de −40 °C le simple fait de tenir la caméra à mains nues est un supplice. Alors c'est sûr, je râle, je gueule et m'énerve généreusement. Je tiens ma séquence et les motoneiges sont arrivées sur la berge au terme d'une longue bataille. Norman, qui, en bon père, veut rester à l'arrière du convoi pour s'assurer de l'avancement de chacun, explique que d'une manière générale nous nous arrêtons trop souvent. Pour un oui, pour un non. Alvaro, peu fier de l'accident qu'il a créé, traduit pour Marco qui depuis quelques jours s'irrite de plus en plus souvent. Nous repartons après trois heures d'efforts avec, en tête, la hantise du prochain problème. Aujourd'hui, ce n'est vraiment pas la journée d'Alvaro. Après à peine une heure de progression, assez facile du reste, sa direction cède. De nouveau Norman éclate, m'énumérant toutes les erreurs de conduite qui ont fatalement provoqué la rupture de la direction. À sa décharge, par les températures que nous supportons, −45 °C, −50 °C, l'acier se brise comme du verre. Et donc, plus que jamais, il faut conduire en souplesse, sans harceler continuellement le guidon. Je fonce vers Alvaro, fermement décidé à lui transmettre les reproches formulés par Norman. Mais je le fais modérément, complètement anéanti par la catastrophe. Didier temporise et se met à atteler la motoneige à la sienne, tout en expliquant que le moteur fonctionnant, au prix d'une synchronisation parfaite dans l'accélération, l'attelage devrait pouvoir tenir. Il avance effectivement mais passe son temps à chavirer, s'embourber, caler. Didier révise alors sa technique d'attelage, et finit par trouver une solution assez honorable, en maintenant les patins d'Alvaro légèrement surélevés. Nous décidons également d'abandonner sa luge démantelée qui freine considérablement le remorquage. Nous voilà repartis. Lentement mais sûrement cette fois. Chaque kilomètre parcouru est pour nous une petite victoire et plus les kilomètres passent, plus le moral reprend le dessus. Le Devil's Pass, Passage du Diable, vient d'être franchi. Vers 20 heures nous atteignons le mile 108. Les traces du camp laissées par l'équipe de tête semblent assez fraîches. Le retard, qui nous semblait si important, ne doit pas l'être tant que ça. Nous reparlons de cette lumière que Marco a aperçue l'autre soir : nous avons dû manquer Nicolas et les autres de très peu.

— Je vous l'avais dit. Une lumière à cet endroit, ça ne pouvait être qu'eux.

— T'aurais fait dix bornes de plus pour les rejoindre, sans même être sûr. Marco, on tiendra pas longtemps à ce rythme. On dort pratiquement plus, on mange rien et on se dépense comme des mules...

— Stop. On va pas commencer à s'engueuler maintenant...

Un mot accroché à un bâton nous attendait. Nicolas nous rassure en expliquant qu'ils ne sont pas très loin, et qu'il est certain que nous faisons le maximum pour les rejoindre. Quelques indications sur la piste ponctuent ses écrits. Il nous semble à la lecture des quelques phrases mal orthographiées que notre retard est compris et cela apaise momentanément notre amertume. Si bien que malgré la fatigue, l'heure tardive, à l'unanimité nous décidons de poursuivre notre route, espérant les rejoindre une bonne fois pour toutes dans la nuit. Elle est noire et très froide. Le convoi Didier-Alvaro évolue à merveille et s'avère même plus efficace qu'une motoneige seule pour le franchissement des obstacles. Seule sa vitesse reste un sérieux handicap et sur la Carcajou River, une plaque de glace cède sous l'effet du poids, amplifié par la lenteur de l'attelage mécanique. La vigilance de Didier évite pourtant de justesse la catastrophe et seule la luge plonge dans l'eau glaciale. Marco, en tête, mène la cadence et finit par prendre un peu d'avance. Tout le monde semble trouver des forces et une volonté insoupçonnées, emporté par l'envie puissante de mettre un terme à notre retard. La piste, que nous suivons presque plus facilement de nuit, quitte la rivière pour grimper en serpentant sur un plateau. Malgré l'obscurité nous devinons une détérioration du temps. Il se met à neiger et le blizzard commence à nous gifler le visage. Sur la neige fraîche des traces de loup trahissent, d'après leurs allures, la chasse d'un troupeau de caribous. Marc qui nous attend au sommet du plateau confirme avoir vu, dans le faisceau de ses phares, cinq loups beaucoup plus affairés à leur poursuite que dérangés par le vrombissement de nos machines. Une nouvelle fois Norman nous paterne et insiste pour descendre le plus vite possible. Il ne faut pas rester là, le blizzard se lève et bientôt nous ne verrons même plus la portée de nos phares. L'économie d'essence étant de rigueur, se perdre et chercher trop longtemps notre chemin est une option interdite. L'angoisse nous saisit, d'autant que Norman semble lui-même soucieux et inquiet. Pour la première dans notre équipe une bombe explose. Ce n'est ni le moment ni l'endroit, mais personne ne se retient. Marco avait vu des traces de motoneiges et les filait sur la droite, oubliant notre dicton : « pas plus de 400 mètres, seul ! » Moi j'avais trouvé des traces de chiens sur la gauche et je tenais à m'y fier. Nous sommes arrêtés une nouvelle fois pour réfléchir quand Marco surgit :

— Qu'est-ce que vous foutez ? La piste redescend par là, je l'ai retrouvée.

— Attends, il y a des traces de traîneau et de chiens ici... Et puis je te rappelle qu'on avait dit pas plus de 400 mètres !

— La confiance règne, c'est agréable. Je prends la tête, vous me suivez. Sinon je sers à rien.

— Tout le monde peut se tromper. On est six, on peut décider à six...

Norman attend patiemment et Emmanuel imperturbable comme à l'ordinaire trouve les mots qui conviennent pour éteindre la mèche. Nicolas a vraisemblablement dû perdre la piste d'Alain et Bruce, ce qui justifie la divergence des traces et notre différend. Le cortège redémarre pour déserter ce plateau, au grand soulagement de Norman. Nous roulons pare-chocs contre pare-chocs, à la façon d'une cordée, pour ne pas se perdre dans la tourmente de neige qui monte de plus en plus. Les yeux pratiquement fermés pour les protéger du vent qui nous projette violemment les flocons au visage, nous descendons de nouveau vers la rivière. Un dévers nous retarde un peu plus et cette fois c'est Norman qui dérape dans la pente. Je m'en aperçois et freine l'équipe pour retourner l'aider. La barre de fixation de sa luge a cédé sous la torsion infligée par le toboggan. Nous confectionnons une ligature provisoire jusqu'au camp, qui ne saurait être loin. Nous arrivons au mile 90 à 3 h 30 du matin. De mieux en mieux. Mais nous ne les avons pas rejoints. Notre tentative de prolonger notre journée s'achève par un échec. Mais où sont-ils ? Nous avons continué en pensant les rattraper dans leur sommeil et toujours rien. Sur la piste on plaisantait même en s'imaginant leur tête de nous voir débarquer pour le petit déjeuner ! Si la piste n'avait pas été aussi bien marquée, nous douterions au point de nous croire perdus. Mais ils sont passés là, il n'y a aucun doute. Marc nous a fait suivre la bonne piste. Que devons-nous faire ? À cette interrogation Norman répond que nous devrions filer au mile 80. Encore 16 kilomètres pour arriver au dépôt d'essence et éventuellement les retrouver. Lui qui possède la plus grande expérience du bush dans le groupe vient de proposer la chose la plus irresponsable : partir à 4 heures du matin, avec quinze heures d'effort dans les bras, affronter les fameuses plaines d'Abraham sous une tempête de neige et de blizzard, sans essence ou presque !

Tout le monde s'engueule, puis exténués, nous finissons par accepter que Marco et Norman partent au mile 80 chercher de l'essence. À force d'aller-retour incessants pour récupérer le carburant nous ne voyons pas comment nous parviendrons à ne plus en manquer un jour. La tente est montée pitoyablement, histoire de nous abriter de la neige qui tombe toujours à gros flocons. Heureusement le bois mort ne manque pas et très vite nous nous endormons à l'exception de Didier dont les affaires n'étaient qu'un bloc de glace. Je le regarde lové autour du poêle en train d'essayer de faire sécher ses affaires et je m'endors, l'épuisement l'emportant facilement sur les idées lugubres qui trottent de plus en plus dans ma tête...

En me réveillant le lendemain vers 11 heures la première idée qui me traverse l'esprit, c'est d'imaginer Nicolas, Alain et Bruce qui arriveraient pour nous découvrir encore au fond des sacs de couchage ! Que penseraient-ils ? Et bizarrement à l'instant de m'extraire du duvet, j'entends Alvaro qui, à son habitude, ironise.

— Ah! S'ils nous voyaient à cette heure-là en train de boire le café!

En fait nous culpabilisons tous. Nous nous tourmentons de plus en plus, mais qu'y pouvons-nous? Malgré notre haine et le sentiment d'être les victimes, nous souhaitons les rejoindre et arriver tous ensemble à Norman Wells, victorieux et fiers d'avoir réussi cette traversée infernale. Mais depuis la séparation les imprévus se sont succédé. Pourtant à tous ces problèmes nous avons répondu par un rythme infernal d'une moyenne de 15 heures de motoneige, prenant des risques considérables à rouler la nuit où l'obscurité masque des pièges déjà difficiles à déjouer de jour, puisant au plus profond de chaque homme la force de chevaucher ces machines endiablées qui nécessiteraient la condition physique d'un athlète pour être maîtrisées et de surcroît endurant les sévices d'un froid polaire qui au fil des jours diminuent considérablement le mental et le physique du plus trappeur des trappeurs. Ce surpassement de nous-mêmes, cette énergie inespérée, cette volonté de vaincre les montagnes ne suffisent pas. En fait ce matin nous sommes vides. Plus aucun souffle ne nous anime et je suis certain que ce que nous faisons, nous le faisons pour l'autre. Moi pour Emmanuel, Didier pour Norman et Alvaro pour Marco. Seul, chacun d'entre nous baisserait les bras abandonnant son corps et sa tête à cet hiver inhabituellement froid qui nous facilite cependant les choses en figeant les innombrables rivières que nous aurions dû contourner à des températures plus clémentes...

Il est midi. La neige s'est arrêtée de tomber et il fait beau. Froid mais beau. Nous attendons le retour de Norman et Marc, impatients de les revoir eux, l'essence et les nouvelles dont ils pourraient être porteurs. Les ont-ils retrouvés? Et l'essence, cette fois y en aura-t-il assez? La piste est-elle enfin bonne au point d'avancer vite? Pourrons-nous satisfaire ces machines capables de rouler à 100 kilomètres/heure? Cent kilomètres/heure! Il nous faudrait deux heures pour arriver à Norman Wells! Et il nous en aurait fallu six depuis Ross River si comme le prétendait Nicolas nous n'avions qu'à exercer une pression du pouce pour accélérer. Mais nous sommes partis il y a seize jours... Nous ne sommes peut-être pas de taille à affronter les Rocheuses. Nous avons vu trop gros, aveuglés par notre ambition et notre courage. Nicolas avait sans doute raison, lui qui, au «camp de la mort», nous proposait de faire demi-tour avant qu'il ne soit trop tard. Au loin un bruit de moteur vient freiner la vitesse vertigineuse à laquelle nos têtes se laissent entraîner... Un hélicoptère! Nous sommes certains que cette fois, il vient nous chercher pour nous emmener à Norman Wells. Didier fait remarquer qu'il est plus gros que l'autre fois et qu'effectivement il contiendrait largement deux motoneiges. La tente mal arrimée tremble tout entière et disparaît dans un tourbillon de poudreuse. Pierre et Raphaël sautent de l'hélicoptère. Spontanément nous nous précipitons vers eux et nous les embrassons en les serrant si fort dans les bras qu'aucun mot n'est prononcé pendant quelques instants. Raphaël nous observe et nous lisons clairement sur son visage, lui qui ne nous a pas vus depuis Ross River, la terreur qui le saisit. Il balaye nos têtes d'un regard étonné, comme si nous étions des inconnus. Ces instants très courts nous paraissent interminables. Puis s'apercevant de notre inquiétude il lance joyeusement:

— Ça me fait plaisir de vous voir, les gars. Et vous êtes en pleine forme! Alors, j'ai du café, de la bouffe plein les cartons et des clopes...

Le ton sur lequel il vient de nous dire ces mots nous rassure, nous détend. Nous racontons nos galères. Pierre et Raphaël, assistés de Tim, boivent nos paroles et s'évertuent à nous féciliter en expliquant qu'ils sont très fiers de nous, comme tous les habitants de Norman Wells qui nous attendent et ne parlent plus que de nous. L'avion d'hier, c'était bien pour nous. Comme il ne nous avait pas vus, Pierre avait déclenché ce matin les secours. Les retrouvailles sont bonnes, attendrissantes, et en plus de tout ce qui se trouve pour nous dans l'hélico, c'est le soutien qu'ils nous témoignent qui recharge nos batteries à bloc. Le courage revient et maintenant, plus que jamais, nous voulons repartir le plus vite possible. Pierre explique qu'ils se sont arrêtés auprès de Alain, Nico et Bruce en venant ici. Pour eux aussi c'est très dur. Personne n'a vraiment envie de parler de ce qui se passe devant et Pierre le sent immédiatement. Il me prend à part et sur un ton ennuyé et grave me dit :

— Thomas, Nico veut que tu prennes l'hélicoptère pour venir le rejoindre et filmer. C'est magnifique le canyon où il se trouve actuellement. Alvaro devrait aussi venir...

— C'est hors de question. Ça fait cinq jours qu'on galère et qu'on se bat comme des lions pour les rejoindre. Ils ont décidé de filer devant sans nous attendre. Ils prennent l'essence dont ils ont besoin, sans se soucier de savoir s'il en reste pour nous. Alors tu sais, je ne vois vraiment pas pourquoi aujourd'hui c'est à moi d'abandonner les copains pour les retrouver. Nous avons décidé de rester unis. C'est ce qui nous a sauvés pour le moment. On forme une super équipe et on entend bien arriver ensemble à Norman Wells. C'est aussi notre aventure et notre expédition. Il faut le comprendre. Alors explique à Nico qu'il nous attende. Maintenant qu'on a enfin assez d'essence, on le rattrapera demain, s'il s'arrête une journée. Dis-lui ça, Pierre...

J'ai élevé la voix et tout le monde m'écoute. Et chacun m'approuve. Pierre, à entendre autant de conviction et sentant la rancune, l'amertume et la déception que nous éprouvons, ne surenchérit pas. Il constate simplement que nous allons rater quelque chose, ce à quoi je réponds :

— Et si Nicolas ne veut pas nous attendre, dis-lui qu'à Norman Wells j'arrête l'expédition...

L'ultimatum lancé, le dialogue redevient convivial. Marco et Norman arrivent épuisés par une nuit de deux ou trois heures de sommeil et racontent comment ils ont frôlé la catastrophe en traversant de nuit les plaines d'Abraham sous une tempête de neige et de blizzard, pour atteindre le dépôt d'essence.

— On n'y voyait rien. Même pas à 3 mètres. Norman retrouvait chaque fois la piste mais franchement seul un Indien pouvait le faire. On s'est planté cent fois dans un mètre de neige. J'ai cru qu'on allait crever là-haut...

Marc tombe sur le carton de nourriture et en sortant la viande congelée s'écrie qu'il meurt de faim. L'hélicoptère repart. Raphaël a été chargé d'appeler nos familles et de nous concocter un véritable gueuleton pour notre arrivée que nous prévoyons pour dans trois jours, si tout se passe bien. Pendant que nous mangeons et que nous démontons le camp nous reparlons de tout de ce qui a été dit. Cette fois nous espérons que le message pour l'équipe de tête sera entendu et que nous les rejoindrons enfin, demain ou peut-être après-demain, mais quoi qu'il en soit avant Norman Wells ! La réparation de la direction d'Alvaro se fait plus rapidement que prévu. Elle n'est pas cassée, seulement dévissée ! À la décharge de Norman, dans le noir, à −40 °C, le diagnostic n'était pas évident à faire. Nous décidons alors de partir vers 15 heures pour atteindre le mile 80. La piste de Marco et Norman doit être encore visible et nous devrions y parvenir en deux heures. D'après nos prévisions nous pourrions rallier le mile 50 ce soir, même tard.

La montée vers les plaines ne se fait pas sans difficultés à cause des luges. Là où Marco et Norman étaient passés sans problèmes, nous perdons du temps. L'effort réclamé pour hisser les luges et dégager les motoneiges de la poudreuse nous use rapidement. Norman, toujours frappé par sa sciatique, passe moins bien que les autres jours. La piste qui sillonne au travers des sapins demande une grande agilité pour ne pas empaler les patins dans les troncs. Au terme d'une ascension plus longue et plus dure que prévu, nous débouchons sur les plaines d'Abraham qui nous offrent un des plus beaux spectacles depuis notre départ. Le soleil est radieux. Il fait presque chaud et la visibilité est excellente. Les montagnes Rocheuses s'étalent devant nous à perte de vue et chacun profite de cette récompense dans le silence. Pour la première fois nous avons le sentiment de faire une balade, en nous laissant bercer par la vitesse des motoneiges qui filent aisément, de front, sur une neige vierge absolument parfaite.

Nous atteignons le mile 80 vers 18 heures. La descente qui suit est exécrable. Les éboulis de pierres se succèdent, à peine recouverts d'une neige balayée par le vent des dernières tempêtes. La Canal Road a complètement disparu. Elle resurgit de temps en temps pour confirmer nos choix mais ne nous apporte aucune aide. Le seul moyen de progresser est d'infliger aux machines ces champs de pierres que nous arrivons parfois à contourner grâce à quelques plaques de glace qui coulent des torrents. La plupart du temps nous sommes debout sur les motoneiges, les bras raidis de toutes nos forces pour contrôler les guidons qui s'emballent au gré des chocs subis par les patins. Les arrêts sont fréquents. À chaque obstacle nous passons les motoneiges une par une, allégées des luges qui commencent à se fendre de tous les côtés. Le son des accélérations intempestives envahit la vallée. Nous tirons, nous poussons, pour finir toujours dans un concert de jurons que nous connaissons désormais par cœur. Nous prenons la décision de continuer obstinément jusqu'au mile 50. Mais emporté par son impuissance physique, Norman inflige à sa motoneige, échouée sur deux grosses pierres, une accélération si violente qu'une odeur de caoutchouc brûlé empeste l'air. La chenille cède et le moral des troupes par la même occasion. Sans aucune hésitation, nous abandonnons la machine. Rien ne saurait plus nous ralentir. Mais au mile 74, nous sommes trop faibles pour avancer encore et les baraquements d'un ancien campement nous retiennent. Pour une fois, pas de tente à monter. Didier et moi trouvons après plus d'une heure de recherche un peu de bois mort. Le vieux bidon couché qui fait office de poêle crache généreusement autant de fumée par le conduit qu'à l'intérieur. Les yeux rougis nous nous couchons à même le sol pour échapper au brouillard. La porte reste ouverte. Il fait froid, très froid et le mile 50 est encore loin...

Le matin, nous trouvons un mot de Nicolas. Quelques mots parmi tant d'autres se détachent. « Quoi qu'il arrive, nous vous attendons au mile 50... À ce soir ! » Si nous avions continué hier soir, nous serions avec eux. Mais aujourd'hui, nous auront-ils attendus ? À l'heure qu'il est ne doivent-ils pas être en train de boire un café à Norman Wells ? Peu importe. Ce matin après une petite réparation de dernière minute nous démarrons à 11 heures. La nuit a consolé Norman qui d'un clin d'œil nous soutient que ce soir nous siroterons une bière au bar de Norman Wells. 74 miles, cela fait 120 kilomètres dans la journée. Nous aimerions bien le croire mais raisonnablement nous comptons davantage sur deux journées. Ce sera déjà un exploit à en croire nos moyennes précédentes. Il nous reste quatre motoneiges pour six. Je fais alors équipe avec Didier et Norman embarque Alvaro. Tous les deux s'aperçoivent de la difficulté et du manque de confort flagrant de voyager à deux sur la même machine. Emmanuel, lui, savoure le luxe récent de rouler seul. Nous suivons une rivière où se dessine la piste des autres. Nous ne la contestons jamais et l'empruntons tout du long, aveuglément, même pour traverser les nombreuses zones de slutch. Je pense aux risques qu'ils ont dû prendre devant pour s'élancer sur la glace inconnue, vierge de toute piste. C'est plus facile de suivre ici et nous avançons vite. Sur un petit bras de la rivière, Didier et moi passons au travers d'une plaque de glace pour terminer notre course dans l'eau jusqu'à la taille. Même par −35 °C, une des températures les plus chaudes que nous ayons eues, nos vêtements se figent instantanément, réduisant considérablement notre souplesse. Le froid taquine nos pieds mais nous continuons, excités par les centaines de traces de caribous qui jalonnent la piste. Je divague un peu et m'imagine la séquence ; Nicolas sur son traîneau tiré par les dix chiens, Bruce et Alain ouvrant la piste juste devant et des milliers de caribous autour, qui les accompagneraient vers la ville tant attendue !

Vers 14 heures nous venons buter sur un canyon aussi étroit que majestueux. La rivière se transforme en un torrent de glace qui dégringole de cascade en cascade, à travers ce corridor de rochers. Nous nous arrêtons. Alain nous a laissé un mot : « Cela fait trente-six heures que nous vous attendons au mile 50 ! Je suis revenu ce matin ici, mais il est midi, je ne peux plus attendre, je repars. À tout à l'heure… » Norman part à pied sur une cinquantaine de mètres. Nous avons eu beaucoup d'embûches, mais comme celle-ci jamais ! Nous avons quatre motoneiges de 300 kilos qu'il va falloir pratiquement porter pour descendre ces cascades. D'après Alain le canyon n'est pas très long. Quelle chance ! Nous franchissons le premier obstacle après une grosse heure d'effort collectif et de portage. C'est impressionnant, mais ça passe. Quelques mètres plus loin, une langue de glace juste de la largeur des patins nous arrête. À droite et à gauche, légèrement en contrebas, l'eau tourbillonne à gros bouillons sous une pellicule de glace de quelques centimètres. La chute, c'est la mort assurée. Le poids de la motoneige casserait la glace, ouvrant la porte d'un tunnel de plusieurs centaines de mètres d'eau glacée. Nous hésitons. Que faire à part jouer les équilibristes ? Revenir en arrière, remonter les machines que nous venons de descendre à la force de nos bras ? C'est impossible. Nous sommes enfermés entre ces deux parois rocheuses, belles mais effrayantes. S'ils sont passés là, c'est forcément l'unique solution. Ils ne nous auraient quand même pas conduits ici pour nous perdre. Didier se lance. Lentement, à genoux sur la selle, il engage les patins. Il n'y a pas un centimètre de trop de chaque côté. Nous le regardons faire, craignant le pire. Par petits à-coups du guidon, il maintient les patins le plus droit possible. Encore un mètre et c'est fini ! Chacun l'imite. Installé sur un immense rocher qui surplombe le corridor, je filme. Mes doigts sont complètement gelés par l'acier de la caméra. Je pleure. Ils ont tous réussi. Je me retourne pour descendre et que vois-je arriver ? Deux types, aux allures canadiennes. Je les regarde s'approcher sans rien penser. D'où viennent-ils ? Qui sont-ils ? L'un d'eux me lance un « salut ! » dans un français irréprochable tandis que l'autre m'écrase la main en me félicitant, apparemment très excité. Il regarde mes doigts tout blancs, s'excuse et m'enfile ses gants en laine. Ils me demandent si je suis seul et je leur réponds que les autres sont derrière ce rocher. Je ne comprends rien. Mais vraiment rien. Marco les presse de questions et les deux gardes nous expliquent qu'ils sont venus nous chercher.

— Nicolas, Bruce et Alain sont partis tout à l'heure pour Norman Wells. On va vous accompagner jusqu'au mile 50. Il y a de l'essence. On croyait pas vous retrouver, les gars... Allez, si on se dépêche, nous y serons aussi ce soir...

— Ah ! les salauds ils vont arriver avant nous !

Marco laisse échapper cette réflexion, que nous partageons tous mais que nous oublions aussi vite. Nous nous tapons dans les mains comme des basketteurs professionnels et enfourchons nos motoneiges pour suivre les gardes déjà disparus dans l'immense vallée qui s'ouvre devant nous. La piste est excellente et nous arrivons au mile 50 à la nuit. Le temps de remplir les réservoirs et déjà nous repartons à la poursuite des Canadiens. Nous nous laissons complètement porter par les événements. La nuit est noire mais nous distinguons les grandes parois rocheuses du canyon. Nous les suivons sur plusieurs kilomètres et nous ne pouvons que deviner la beauté du fameux Dodo Canyon, dont nous parlons depuis Ross River. Nous roulons vite. Une ivresse nous envahit et nous surfons sur la grosse poudreuse accumulée au fond de la vallée. Quelques accidents ponctuent notre voyage. À 20 heures nous arrivons exténués au mile 36. Les gardes nous préparent des côtes de caribou, du café, du thé. Nous nous jetons dessus, oubliant de répondre à leurs questions. Nous trouvons à peine la force de remonter sur les motoneiges mais l'excitation nous dope. Il fait très froid. Nous roulons longtemps. La caravane s'étend. Marco bloque ses patins sous la glace en franchissant une rivière ouverte. Norman perd le poêle et sa carabine. Emmanuel et moi cassons notre luge. Il est temps d'arriver. Plus le temps passe plus nous nous dispersons, malgré nos consignes de s'attendre pour arriver groupés. La victoire, la nôtre, n'est plus très loin. Emmanuel exécute des sorties de piste de plus en plus fréquentes, prétextant que la direction est trop dure. Il finit par abdiquer sous l'effet de la fatigue. Soudain les lumières de la ville percent l'horizon. Le délire nous prend et nous chantons tous les deux comme des gamins. La piste descend pour remonter. Depuis que nous avons entr'aperçu les lumières le temps nous semble long, très long. Interminable. On se demande même si on va finir par arriver. La rivière Mackenzie barre la route. Nous nous arrêtons et aussitôt nous nous serrons très fort dans les bras. Il manque Didier et Marco. Norman et Alvaro sont un peu plus loin, ils nous attendent. Minuit approche. Un vent soutenu balaye la rivière et le froid devient insupportable. Un des deux gardes arrive pour nous avertir que Didier et Marco ont des problèmes. Ils ont une heure de retard. Nous ne pouvons plus attendre sous peine de geler sur place. Nous nous élançons pour les derniers kilomètres...

À deux cents mètres du bar où nous avons rendez-vous, Marc et Didier nous rattrapent.

— Sympa les gars de nous attendre !

Je pressentais l'engueulade. Ma motoneige cale, faute d'essence, sur le parking du bar. Il est 1 heure du matin. Nous avons fait 130 kilomètres dans la journée. Ce matin, en quittant le mile 74, Norman avait eu une illumination ! Mais aucun d'entre nous ne comprend quelle force nous a permis de parcourir cette distance. Nous avons rejoint l'équipe de tête. Nous poussons ensemble la porte du bar. Alain et Bruce sont là, enfin. Les retrouvailles sont bonnes. Les larmes et les embrassades remplacent les mots. Leurs visages sont aussi abîmés que les nôtres. Les regards jugent mais apprécient que nous soyons de nouveau tous ensemble. Dans le bar tout le monde nous regarde. La victoire dure quelques instants et Nicolas, lui, n'est pas là !

Plus rien ne nous presse. Nous sommes tous là, accoudés au bar. La bière coule à flots. Chacun hésite à se lancer dans les explications que nous attendons tous. Les regards se croisent mais ne s'éternisent pas. Alain prend le risque de reparler du canyon, où soi-disant il nous a attendus. L'effet est immédiat. La bombe explose mais par la volonté de tous, elle s'éteint aussitôt au profit d'une nouvelle tournée de bière ! J'en profite pour poser la question tabou, où est Nicolas ? Lui qui nous réclame depuis tant de jours. Où est-il ? A-t-il peur de nous affronter ? Ne mérite-t-on pas qu'il soit là pour nous accueillir ? Alain raconte qu'en arrivant, un comité d'accueil organisé par la ville l'attendait au club de curling. En voulant s'acquitter d'un premier lancé de palet, Nicolas, dans un geste novice, a dérapé sur la glace. Sa chute lui a valu quelques points de suture à l'arcade sourcilière. Lui qui avait si souvent traversé les dangereuses glaces des montagnes Rocheuses venait se faire rappeler à l'ordre sur la piste de curling de Norman Wells ! Il est donc en ce moment en train de se faire rafistoler le visage. Alain termine tout juste sa plaidoirie que Nicolas pousse la porte du bar, accompagné de Pierre. Il nous félicite par une bonne poignée de main. L'émotion est contenue, des deux côtés, et nous savons que dès demain une explication s'imposera...

Thomas Bounoure

Remerciements

(par ordre alphabétique)

AIR CANADA, en transportant hommes, chiens et matériel avec toujours un immense dévouement et une grande efficacité.

BIOCANINA, en nous fournissant toute une gamme de produits très performants qui nous ont permis de soigner les chiens en toute circonstance.

LA BOÎTE À PILES, à Reims, qui a mis au point une lampe frontale spéciale grand froid avec des piles extrêmement performantes et légères qui nous ont éclairés durant des milliers d'heures pendant tout l'hiver.

BRITISH AMERICAN RACING, dont la perpétuelle recherche d'excellence a rejoint dans ce défi les valeurs qu'ils défendent.

DOONERAK'S RUNNERS, spécialiste de matériel pour chiens de travail.
Catalogue sur demande : BP 206 Le Brusc,
83185 Six Fours cedex
Tel : 04 94 34 38 38.

ELASTIDOG, concepteur d'un trait d'attelage révolutionnaire antichoc, avec amortisseur individuel et constitué d'éléments interchangeables :
Jean-Claude Perrot, 134, rue André-Ménager,
59460 Jeumont
Tel : 06 11 61 47 99.

LEICA, en mettant à notre disposition du matériel spécialement traité contre le grand froid nous ayant permis de réaliser des clichés d'une qualité exceptionnelle.

LAWRANCE ELECTRONIC qui nous a fournit des GPS qui nous ont été d'une importance primordiale notamment pour la progression sur la banquise et dans la toundra.

LOWE ALPINE, qui nous a équipés de la tête aux pieds et grâce auquel nous avons pu faire face à des conditions climatiques extrêmes, notamment en adaptant nos tenues grâce au système multicouches que permet l'utilisation de la laine polaire.

PEDIGREE, dont les ingénieurs ont travaillé pendant quatre ans sur la fabrication d'une nourriture ultraperformante à haute concentration énergétique parfaitement adaptée aux besoins spécifiques de mes chiens sur une telle expédition.

RENAULT SPORT, qui a conçu un traîneau totalement innovant, une véritable Formule 1 des neiges, en utilisant les techniques les plus modernes et les matériaux composites, notamment grâce à leur partenaire MOC qui a mis à profit le pouvoir d'élasticité des fibres composites pour imaginer un traîneau déformable et donc réglable en fonction du terrain rencontré.

LA ROCHE-POSAY, en nous fournissant des produits extrêmement efficaces pour lutter contre les multiples agressions auxquelles la peau se trouve confrontée à cause du froid, du vent et du soleil.

SALOMON, en fabriquant spécialement pour nous des skis adaptés et interchangeables pour le traîneau.

WEBEXPERT, en mettant au point le site Internet : *www.Nicolas-Vanier.com,* grâce auquel plusieurs dizaines de milliers de personnes ont pu suivre au jour le jour nos péripéties et continuent de s'informer sur mes précédentes et futures expéditions.

Mais aussi, la SPB, l'OCP, le groupe HUMEX FOURNIER (laboratoire pharmaceutique spécialisé dans la pathologie hivernale et les pansements), AUDISOFT, AXA Assurance, DOLISOS, DAMART qui nous ont aidés avec beaucoup de cœur et de motivation.

Et enfin, toute notre gratitude à tous ces hommes, Indiens, Inuits, Canadiens, qui d'un bout à l'autre du Canada nous ont spontanément ouvert leur maison, proposé leur aide et ont participé à cette expédition dont la réussite leur est dédiée sans hésitation, et plus particulièrement : Gil et Mark Taylor, Tony, Jeannot Gagnon, Lyne l'Africain, Claire Verreault, Richard Séguin, Daniel Becq, Bert Wapache, Bill Rogoza, Sam Hunter, Daniel et Sylvie Quevillon ainsi que les nombreux rangers du Canada qui se sont relayés de Churchill jusqu'au Québec pour nous aider.

L'Odyssée blanche

Traversée du Grand Nord canadien depuis Skagway en Alaska jusqu'à Québec, soit 8 600 kilomètres en traîneau à chiens effectués en 99 jours, 11 heures et 58 minutes.

Départ de Skagway le 13 décembre à 11 h 20.

Arrivée à Churchill le 15 février à 18 h 35, soit 64 jours, 7 heures et 15 minutes.

Repos de 5 jours, 11 heures et 31 minutes à Churchill (temps décompté).

Départ de Churchill le 21 février à 06 h 05.

Arrivée à Québec le 28 mars à 10 h 48, soit 35 jours, 4 heures et 43 minutes.

Pour ceux qui sont tentés par une initiation au traîneau à chiens, et par la randonnée dans des décors exceptionnels, Nicolas Vanier et Alain Brenichot disposent désormais de deux infrastructures, l'une dans les montagnes Rocheuses et l'autre au Québec, dans le secteur féerique de la rivière Ashuapmushuan, situé au nord du lac Saint-Jean.

Pour tous renseignements, contacter *Laika* au 01 42 89 32 64.

Crédits photographiques

La composition de cet ouvrage
a été réalisée par l'**Imprimerie Bussière,**
l'impression et le brochage ont été effectués
sur presse Cameron dans les ateliers
de **Bussière Camedan Imprimeries**
à Saint-Amand-Montrond (Cher)
pour le compte des éditions Robert Laffont
24, avenue Marceau, 75008 Paris
en octobre 1999

N° d'édition : 40320. N° d'impression : 2146-993833/4.
Dépôt légal : octobre 1999.
Imprimé en France